ISBN 978-0-484-36685-4
PIBN 10678189

# ZEITSCHRIFT

FÜR

# ÄGYPTISCHE SPRACHE

UND

# ALTERTUMSKUNDE

HERAUSGEGEBEN VON

GEORG STEINDORFF

57. BAND

MIT 7 ABBILDUNGEN IM TEXT UND AUTOGRAPH. TEXTEN ALS ANHANG

LEIPZIG
J. C. HINRICHS'SCHE BUCHHANDLUNG
1922

Die „Zeitschrift für Ägytische Sprache und Altertumskunde"
wurde begründet 1863 von HEINRICH BRUGSCH und herausgegeben von:

C. R. LEPSIUS mit H. BRUGSCH 1864—1880,
C. R. LEPSIUS mit H. BRUGSCH, A. ERMAN, L. STERN 1881—1884,
H. BRUGSCH und L. STERN 1885—1888,
H. BRUGSCH und A. ERMAN 1889—1893,
H. BRUGSCH und A. ERMAN mit G. STEINDORFF 1894,
A. ERMAN und G. STEINDORFF 1895—1906,
G. STEINDORFF seit 1907.

Druck von August Pries in Leipzig.

# Inhalt des 57. Bandes.

# Die Sprüche für das Kennen der Seelen der heiligen Orte.

## (Totb. Kap. 107—109. 111—116.)

Göttinger Totenbuchstudien von 1919.

Herausgegeben von KURT SETHE.

(Hierzu die autographierten Texte.)

An den Studien, die hier der Öffentlichkeit übergeben werden, nahmen außer den Herren ADRIAAN DE BUCK und HERMANN KEES, die sich an der Arbeit in allen ihren Stadien besonders rege und anregend beteiligt haben, auch noch die Herren HERMANN WIESMANN und KARL WILKE teil. Was damals im J. 1919 im Kolleg in gemeinsamer Arbeit unter meiner Leitung festgestellt worden war, hat hernach bei der Ausarbeitung des Manuskriptes, die von mir herrührt, aber auf den Aufzeichnungen der Teilnehmer beruht, naturgemäß noch manche Modifikation erfahren; es ist erweitert, vertieft und auch berichtigt worden. Eine genaue Scheidung der Anteile, die jeder einzelne von uns an dem Zustandekommen dessen, was wir bieten, gehabt hat, wäre selbst mit dem Aufwand vieler Worte kaum noch möglich. Sie lag auch nicht in unserer Absicht; wir wünschen vielmehr das Ganze durchaus als eine Frucht gemeinsamer Arbeit angesehen zu wissen, bei der jeder nach seinen Kräften mitgeholfen hat.

Als wir dem Plan einer Veröffentlichung unserer Studienergebnisse näher traten, verhehlten wir uns nicht, daß diese Veröffentlichung in mancher Hinsicht nur provisorischen Charakter haben wird, war uns doch infolge der politischen Verhältnisse der Einblick in die für das Verständnis der Texte und ihre Geschichte so bedeutsamen Hss des MR zu Kairo, London und Paris versagt. Der Gedanke, daß unsere Veröffentlichung vielleicht zu einer baldigen Bearbeitung dieser großenteils dem Ruin entgegengehenden Hss anregen könnte, der Wunsch, daß unsere Arbeit nicht ungenutzt und unvollendet liegen bleiben solle, und die Überzeugung, daß sie, ganz abgesehen von all den interessanten mythologischen Details, die sie erschließt, auch als methodisches Beispiel für die Behandlung solcher Texte Wert haben dürfte, haben uns bewogen, uns von unserem Plan nicht abschrecken zu lassen. K. S.

## Einleitung.

### 1. Die Textsammlung.

Unter den fast 200 Sprüchen der ägyptischen Totenliteratur, die sich im Laufe der Zeit in dem, was wir das Totenbuch der Ägypter nennen, zusammengefunden haben, um in wechselnder Auswahl miteinander aufzutreten, hebt sich eine Reihe von Sprüchen scharf heraus, die nicht nur mit einer gewissen Regelmäßigkeit zusammen vorzukommen pflegen, sondern auch äußerlich in ihren Titeln und in ihren Schlußworten eine gewisse Gleichförmigkeit an den Tag legen, so daß man bei ihnen wohl von einer geschlossenen Gruppe oder Textsammlung reden kann. Es sind die Sprüche, welche bei LEPSIUS die Nummern 107—109. 111—116 führen und also im

Totenbuch der Spätzeit nur durch das berühmte Kap. 110 von den „Gefilden der Seligen“ unterbrochen werden.

Nach ihren, wie gesagt, gleichförmig gestalteten Titeln und Schlußworten sollten diese Texte das „Kennen der Seelen“ gewisser heiliger Orte zum Gegenstande oder zum Zwecke haben, worauf auch die seit Dyn. 18 den Texten beigefügten Vignetten deuten, die die betreffenden Seelen, stets in der Dreizahl (s. dazu den Komm. zu II 34), darstellen. Tatsächlich spielen diese Seelen aber in den Texten entweder gar keine oder eine ganz untergeordnete Rolle. Das Wesentliche darin ist vielmehr, daß der Redende (Verstorbene) sich auf die Kenntnis gewisser geheimnisvoller Dinge (Vorgänge und Einrichtungen) beruft, die mit den betreffenden Orten in Zusammenhang stehen und gewissermaßen die Mysterien dieser Stätten bilden. Meist handelt es sich dabei um Verletzungen, die göttliche Wesen erlitten haben sollen. Die Texte haben denn auch meist ursprünglich andere Titel gehabt.

Diese älteren Titel (z. T. sind es mehrere) finden sich noch in den Hss des MR vor dem gleichförmig gestalteten jüngeren Titel „Kennen der Seelen von . . . . .“, der seit dem NR allein übriggeblieben ist; sie sind großenteils funerärer Natur, indem sie angeben, was der Tote im Jenseits mit Hilfe des Spruches erreichen soll oder beim Gebrauche des Spruches zu tun hat. Es wäre nicht unmöglich, daß auch diese älteren Spruchtitel, die gleichfalls meist in keinem erkennbaren Zusammenhang mit dem wirklichen Inhalt des Textes stehen, schon eine jüngere Phase der Textentwicklung darstellten und eine tendenziöse Ausdeutung des Spruchinhaltes voraussetzten, der ursprünglich ohne jeden Titel dagestanden haben könnte, wie es ja bei den alten Pyramidentexten meist noch der Fall ist, und der vielleicht gar nichts mit dem Leben nach dem Tode zu tun hatte. Nur bei den beiden letzten Texten der Sammlung (VII. VIII) liegt die Sache etwas anders, insofern sie sich von vornherein stark mit nichtirdischen Dingen beschäftigen. Bei den anderen Sprüchen finden sich in der Tat gelegentlich vor den älteren Titeln funerären Inhalts noch andere, die nichts ausgesprochen Funeräres enthalten und die, da sie zu dem Inhalt des Spruches durchaus passen, sehr wohl Überreste einer älteren Entwicklungsstufe darstellen könnten (z. B. IV 1). Wir würden dann bei diesen Texten unter Umständen vier solcher Entwicklungsstufen unterscheiden können:

1) ohne Titel, 2) nicht funerärer Titel, 3) funerärer Titel, 4) einförmiger Titel vom „Kennen der Seelen“.

Sekundär und z. T. sicher unrichtig (so bei III) zugesetzt sind auch die Einführungsworte „N. N. er sagt“ oder „Worte sprechen durch den N. N.“ u. ä., durch die der Spruch von A bis Z dem Toten in den Mund gelegt wird.

Mehrere von den Texten der Sammlung, die im Totenbuche der Spätzeit als selbständige Sprüche auftreten, sind nur Varianten eines der anderen Texte und treten zunächst auch nur da auf, wo diese Texte selbst fehlen. So ist Lepsius' Kap. 116 (IV a) eine Variante von 114 (IV), Kap. 107 (VII a) eine solche von 109 (VII), Kap. 111 (VIII a) eine solche von 108 (VIII). Zwei von den Texten liegen außerdem auch in der Textkompilation des Kap. 149 verwendet vor: 149 b (VII b) ist mit 109. 107, 149 d (VIII b) mit 108. 111 identisch, doch zeigen auch diese beiden Dubletten eigenartige Textabweichungen. Ein Spruch (III), der sich in den MR Hss zwischen 115 und 114 einschiebt, ist seit dem NR überhaupt nicht mehr anzutreffen; er ist vielleicht deshalb aus der Sammlung ausgeschieden worden, weil er nicht die Seelen eines Ortes, sondern eines Festes zum Gegenstand zu haben behauptete. Ebenso ist der Gesamttitel der Sammlung (I) im NR verschwunden.

## 2. Die Ordnung der Texte.

| Zeit | Hs | Titel | 1 | 2 | 3 | |
|---|---|---|---|---|---|---|
| | | | 115 114 | 112 113 | 109 108 | |
| **MR** | S 1 | I— | —II—III—IV—— | ——V—VI— | ——VII—VIII | |
| | S 2 | I— | —II—III—IV—— | ——V$^{\alpha}$ | | |
| | S 3 | I— | —II—III—IV—— | ——V$^{\alpha}$ Anfg | | |
| | S 4a | [I]— | —II—III—IV/IVa$^{\beta}$— | ——V—VI$^{\alpha}$ | | |
| | S 4b | [I]— | —II—III | | | |
| | J 1 | [I?]— | —II—III—IV—— | ……V—VI— | ——VII—VIII | |
| | J 2 | [I?]— | —II—III—IV—— | ——V—VI— | ——VII—VIII | |
| | J 3 | [I?]— | —II—III—IV—— | ——V—VI$^{\alpha}$— | ——VII—VIII | |
| | J 4 | | | $\gamma$ V—VI— Ende | ——VII—VIII | |
| | J 5 | | II$^{\delta}$ Anfg | | VIII$^{\delta}$ | |
| | J 6 | | | VI$^{\zeta}$— | ——VII—VIII | |
| | M | | II$^{\alpha}$ Anfg | | | |
| | K | | II$^{\eta}$ Anfg | | | |
| | H | | | | VIII$^{\varepsilon}$ | |
| | N | | II$^{\vartheta}$—III | | | |
| | | | 115 114 | 112 113 | 109 108 | |
| | | | 115 114 116 | 111 112 113 | 107 108 109 | |
| **NR** Dyn. 18 a | Aa | | IV—— | ——V—VI— | ——VIII—VII | |
| | Jb | | IV—— | ——V—VI— | ——VIII$^{\iota}$—[VII] | |
| | Ae | | IV…… | ……V—VI— | ——VIII—VII | |
| | Ja | | IV—— | ——V—— | ——VIII—VII | |
| | Pm | | II……?……IV | | | |
| b | Archetyp.v.Ea | | II——IV—IVa— | —VIIIa—V—VI | | |
| | Ea | | II——IVa— | ——V—VI | VIII$^{\varepsilon}$ VII$^{\varepsilon}$ | |
| | Tb | | | V$^{\lambda}$ VI$^{\lambda}$ | | |
| | Ca | | IVa$^{\varepsilon}$ | | | |
| | Pf | | IVa— | —— | ——VIII—VII | |
| c | Ta | | | VIIIa$^{\varepsilon}$ | | |
| Dyn. 19/20 | Pe | | IVa— | —— | ——VII | |
| | | | 116 115 | | | |
| | Ga | | IVa——II— | —VIIIa—V—VI— | —VIIa——VII | |
| | Ba | | | | VIII$^{\varepsilon\varkappa}$ Anfg | |
| | | | | | 109 108 | |
| | Le | | | | VII—VIII | |
| | | | 115 116 | 111 112 113 | 107 108 109 | 114 115 116 |
| Dyn. 21 | Cg | | II——IVa— | —VIIIa—V—VI— | —VIIa—VIII—VII— | —IV |
| | Ch | | | VIIIa—V—VI— | —VIIa——VII | |
| | Ec | | | VIIIa—V—VI— | —VIIa—VIII—VII— | —IV—II—IVa |
| | Pr | | | | | II$^{\varepsilon}$ |
| | | | 107 108 109 (110) | 111 112 113 | | 114 115 116 |
| **Spätzeit** | Spz | | VIIa—VIII—VII—$\gamma$— | —VIIIa—V—VI— | —— | —IV—II—IVa |
| | | | 3 | 2 | | 1 |

Die Reihenfolge der Texte ist in den Hss, wo nichts anderes bemerkt ist, die gleiche wie in der Tabelle. Ein wagerechter Strich bedeutet, daß die durch ihn verbundenen Texte in der Hs unmittelbar einander folgen.

$\alpha$ Ende der Sargwand.

$\beta$ nach LACAU Kombination von IV und IVa; so bezeichnet CHASSINAT aber auch IV in seiner alten Form, die zwischen der späteren Form und IVa in der Mitte steht.

$\gamma$ Hier Totb. 110.

$\delta$ VIII—Totb. 17—II—Totb. 174 usw.

$\varepsilon$ vereinzelt zwischen and. Texten.

$\zeta$ Beginn e. Sargwand; die anstoßende Wand, die das Vorhergehende enthalten könnte, noch unveröffentlicht.

$\eta$ Ende der Hs; Text mitten in der Zeile abbrechend.

$\vartheta$ Beginn der Hs.

$\iota$ Die Hs bricht jetzt hier ab; was folgte, ist verloren.

$\varkappa$ Ende der Hs.

$\lambda$ Gegenstücke auf einer Grabwand; V links, VI rechts von der Türe.

Die Reihenfolge, in der die einzelnen Sprüche in der Sammlung auftreten, ist im MR noch eine ganz feste, nämlich der Numerierung mit römischen Ziffern entsprechend, die wir den Texten gegeben haben. Inhaltlich schieden sich die Texte schon damals in drei Gruppen, die sich auch in der Folgezeit als solche erhalten: 1) Texte, die Heliopolis und Hermopolis betreffen und von Sonne und Mond handeln (II—IV), — 2) Texte, die die alten vorgeschichtlichen Reichshauptstädte Buto und Hierakonpolis betreffen (V. VI), — 3) Texte, die den Osten und Westen betreffen (VII. VIII).

Im NR sind die Texte der letzten Gruppe umgestellt, so daß jetzt der Westen dem Osten vorangeht (VIII. VII)[1], wie das in der Aufzählung der Himmelsgegenden bei den Ägyptern bis in die Psammetichzeit allgemein üblich gewesen ist[2]; nur in der spätramessidischen Hs Le kehrt noch einmal die ursprüngliche Folge wieder. — Eine entsprechende Umstellung ist bei den Sprüchen, die im NR noch die 1. Gruppe bildeten, erst in Dyn. 19 nur vorübergehend und vielleicht nur als individueller Fehler der einen in Betracht kommenden Hs Ga zu beobachten (IV a. II). — In der gleichen Zeit (Dyn. 19) ist an die Spitze der 2. Gruppe (V. VI) ein Spruch getreten, der eigentlich eine Entstellung des zur 3. Gruppe gehörigen Spruches VIII (108) war, aber irrig den gleichen Titel wie V bekommen hatte (VIII a). Dadurch hat diese 2. Gruppe den Textbestand und die Reihenfolge erhalten, die sie im Totenbuch der Spätzeit hat: VIII a (111). V (112). VI (113). — Ebenso steht seit Dyn. 21 an der Spitze der 3. Gruppe ein Spruch, der eigentlich eine Dublette des Anfangs von VII (109) war, aber irrig den gleichen Titel wie VIII (108) erhalten hat (VII a) und zuerst in der ramessidischen Hs Ga an Stelle dieses dort fehlenden Spruches (VIII) auftritt. Damit ist in Dyn. 21 auch bei der 3. Gruppe die Reihenfolge der Spätzeit hergestellt: VII a (107). VIII (108). VII (109).

Der Befund bei Ga, wo wie gesagt VIII fehlt (ebenso später Ch), hängt offenbar eng mit der Entstehungsgeschichte der Dublette VII a zusammen. Diese scheint nämlich dadurch entstanden zu sein, daß ein Schreiber, der die Texte in der Reihenfolge VIII. VII, wie sie seit Dyn. 18 herrscht, zu kopieren hatte, nachdem er den Anfang des Titels von VIII in seiner älteren Form (*ʿḳ pr.t m śbꜣ.w imntj.w*) geschrieben hatte, auf den entsprechenden Titel von VII abirrte und diesen Spruch von *m-m šmś.w Rʿ* an bis VII 7 weiter schrieb, um dann das eben Geschriebene (VII 1—7), nun aber mit dem regulären Anfang von VII 1 beginnend, noch einmal in einfacher Dittographie zu wiederholen.

In der 1. Gruppe von Texten folgte nach Wegfall von III der Spruch IV bzw. IV a auf II, so daß auch hier innerhalb der Gruppe die Textfolge der Spz II (115). IV a (116) bereits für die 18. Dyn. festzustellen ist.

Sehr merkwürdig liegen die Verhältnisse bei der Hs Ea aus dieser Zeit. Dort trägt der auf II (115) folgende Spruch IV a (116) die Benennung „ein anderer Spruch vom Kennen der Seelen von Hermopolis“, setzt also den Spruch IV (114), der in der Hs fehlt, als vorhergehend voraus, und ebenso heißt dort der Spruch V (112), der auf IV a (116) folgt, „ein anderer Spruch vom Kennen der Seelen von Buto“, setzt also VIII a (111) als vorhergehend voraus. Der Hs Ea lag also eine Vorlage (Urhandschrift) zugrunde,

1) Diese Umstellung wird durch die Entstehungsgeschichte von VII a (107) bereits für eine Zeit bezeugt, wo die Titel der beiden Sprüche VII und VIII noch ihre ältere vollere Form des MR hatten, also ehe sie zu der in sämtlichen Hss des NR bereits vorliegenden Form verkürzt wurden. — 2) BRUGSCH, Ä. Z. 9, 143. So schon in den Pyr.Texten (Ausnahme 1691). Vgl. ferner Ä. Z. 44, 2. 23. — Erst in den demotischen Rechtsurkunden der Ptolemäerzeit wird die Reihenfolge umgekehrt (Osten, Westen), während sie noch unter Psammetich II. die alte war, s. GRIFFITH, Rylands Papyri III 328.

die in der Gruppe 1 noch die Textfolge II (115). IV (114). IV a (116) aufwies, in der Gruppe 2 aber die Textfolge VIII a (111). V (112). VI (113), hier also schon ganz so, wie sie seit Dyn. 19 bis in die Spz üblich geblieben ist.

Nach dem NR, also seit Dyn. 21, ist in der Benennung des Spruches IV a (116) eine Änderung eingetreten; er soll jetzt nicht mehr von Hermopolis handeln, sondern wie sein Gruppengenosse II (115) von Heliopolis, indem er als „ein anderer Spruch vom Kennen der Seelen von Heliopolis" bezeichnet ist. Als Ursache für diese Umbenennung darf man wohl eben den Befund, wie er in der Hs Ea vorlag, vermuten, zumal zwischen dem Text dieser Hs und dem der Hss der 21. Dyn. auch sonst (z. B. im Totb. 17) eklatante Beziehungen festzustellen sind. Weil in dem Texte von Ea der Spruch IV a (116) mit der Bezeichnung „ein anderer Spruch" auf den Spruch II (115) folgte, der von den Seelen von Heliopolis handelt, ist in seinem Titel das unter diesen Umständen sinnlos erscheinende Hermopolis in Heliopolis geändert worden; bei der Ähnlichkeit beider Namen im Ägyptischen (…) und (…) war das ja auch ein Leichtes. Diese Änderung liegt übrigens bei Ea in der Tat schon vor in IV a 17, dem dem Titel korrespondierenden Schlußsatze (Refrain) des Textes.

Der Spruch IV (114), der Grundtext von IV a, der in der Hs Ea und den ihr folgenden Hss des NR aus der Sammlung ausgeschieden war und darin durch IV a vertreten wurde, tritt jetzt in Dyn. 21 am Ende der Sammlung wie eine selbständige Gruppe neu hinzu, und zwar mit dem alten richtigen Titel (betr. Hermopolis). So finden wir denn die ganze Sammlung in dem vollen Textbestande, den sie in der Spätzeit aufweist, zuerst in der Hs Cg aus der 21. Dyn. in der folgenden Anordnung: Heliopolis (115. 116), Buto (111. 112), Hierakonpolis (113), Westen (107. 108), Osten (109), Hermopolis (114).

In den jüngeren Hss derselben Dynastie tritt dann die Gruppe 1 (II. IV a = 115. 116) ihrerseits an das Ende der Sammlung[1], um sich wieder mit dem zu ihr gehörigen Spruche IV (114) zu einer neuen Gruppe zu vereinigen, die nun in sich die Textfolge der Spätzeit aufweist: IV (114). II (115). IV a (116).

Nunmehr bedurfte es nur noch der Umstellung der Gruppen 3 und 2, um zu der Ordnung zu gelangen, die in der Spätzeit herrscht[2]. In ihr stehen die Gruppen in der umgekehrten Reihenfolge als ursprünglich: 3. 2. 1. Auf Westen, Osten folgt jetzt Buto, Hierakonpolis und dann Hermopolis, Heliopolis.

Außerdem ist aber jetzt, und zwar regelmäßig, zwischen Gruppe 3 (107—109) und Gruppe 2 (111—113) ein nicht zu unserer Sammlung gehöriger Spruch (110) eingeschoben, der noch in Dyn. 21 stets an anderer Stelle zu erscheinen pflegte[3]. Seine Einschiebung hinter VII (109) ist inhaltlich begründet; er handelt von demselben Gegenstande, dem „Gefilde der Binsen" mit seinem reichen Kornwuchs. Er spielt aber in der Sammlung die Rolle einer neuen 4. Gruppe, die da, wo nur ein Teil der Sammlung gegeben wird, ebensogut mit den Texten der ihm folgenden

1) Bemerkenswert ist, daß in der Hs Ec die neu ans Ende getretenen Texte (II. IV a) nicht unmittelbar auf IV (114) folgen, indem sie den Rest der Seite füllen, sondern daß der Schreiber diesen Rest, eine volle halbe Seite, unbeschrieben gelassen hat und mit II (115) eine neue Seite beginnt. — 2) Genau die Reihenfolge wie bei Lepsius haben nach Devérias Katalog von den im Louvre befindlichen Hss. dieser Zeit die Nrn. 3079. 3089. 3091. 3144. 3151. 3248. 5430; desgl. mit Auslassung einzelner Sprüche die Nrn. 3081 (ohne 112. 116). 3087. 3149 (beide ohne 107—109). 3249 (ohne 107. 116). 3255 (nur 107. 109. 110. 112. 114). 3272 (nur 107—110). Umgestellt ist in Nr. 3084, wo nur Kap. 108 fehlt, das Kap. 114, das dort vor 112 steht. In Nr. 3090 (wo 107. 112—114. 116 fehlen) ist 108 hinter seiner Variante 111 wiederholt. — 3) In Cg z. B. zwischen Kap. 177 und 178; in den andern Hss dieser Zeit pflegt das Bild, das das Gefilde der Binsen darstellt, am Ende der ganzen Hs zu stehen.

Gruppen 2 und 1 zusammen (ohne die Gruppe 3) in der Textfolge 110—116 auftritt (so Louvre P. 3087. 3149)[1] wie mit dieser Gruppe 3 zusammen (ohne jene beiden Gruppen) in der Textfolge 107—110 (so Louvre P. 3272).

Wie hier zeigt sich die Gruppenscheidung in der Spätzeit auch sonst gelegentlich, so z. B. sehr deutlich in dem Petersburger Pap. 1111 b, der die Gruppen 3 (107—109) und 1 (114—116) durch die Totenbuchkapitel 33—37 getrennt enthält, die hier also geradezu Kap. 110 und die Gruppe 2 (111—113) vertreten[2].

## 3. Die Handschriften.

### A. des Mittleren Reiches.

**S.** Särge aus Siut:

1. des : Chassinat-Palanque, Une campagne de fouilles dans la nécropole d'Assiout (Mém. de l'Inst. franç. d'archéol. orient. du Caire 24), S. 80 ff. (hierogl. Umschrift in Typendruck, nicht fehlerfrei).
2. der a. a. O. S. 154. 149—150 } meist nur vereinzelte Varianten zu S 1 publiziert.
3. des a. a. O. S. 211 }
4. des . Kairo 28118, verzeichnet bei Lacau, Sarcophages antérieurs au Nouvel Empire II. Dort erscheinen unsere Texte zweimal: **a.** côté 1, l. 1—30 (S. 112). — **b.** côté 4, l. 3—12 (S. 124). — Beides noch unveröffentlicht.

und werden auf allen diesen Särgen bereits gelegentlich verwechselt, z. B. II 13. VII 19.

**J.** Särge aus El Bersche:

1. des . Kairo 28083, côté 2, l. 1—30; côté 3, l. 1—20; Lacau a. a. O. I 177; unveröffentlicht bis auf einige Worte aus Text III.
2. des . Kairo 28087, Innenseite des Deckels; Lacau a. a. O. II 2/3 } noch ganz unveröffentlicht.
3. des . Kairo 28091, côté 1, l. 1—30; côté 2, l. 1—11; Lacau a. a. O. II 41/2 }
4. des . Kairo 28123, côté 4, l. 52—76; Lacau a. a. O. II 141.
5. der . Kairo 28085, côté 4, l. 98; côté 3, l. 1—16. 68—70; Lacau a. a. O. I 207. 205.
6. des . Brit. Mus. 30840. Schmalseite: Guide to the First and Second Egyptian Room[2] (1904), pl. 4 zu S. 58 (Autotypie). Die anstoßende Seite unveröffentlicht. Eine Kollation konnte nicht beschafft werden, da die Entfernung des Deckels nicht gestattet wurde. — und gelegentlich verwechselt z. B. VII 10. 19.

**M.** Fußende eines Sarges aus Meir ohne Namen. Kairo 28047; Lacau a. a. O. I 140. Text II 2—8 (mit einigen leicht zu verbessernden Lesefehlern).

1) Auch Pap. Cadet hat so, aber 111 vor 110 gestellt. Leid. T. 1 (publ. Leemans, Monum.) hat 110—115, aber jedes unvollständig. — 2) Golénischeff, Inventaire de l'Ermitage S. 174/5.

**K.** Sarg der Königin aus Theben, hieratisch in Horizontalzeilen. Bekannt nur durch eine Abschrift von WILKINSON im Brit. Mus. 10553; BUDGE, Egyptian Hieratic Texts pl. 42. Anfang von II, mit merkwürdigen Varianten und Zusätzen; beschließt die Hs, die auf der anstoßenden Kopfseite mit Totb. 17 begann[1]. Der Text bricht mitten in der Zeile ab, deren Rest frei ist. — Die unten abgedruckte hieroglyphische Umschrift ist von MÖLLER geprüft und in einigen Punkten ergänzt und berichtigt worden. — Die Hs hat die Eigentümlichkeit, statt der 1. sg. den Namen der Toten oder ein Pronomen 3. sg., und zwar stets in der mask. Form einzusetzen.

**H.**[2] Sarg der aus Theben[3]. Petersburg: GOLÉNISCHEFF, Ä. Z. 12, 84. Text VIII (zu alte Lesung, um fehlerfrei zu sein).

**N.** Totentexte des Scheunenvorstehers Necht-min, der unter Königin Hatschepsut lebte (Urk. IV 465. 1178), dessen Totenbuchtexte sich aber im allgemeinen dem MR anschließen, bzw. eine Zwischenstufe zwischen MR und NR darstellen, wie das bei Totb. 17 sowohl als auch bei unserer Textsammlung deutlich ist.

**1.** Ostrakon, das die beiden ersten Seiten der für N 2 geschriebenen Vorlagehandschrift enthält: NAVILLE, Annales du Musée Guimet I 52ff. (gutes Faksimile). — Text II und Anfang von III.

**2.** die danach hergestellte Reinschrift auf zwei schmalen Wänden der unterirdischen Sargkammer des Grabes bei Schech Abd el Gurna; MOND, Ann. du Serv. 6, pl. 4/5 (Lichtdruck); vgl. Text S. 76 — Texte II. III.

Eigentümlichkeiten dieser Hs sind: zahlreiche Auslassungen, häufig, aber keineswegs immer, durch „zerstört gefunden" angezeigt; Verwechslung ähnlicher Schriftzeichen, insbesondere der verschiedenen Vögel; Vermeidung von Zeichen, die Tiere und Menschen darstellen (z. B. [4] statt , in unseren Texten seltsamerweise durch wiedergegeben; statt [5]; statt , , II 13, II 28), wie auch ideographischer Zeichen überhaupt (z. B. III 17); ohne Zipfel, für II 16; Pronomen 1. sg. gar nicht oder durch bezeichnet. und werden verwechselt. Diese Eigentümlichkeiten müssen großenteils schon in dem Archetypus der Hs gestanden haben (vgl. zu III 28).

B. der 18. Dynastie. a) mit Text IV.

**Aa.** Pap. des aus Memphis. Brit. Mus. 9900 (Pap. Burton). NAVILLE, Das äg. Totenbuch I, Taf. 119. 120. 124—127. Mit der photographischen Publikation verglichen durch DE BUCK.

**Jb.** Pap. des , vermutlich aus Memphis. Florenz 26. Varianten bei NAVILLE II 224ff. 259ff. verzeichnet[6], wo die Hs z. T. irrig als Jd bezeichnet ist.

1) WILKINSON hat die Textstücke (BUDGE p. XXII) nicht richtig numeriert. Was er 5 genannt hat, ist Seite 1, was er 4 genannt hat, die Seite, die mit unserem Texte II schließt, ist die letzte Seite der Hs und sollte die Nummer 10 tragen. — 2) Die von GRAPOW (Urk. d. äg. Alt. V) der Hs gegebene Bezeichnung. — 3) Diese Herkunft ergibt sich aus der von LIEBLEIN, Denkmäler von St. Petersburg Taf. 10 veröffentlichten Opferformel, in welcher der Toten gewünscht wird „alles, was kommt auf den Anrichtetisch des großen Gottes, der in Theben residiert" (*ḥr-ỉb W3ś.t*). — 4) in Totb. 17 mehrmals zu verderbt. — 5) Dieselben Schreibungen auch in J 6. — 6) So vortrefflich die Ausgabe von NAVILLE in dem, was sie von den Texten mitteilt, ist, so wenig zuverlässig ist sie in der Notierung der Varianten. Wo sie durch einen weißen Raum Übereinstimmung mit dem linksstehenden Grundtexte (bei uns Aa und Ca)

Nach einer von FARINA freundlichst zur Verfügung gestellten alten Faksimilekopie berichtigt und vervollständigt. — Die Hs geht fast überall, bis in die Orthographie, mit Aa zusammen (z. B. *iniw* V 11).

**Ae.** Pap. des aus Theben, anscheinend recht alt. Brit. Mus. 9964, eine Anzahl ungeordneter Bruchstücke, die sich z. T. noch zusammenfügen lassen und aus denen sich auch die Reihenfolge der Sprüche V. VI. VIII. VII noch sicher feststellen läßt (entgegen der Versicherung NAVILLEs). Die Varianten unvollständig notiert bei NAVILLE a. a. O. Uns lag eine vollständige Abschrift vor, die DE BUCK im Januar 1921 von dem Original genommen hat[1]. Die Hs geht gelegentlich auch mit der Gruppe b (Ea) zusammen (z. B. IV 9).

**Ja.** Pap. des . Vatikan. Nach Totb. 17 wohl erst aus dem Ende der Dyn. Varianten bei NAVILLE a. a. O. — Nach einer Abschrift von FARINA berichtigt und vervollständigt.

**Pm.** Pap. des . Paris, Bibl. Nationale. Bruchstücke. Varianten zu Text IV bei NAVILLE II 263; Stücke aus Text II von demselben in den Annales du Musée Guimet I 58 mitgeteilt.

b) mit Text IV a.

**Ea.** Pap. des aus Theben. Brit. Mus. 10477. BUDGE, Facsimiles of the Papyri of Hunefer, Anhai etc., Anhang Taf. 15. 24. 37/8 (hierogl. Umschrift in Typendruck). — Mit dem Original kollationiert von DE BUCK.

**Tb.** Oberirdischer Teil des Grabes des zu Theben, Zeit Amenophis' III. Texte V. VI als Gegenstücke zu beiden Seiten einer Türe, in Hieroglyphen eingegraben. LORET, Mém. Mission archéol. franç. au Caire I 128/9 (Varianten zu Text V unvollständig bei NAVILLE II 259ff.), kollationiert mit dem Original durch SETHE (1905).

**Ca.** Pap. des , vermutlich aus Theben. Kairo, in Paris aufbewahrt. Text IVa zwischen anderen Texten. NAVILLE I 127.

**Pf.** Pap. des gen. , vermutlich aus Theben. Louvre Nr. 3097. Varianten bei NAVILLE II 244ff. 264.

c) mit Text VIIIa.

**Ta.** Unterirdische Sargkammer des Grabes des bei Schech Abd el Gurna. Zeit Thutmosis' III. DAVIES-GARDINER, Tomb of Amenemhet pl. 42 (Lichtdruck). — Text VIIIa zwischen anderen Texten.

C. der 19/20. Dynastie (Ramessidenzeit).

**Pe.** Pap. des , vermutlich aus Theben. Louvre Nr. 3132. Texte IVa. VII zusammen zwischen anderen Texten. DÉVÉRIA, Papyrus de Neb-qed pl. 4 (farbiges Faksimile). Varianten unvollständig bei NAVILLE II 247/8. 264.

zu bezeugen scheint, erweist sich bei der Kollation nur zu oft, daß diese Übereinstimmung in Wirklichkeit gar nicht besteht, und zwar nicht nur hinsichtlich der Orthographie, sondern oft auch hinsichtlich der Textfassung. Auf diese stillschweigenden Zeugnisse NAVILLEs ist also nicht zu viel zu geben. (Vgl. auch NAVILLE selbst zu dieser Frage in seiner Einl. S. 16). Vielmehr ist in jedem Falle eine Nachprüfung des Originals erwünscht.

1) Die Stücke befinden sich auf den mit der Hauptnummer 3 A bezeichneten *sheets*: 11 (aus VIII und VII). 12 (Zeilenanfänge aus dem Ende von VI). 25 (Zeilenenden aus IV). 27 (Zeilenenden zu 12 und 36 aus dem Ende von VI und aus VIII). 28 (kleines Bruchstück mit Zeilenenden aus V 18—30; ein anderes großes Stück mit Zeilenanfängen aus V und VI). 35 (Zeilenanfänge zu 11, aus VII). 36 (Zeilenanfänge aus VIII).

**Ga.** Pap. des [hieroglyphs] aus Theben. Brüssel E. 5043. SPELEERS, Le Papyrus de Nefer-renpet pl. 24/5[1] (Lichtdruck). — Die Hs gehört nicht, wie der Herausgeber meinte, der 18. Dyn. an, sondern der Ramessidenzeit. Das zeigt nicht nur das Auftreten der Vignetten bei Kap. 17, die erst seit Dyn. 19 üblich werden, sondern auch die Textfassung dieses „Kapitels“, in der sich die Hs als nahe verwandt mit Eb (Ani) und La (Leiden T 2) erweist. Der Tote gehört zu dem Kreise von Leuten, die hinter Der el Medine begraben waren und aus deren Gräbern die vielen kleinen Denkmäler des Turiner Museums stammen (vgl. MASPERO, Rec. de trav. II, 159 ff. III 103 ff.). Diese Gräber gehören sämtlich der Ramessidenzeit (Ramses II und Nachfolger) an. — Die Hs schließt sich meist eng an den Text von Ea an. Eine besondere Eigentümlichkeit von ihr ist, daß sie oft [hieroglyphs] sowohl für [hieroglyphs] als für [hieroglyphs] (z. B. in *rḫ.kwj*) schreibt.

**Ba.** Pap. des [hieroglyphs], vermutlich aus Theben. Berlin P. 3002. Varianten bei NAVILLE. Abschrift von Dr. SCHARFF. Anfang von VIII.

**Le.** Pap. des [hieroglyphs], aus Memphis. Leiden T 4. Abschrift von BOESER. Texte VII und VIII zusammen (in dieser Folge) zwischen anderen Texten.

D. der 21. Dynastie,

sämtlich hieratisch in Horizontalzeilen geschrieben. Der Text schließt sich meist der Gruppe b der 18. Dyn., insbesondere der Hs Ea, an (vgl. z. B. IVa 5). Besondere Merkmale: die Orthographie [hieroglyphs] für Atum[2] und die oft ganz sinnlose Ersetzung männlicher Pronominalformen durch weibliche (z. B. II 9. 14), weil die Eigentümer der Hss weibliche Personen waren.

**Cg.** Pap. der Prinzessin [hieroglyphs] („Katseshni“), Tochter des Priesterkönigs Mencheperreʿ, aus dem Versteck der Königsmumien bei Derelbahri. Kairo. NAVILLE, Papyrus funéraires de la 21me dynastie II pl. 27—29.

**Ch.** Pap. der [hieroglyphs], Nichte der Vorgenannten. Ebendaher. Kairo. NAVILLE, a. a. O. I pl. 21—23.

**Ec.** Pap. der Prinzessin [hieroglyphs], Tochter der letztgenannten Nes-chons und des Priesterkönigs Pi-nutem II. Ebendaher. Brit. Mus. 10554. BUDGE, The Greenfield Papyrus pl. 34—37.

**Pr.** Pap. der [hieroglyphs] (Pap. de Luynes), Louvre Nr. 3661 (DÉVÉRIA, Cat. des manuscr. III 46. NAVILLE, Totenbuch Einl. S. 37). Text II zwischen anderen Texten. In einer besonderen Übersetzung, die die Lesarten der Hs vielfach erkennen läßt, und unter Wiedergabe mancher Stellen im ägypt. Wortlaut veröffentlicht von LEFÉBURE, Bibl. égyptolog. 34, 51 ff. (= Mélanges d'archéol. égypt. et assyr. II 164 ff.). Der Text weist danach wirkliche und scheinbare Altertümlichkeiten auf, die ihm eine besondere Stelle unter den späteren Hss sichern.

---

1) Herrn Prof. CAPART sind wir für die freundliche Mitteilung der Maße des Papyrus zu Dank verpflichtet, die uns die sichere Abschätzung der Lücken ermöglichten. Aus Taf. 1 ergibt sich als wirkliche Länge der Schriftzeile unter der Vignette = 20 cm (in der Reproduktion 12,7 cm). Dasselbe für Taf. 23/24 angenommen, ergibt, da diese Tafeln im Maßstab von 255:582 hergestellt sind, eine Zeilenlänge von ca. 8,7 cm für die Reproduktion, so daß etwa 5 cm in jeder Zeile der Publikation unten zu ergänzen sind. — 2) Vgl. NAVILLE, Totenb. Einl. S. 36.

E. der Spätzeit.

**Spz.** Der von LEPSIUS, Totenbuch der alten Ägypter, veröffentlichte Papyrus des [Hieroglyphen] zu Turin. — Varianten aus Leid. T 1 (LEEMANS, Monuments). Pap. Cadet (CADET, Facsimile d'un rouleau de papyrus, trouvé à Thèbes). Louvre 3079 (DE ROUGÉ, Rituel funéraire, hieratisch), sowie aus anderen Pariser und Londoner Hss (darunter Pap. Hay, Tani), die LEFÉBURE in seiner genannten Arbeit für Text II, in der Abhandlung Les yeux d'Horus für die Texte V. VI benutzte, z. T. vermittelt durch GOODWIN, Ä. Z. 9, 144. 11, 104. — Der Text folgt im allgemeinen dem Texte der 21. Dyn., ist aber vielfach nach älteren Hss restituiert und zeigt daher nicht selten alte Elemente, die dem NR Text abhanden gekommen waren.

Für die der Textsammlung von Totb. 149 einverleibten Versionen VIIb und VIIIb besitzen wir folgende Hss:

**A. des MR:**

**L.** Sarg des [Hieroglyphen] aus Lischt. GAUTIER et JEQUIER, Fouilles de Licht, pl. 17, nur für VIIb.

**B. der 18. Dyn.** aus der oben mit a bezeichneten Gruppe nur **Aa**, aus der Gruppe b dagegen **Ea**. **Ca**. **Pf** (das sind alle außer Tb, das keine Papyrushs, sondern ein Grab ist); ferner die von NAVILLE in seiner Ausgabe des Totenbuchs benutzten Hss **Ab**. **Ac**. **Ad**. **Ai**. **Ao**. **Cd**. **Jc**. **Pa**. **Pb**. **Pc**, sowie

**Ce.** Pap. des [Hieroglyphen], Schwiegervaters Amenophis' III., zu Kairo, publ. NAVILLE, The funeral Papyrus of Jouiya pl. 30/31.

**C. der 19/20. Dyn.** außer den obengenannten Hss **Ga** und **Ba** die von NAVILLE benutzten Hss **Bb** (hierzu wie zu **Ba** standen uns Abschriften von Dr. SCHARFF zur Verfügung). **Ji**. **Lb**. **Lc** (VIIb und VIIIb als Teile von Totb. 149, außerdem VIIb noch einmal vor Totb. 110, wo es von NAVILLE irrig als VII beschrieben wurde; Abschrift von BOESER). **Pd** (GUIEYSSE, Pap. de Soutimes). **Ph** (nur für VIIb, das Totb. 110 begleitet).

**D. der 21. Dyn.** außer den obengenannten Hss **Cg** und **Ec** noch

**Cf.** Pap. der Königin [Hieroglyphen], NAVILLE, Papyrus funéraires de la 21[me] dyn. I pl. 10, nur für VIIb, das hier isoliert neben Totb. 110 steht, wie in Ph. Lc.

**E. der Spätzeit.**

## I. Gesamttitel der Sammlung.

Nur in den Hss des MR aus Siut, die bisher allein veröffentlicht sind (S 1—3), erhalten. Ob auch in den von LACAU Sarc. verzeichneten, aber noch nicht veröffentlichten Hss ebendaher (S 4 = Kairo 28118) und von Bersche (Kairo 28083. 28087. 28091), die die ganze Textsammlung von Anfang an enthalten, ist aus LACAUs Angaben nicht zu ersehen, da er voraussichtlich unseren Titel, wenn er vorhanden, zu Spruch II gezogen haben dürfte. — Bei N, der eine Übergangsform zum NR darstellt, fehlt I bereits wie im NR, ebenso in M und K, die nur den Spruch II enthalten, aber unter Umständen, die zu der Annahme berechtigen, daß dies nur aus Raummangel der Fall ist.

Übersetzung.

[1]Wissen, was Thoth weiß an Bewahrungen(?), [2]jedes Heiligtum kennen, [3]Geist sein in der Unterwelt.

## Kommentar.

**1.** Die Fassung mit *rḫ* „kennen" in den beiden ersten Sätzen (1. 2) nimmt deutlich auf das allen Texten gemeinsame „ich kenne" (II 8. 12. III 16. 21. IV 10. V 13. 15. VI 1. 40. VII 3. 9. 11. VIII 8. 17) Bezug, mit dem der Redende seine Bekanntschaft mit den betreffenden Geheimnissen versichert und das dem Schlußrefrain „ich kenne die Seelen von . . . . ." zugrunde liegt. Unsere Sätze 1/2 klingen daher an die zu diesem Refrain gehörige jüngste Form der einzelnen Spruchtitel *rḫ bꜣ.w* . . . . . . . an. Sie enthalten aber nichts, was auf einen inneren Zusammenhang damit schließen ließe, auch nichts, was direkt funerären Charakter trüge wie bei 3, es sei denn in *šḏꜣ.w* zu suchen. — Die Nennung des Thoth als Inbegriff des Wissens steht in seltsamem Widerspruch mit Spruch IV, in dem dieser Gott, ursprünglich vielleicht mitangeredet, später geradezu zum Gegenstand des Wissens gemacht erscheint. — *šḏꜣ.w* vermutlich Nomen actionis von *šwḏꜣ* „bewahren", also „Bewahrung" (Präservativmittel).

**2.** *r pr nb* „jedes Heiligtum" zeigt, daß der Titel nicht etwa nur zu dem gleich folgenden Spruch II gehört, was an sich auch denkbar wäre, sondern zu der ganzen Sammlung, und zwar könnte man denken, daß er zu dieser schon gehört habe, bevor die 3. und letzte Gruppe der Texte (VII. VIII), die nicht vom Besuch eines Heiligtums handeln und wohl von vornherein funerärer Natur waren, darin Aufnahme gefunden hatte. Der Titel steht auf einer Stufe mit den neutralen Spruchtiteln III 3. IV 1. VI 18 = 46, die ebensogut zu einem Gebrauch des Textes durch einen lebenden Besucher des Tempels passen wie durch einen Verstorbenen.

**3.** Ein ausgesprochen funerärer Titel. Vgl. III 2 und die häufige Grabformel „Gott NN gebe" „Geist zu sein im Himmel, mächtig zu sein auf Erden, gerechtfertigt zu sein in der Unterwelt".

## II. Totb. Kap. 115[1].

Der Tote heischt Einlaß (6) in das Allerheiligste des Tempels von Heliopolis (28 „dieses Heiligtum"), weil er zu den „Ältesten" gehöre (3/4. 7), die das heilige Auge des Sonnengottes schauen dürfen (5). Als Zweck seines Kommens nennt er, daß er das (durch Verfinsterung oder Bewölkung?) beschädigte Auge wiederherstelle (6).

Auf diesen einleitenden, in sich abgeschlossenen Teil des Spruches (vgl. die Verwendung der Schlußsätze als Abschluß eines anderen Spruches in S 4) folgt wie eine nähere Begründung ein 2. Teil, der mit den Worten „ich kenne" beginnt, der eigentliche Kern des Textes, der in dem refrainartigen „ich kenne die Seelen von Heliopolis" usw. (34 5) seinen Abschluß findet. Im MR ist dieser Teil auch äußerlich vom Vorhergehenden durch ein Rubrum unterschieden, das die Sätze 8—12 umfaßt, d. h. den eigentlichen Text, zu dem 13—33 nur die Erläuterung gibt. Der Tote erklärt in diesen Sätzen, in die tiefsten Geheimnisse des Tempels eingeweiht zu sein (9). Er kennt die mythologischen Vorgänge, denen verschiedene Kultinstitutionen ihren Ursprung verdankten, nämlich erstens die Verletzung der Sonne durch Verfinsterung oder Bewölkung, hier als Lähmung des Mundes des Sonnengottes vorgestellt (10. 14/5), daran anschließend der Versuch eines Wurmes (im Text als *Ḥtm* bezeichnet, in der Erklärung *Imj-wḥꜣ-f* genannt), dem Sonnengotte die Erbschaft in Heliopolis streitig zu machen (11. 13. 16—19), und die Abwehrmaßnahme, die der Gott dagegen traf (20—23); eine Geschichte, die an den Streit zwischen Athena und Poseidon um den Besitz Athens erinnert. In dem Wurme ist der traditionelle Sonnenfeind nicht zu verkennen, das böse Prinzip, das in Schlangengestalt dem Sonnengotte nachstellt

1) Eingehend behandelt von Lefébure, Bibliothèque égyptologique 34, 31 ff.

(unter dem Schutze der Isis Pap. Turin 131 ff.) und das er sonst unter dem Namen Apophis, *Ṯtff* (ϫⲁⲧϥⲉ), *Ḏw-ḳd*, *Nḥ3-ḥr*, *Njk* u. a. in siegreichem Kampfe besteht[1]. An dieses erste Begebnis soll sich die Entstehung dreier Kulteinrichtungen von Heliopolis knüpfen, der „Schmälerung“ (15), des Dreißiger“speeres (19) und der „Brüderschaft“-Feier (23). Das zweite Begebnis ist eine Begegnung des Sonnengottes mit einem anderen Wesen *Imj-ỉns-f*, das er in Gestalt einer „gelockten“ (bezopften) Frau überlistete (24—26). Hieraus wird die Tatsache abgeleitet, daß der Hohepriester von Heliopolis auf seinem priesterlichen Kahlkopf eine „Locke“ oder Schopf (Haarflechte) trägt gleich einem Weibe. In der Erklärung hierzu wird erzählt, daß der so ausgezeichnete Priester zunächst *ḥnsk* „der Bezopfte“, hernach *f3k* „der Gerupfte“, „der Kahle“ genannt worden sei, eine Bezeichnung, die sich auch anderwärts in Ägypten für Priester findet (28/9), bis er in seiner Eigenschaft als „der Erbe“ und „der Große, der seinen Vater sieht“ den Titel *wr-m3.w* „Großer der Seher“ bekommen habe, den der heliopolitanische Hohepriester in geschichtlicher Zeit führte (30—33).

Gewisse Erscheinungen im Wortlaut des Textes würden auf ein verhältnismäßig hohes Alter desselben oder wenigstens der betr. Teile deuten (*r* nach *šḫm* in 28, Urfassung von 30). In der Tat gehören diese Stellen zu den Worten, an die die ätiologischen Erklärungen der verschiedenen Kulteinrichtungen anknüpfen. Man wird darin gern Bestandteile alter Tempeldichtungen, etwa dramatischer Natur wie das Denkmal memphitischer Theologie, vermuten. Wenn dagegen die erzählenden Sätze, die diese Worte verknüpfen, unverkennbar jüngere Gestalt haben (mit *ʿḥʿ-n*), so stünde das nicht im Widerspruch damit. Als Ganzes wird der Spruch, nach diesen Sätzen zu urteilen, jedenfalls nicht vor dem frühen MR entstanden sein.

## Übersetzung.

**MR.** **2**Die Seelen von Heliopolis kennen[2]. **3**Ich bin groß (*ʿ3j*) geworden unter den Ältesten (*wr.w*)[3], **4**ich habe mich gestaltet unter den Gestalten, **5**die das Gesicht öffnen auf sein[4] eines Auge[5]. **6**Öffnet mir (darum), (damit) ich das verletzte Auge[5] (wieder) aufbaue. **7**Ich bin einer von ihnen[2]. **8**Ich kenne die „Neunheit“ (der Götter)[6] von Heliopolis, **9**das worin nicht (einmal) der *wr-m3.w*[7] eingeweiht ist, **10**die „Schmälerung“ des Mundes in der „Brüderschaft“(-Festlichkeit)[8], **11**das Ausstrecken des Armes seitens des Vernichtungswerten (Wurmes) gegen den Erben von Heliopolis[9]. **12**Ich weiß, weshalb einem Manne eine Locke gemacht worden ist. **13**Es war, daß Reʿ mit dem *Imj-wh3-f*(-Wurme) redete über die Teilung (von Heliopolis, var. über das, was in Heliopolis war). **14**Da wurde sein Mund verzerrt — **15**und so ent-

1) Damit könnte zusammenhängen, daß der Atum später mit dem Ichneumon verbunden wird, vgl. LEFÉBURE, Sphinx 6, 199. DARESSY, Rec. de trav. 17, 120. NAVILLE, Goshen pl. 2—5. Berlin. Ausf. Verz.[2] S. 480. Andererseits wird Atum selbst als Schlange gedacht. Berl. Ausf. Verz.[2] S. 302. Ä. Z. 39, Taf. V. Totb. 175 (Eb). Vgl. auch als Gefährte des Reʿ im Urgewässer NAVILLE, Mythe d'Horus pl. 21, 9. — 2) 2—7 bei K stark umgestaltet und erweitert: „Kennen die Seelen von Heliopolis, indem er (der Tote) der Sohn ist, der seinen Vater sieht, wenn er gefallen ist. Dazu kommen, aus- und einzugehen in Abydos, die Berge in Busiris zu erkunden. NN ist Seele geworden vor Heliopolis, er hat sich niedergelassen auf dem Sitze der Ältesten (*wr.w*), er ist groß geworden gestern, er hat sich gestaltet mit den Gestalten, die das Gesicht öffnen auf sein Auge, auf das Eine. Öffnet dem NN., er ist einer von ihnen“. — 3) N: „ich bin groß geworden gestern unter den Großen“ wie im NR. Dabei sind die Zeichen , die in der Vorlage zerstört waren, durch den Vermerk „zerstört gefunden“ ersetzt. — 4) der Sonnengott, dessen Augen Sonne und Mond sind. — 5) Sonne oder Mond, welche bei der Verfinsterung oder durch Bewölkung verletzt sind. — 6) Var. „die Urzeit“. — 7) der Hohepriester von Heliopolis. — 8) Var. „am Feste des 6. Monatstages“. — 9) Der Sonnengott.

stand die „Schmälerung“ am Monatsfeste. — **16**Da sagte der *Imj-wḥ3-f*: **17**„ich nehme meinen Dreißiger(-Spieß)[1], **18**(damit) ich diese Stadt erbe“[2] — **19**und so entstand der „Dreißiger“(-Spieß)[3]. — **20**Da sagte Re‘: **21**„ich stelle meine Brüder auf gegen ihn, **22**(damit) ich ihn verjage“ — **23**und so entstand die „Brüderschaft“(-Festlichkeit). — **24**Es war, daß den Re‘ der *Imj-ἰnś-f* (der in seinen Binden ist) überraschte, **25**bevor er seinen Arm gegen ihn gerührt (o. ä.) hatte. **26**Da machte er seine Vogelstellerei gegen ihn als ein gelocktes Weib — **27**und so entstand der „Gelockte“ von Heliopolis — **28**ein Kahler war mächtig über dieses Heiligtum — **29**und so entstand der „Kahle“ — **30**bis der Erbe entstand, der erben soll, der Große, der seinen Vater sieht — **31**und (so) ward der „Kahle“ zum *wr-m3.w*, **32**zum Sohne, der seinem Vater geopfert hat — **33**⟨und so entstand der *wr-m3.w* —⟩[4]. **34**Ich kenne die Seelen von Heliopolis. **35**Re‘, Schu und Tefnut sind es.

**NR.** **1**Spruch für das Aufsteigen zum Himmel, das Erkunden des Totenreiches, **2**das Kennen der Seelen von Heliopolis. Worte sprechen durch den Osiris NN: **3**Ich bin groß geworden (*wr*) gestern unter den Großen (*wr.w*)[5], **4**ich habe mich gestaltet unter den Gestalten. **5**Öffnet das Gesicht auf das eine Auge, **6**öffnet die Art der Finsternis. **7**Ich bin einer von euch. **8**Ich kenne diejenige von den Seelen[6] von Heliopolis, **9**zu der[7] nicht (einmal) der *wr-m3.w*[8] eingeführt ist **10**im Vorbeigehen, **11**das Ausstrecken des Armes ........ seitens dessen, der die Erbschaft von Heliopolis zunichte machen (d. h. annullieren) wollte. **12**Ich weiß, weshalb einem Manne eine Locke gemacht worden ist. **13**Re‘ redete zu dem (Könige), der zu seiner Zeit war[9]. **14**Da ward sein Mund verzerrt — **15**und so entstand die Schmälerung im Monat. — **16**Da sagte Re‘ zu dem, der zu seiner Zeit war: **17**„nimm den Dreißiger (-Spieß), **18**das Erbe der Menschen“ — **19**und so entstand der Dreißiger-Hof durch den, der zu seiner Zeit war — **23**und so entstand das Geschwisterpaar[10] und so entstand das Vorbeigehen **24**des Re‘. Es[11] geschah, daß man hörte von seinem Purpur[12], **25**ohne daß sein Arm herniederschwebte. **26**Da verwandelte er sich in ein gelocktes Weib — **27**und so entstand der Gelockte von Heliopolis[13], — **28**Entblößung war mächtig über dieses Heiligtum[14] — **29**und so entstand die Entblößung von Heliopolis. — **30**Es entstand das Erbe, das er erben sollte, groß ward, was er sehen sollte. **31**Da ward er zum *wr-m3.w*[15], **32**zum Sohn, der seinem Vater geopfert hat. **33**Da ward er zum *wr-m3.w* von Heliopolis[16]. **34**Ich kenne die Seelen von Heliopolis. **35**Re‘ ist es, Schu und Tefnut sind es[17].

## Kommentar.

1. Der Titel, der bereits im MR nur die kurze endgültige, der ganzen Spruchsammlung gemeinsame Fassung mit *rḫ b3.w* hat (2), ist im NR durch Vorsetzen eines zweiten Titels „Aufsteigen zum Himmel, Erkunden des Totenreiches“ erweitert; er dürfte aus den Worten *pr.t r p.t ‘ḳ r d3.t* „Aufsteigen zum Himmel, Eintreten in

1) Var. „meine Harpunen“. — 2) K bricht den Text mit folgenden Worten ab: „damit ich ⟨meine Stadt⟩ erbe. Andere Lesart: die Hälfte des NN (lies ‚meine Hälfte‘). Was ist das? Da erbte er seine Stadt“. — 3) Var. „die Harpunen“. — 4) Sekundäres Einschiebsel. — 5) seit Dyn. 21: „durch die Großen“; späte Var. „wie die Großen“. — 6) Var. „die Seele“; seit Dyn. 21 „die Seelen“. — 7) seit Dyn. 21: „denjenigen, zu dem“. — 8) seit Dyn. 21: *wr-pḥtj* „der Kraftreiche“. — 9) seit Dyn. 21: „zu dem Könige zu seiner Zeit“. — 10) seit Dyn. 21: „das *d3.tj*-Paar“. — 11) Var. „als es“ in Spz. — 12) seit Dyn. 21: „von den Binden“. — 13) seit Dyn. 21: „es entstand dieser Gelockte in Heliopolis“. — 14) Spz. nur(?) bei Lepsius: „mächtig (über?) das Erbe dieses Heiligtums“. — 15) seit Dyn. 21: „zum Kraftreichen des Gottes“. — 16) seit Dyn. 21: „es ward seine Angelegenheit zu der des Kraftreichen von Heliopolis“. — 17) seit Dyn. 21: Re‘, Schu, Tefnut.

die *d3.t*" hervorgegangen sein, die einen der älteren Titelbestandteile des gleichfalls auf Heliopolis bezugnehmenden Spruches III bildeten, dort aber bei N bereits (unter Ersetzung von *ʿḳ r* durch das synonyme *wb3*) durch Einfügung des Interpunktionszeichens von dem übrigen Titel jenes Spruches geschieden erscheinen (s. III 4) und später nach Ausscheidung des Spruches III aus der Spruchsammlung als herrenloses Anhängsel auf Spruch II gefolgt sein werden. Bei der Angliederung an diesen Spruch ist schließlich auch das *d3.t* durch sein Synonym *imḥ.t* ersetzt worden, das in der Verbindung *wb3 imḥ.t* beliebt war, vgl. Totb. 72 und 9 Ba. Vgl. aber auch die unten zu 13 zitierte Stelle LEPS., Älteste Texte 7, 42. — Der neue Titel ist durch die Worte *r n* „Spruch für" eingeleitet, die in unserer Textsammlung überall erst im NR zur Anwendung kommen.

**2.** Der Titel mit *rḫ b3.w*, dem hier, im Gegensatz zu den anderen Sprüchen, kein älterer Titel vorangegangen zu sein scheint (ebenso VI), steht mit dem Textinhalt in gewisser innerer Beziehung (vgl. 8) und könnte eventuell als Titel desjenigen Spruches, der die Sammlung eröffnete, das Vorbild für die gleichmäßige Umgestaltung der anderen Spruchtitel abgegeben haben.

**2a—c.** Bei K ist der Spruchtitel 2 individuell durch einen Zustandssatz erweitert, der dem Benutzer des Spruches die aus 30/32 abgeleitete Eigenschaft eines „Sohnes, der seinen Vater sieht, wenn er gefallen ist" gibt, und damit das heliopolitanische Priesteramt mit dem Verhältnis von Horus und Osiris (vgl. die Var. S 2 zu 32) zu verknüpfen scheint. Dem Zustandssatz folgen dann noch zwei infinitivische Sätze, die das *rḫ b3.w* von 2 fortsetzen und sich inhaltlich ganz im Gegensatz zu dem eigentlichen Sinn des Textes auf den Verkehr des Toten in den Osirisstädten Abydos und Busiris beziehen.

**2d—e.** Der eigentliche Text des Spruches beginnt bei K mit zwei durch *iw* eingeleiteten Sätzen, die sich, dem ursprünglichen Sinne des Textes entsprechend, auf Heliopolis beziehen. Sie schließen mit dem Worte *wr.w*, das sonst in dem nachher folgenden Satze 3 den ersten Satz des Textes zu beschließen pflegt und das dort bei K fehlt.

**3.** *ʿ3j* durch sein Synonym *wrr* (jüngere Form *wr*) ersetzt schon bei M. K. N in Angleichung an 4; vgl. STEINDORFF, Grabfunde II 18. Dabei ist die Lesung *wr.w* für vorausgesetzt, die durch die phonetische Schreibung bei M. N bezeugt ist (vgl. auch 2e bei K); sie braucht natürlich nicht der ursprünglichen Auffassung des Textes zu entsprechen (*śmśw*?). „die ältesten Götter" bei Cg vereinzelte Verdeutlichung. — *wrš-n-j* „ich habe gewacht" bei Ea wohl nur vereinzelte Textverderbnis, veranlaßt durch die Zeitbestimmung *m śf* „gestern" d. h. vor Sonnenaufgang, die seit M. K. N zur Erklärung des Perfektums eingefügt ist. Vgl. LEPS., Ält. Text 10, 31/2 (wo = ist). — Seit Dyn. 21 ist hier seltsamerweise zu „durch" geworden, während es sich in 4 gehalten hat; in Spz einmal „wie".

**4.** Den seltsamen Schreibungen von *ḫpr* bei N (ebenso 23. 29. 33 und VI, 21 bei J 6) liegt die Orthographie zugrunde. Zu dem seltsamen *s* in N 1 = N 2 vgl. die Var. 19 N und die Textumgestaltung des NR in 26. für *ḫpr.w* Ea kehrt in derselben Hs in Übereinstimmung mit anderen Hss des NR auch in Totb. 17 (Urk. V 64, 3) wieder. — Bei K ist *m-m* „unter" durch *ḥnʿ* „mit" ersetzt.

**5.** *wn-ḥr* „das Gesicht öffnend" Part. imperf. act. (zur Schreibung mit ohne vgl. CHASSINAT-PALANQUE, Fouilles d'Assiout 99. 207) oder Ausdruck nach Art der kopt. Participia conjuncta, Bezeichnung für den, der das Kultgeheimnis sehen darf, das durch die Präposition *ḥr* „auf" (bei S noch in alter Weise orthographisch von *ḥr* „Gesicht" unterschieden) eingeführt wird. Vgl. die Priestertitel „der das Gesicht öffnet auf den *'ntj.wj*" BRUGSCH, Dict. géogr. 1376. „der das Gesicht öffnet auf den Chentechthai und seine Schönheit sieht" Rec. de trav. 14, 180; ferner PIEHL, Inscr. II 24 Q (vgl. mit P). ROCHEM, Edfou I 537; und für das grammatische Verständnis der Redensart: „du öffnest das Gesicht auf die Bewohner der *dꜣ.t*" d. h. du siehst sie, LACAU, Text. rel. 21, 103. Dem entspricht auch die Umgestaltung unserer Stelle LACAU, Sarc. II 124: „ich öffne das Gesicht auf das [eine] Auge". Im NR ist das *wn*, dem die Pluralstriche fehlen, wohl als Imperativ plur. anzusehen (vgl. 7). — *ir.t-f wꜥ.t* „sein eines Auge" oder „sein Auge, das Eine", das Sonnenauge (in 6 anders genannt), das in der Tat auch sonst „das Eine" heißt (LACAU, Text. rel. 78, 9. 80, 26. Ä. Z. 42, 19). Dieselbe Bezeichnung sicher für die Sonne III 18, dagegen für das Horusauge, das Seth raubte, also den Mond, Ä. Z. 54, 16ff. — Das Suffix *f* (vgl. die Textverderbnis bei N) deutet darauf, daß der Text ehedem in einem Zusammenhange stand, in dem der Besitzer des Auges genannt war; jetzt beziehungslos, daher im NR beseitigt. Seit Dyn. 21 , indem das Gottesdeterminativ wohl zum ganzen Ausdruck gehört; oder das Auge des Einen"? (LEFÉBURE: „l'oeil de l'Unique"). — Bei K ist vor *wꜥ.t* die Präposition *ḥr* wiederholt, als ob in der Urschrift gestanden habe , indem *ir.t-f* und *wꜥ.t* zwei parallele Ausdrücke für ein- und dasselbe Ding bildeten. — Bei N ist zu und das *wꜥ.t* durch das Hieratische zu der Negation verderbt, so daß der Text lautet: „die das Gesicht öffnen auf das, was er geschaffen hat. Nicht werde mir geöffnet". Darin wird also durch den Redenden gerade das Gegenteil von dem verlangt, was eigentlich bezweckt war.

**6.** Anwendung des vorher im Relativsatz Gesagten auf den Redenden. — Zu *wn n-j* „öffnet mir" (so und nicht „mir werde geöffnet" nach 7 sicher wenigstens im NR zu übersetzen) vgl. III 11. 19. 30. — Zur Bedeutung von *ḳd* „wiederaufbauen" vgl. Westc. 9, 25. Zoega 292. Matth. 26, 61. — *nkk.t* (zum Determinativ ○ vgl. III 10), in der Textumgestaltung LACAU, Sarc. II 124 , Derivat von *nkn* „verletzen" (bzw. des diesem als Halbreduplikation etwa zugrunde liegenden *nk*), das speziell auch vom Auge gebraucht wird: (var. ) „was an ihm verletzt war" Pyr. 297d vom Horusauge (vgl. ib. 142a); „eine große Flamme geht aus gegen dich „aus dem Innern des verletzten Auges des Atum (und?) des kleinen Auges, der Herrin der Nacht" Var. von Totb. 90 bei LACAU, Sarc. II 3, wo mit dem erstgenannten Auge die Sonne, mit dem zweiten der Mond gemeint sein wird. Umgekehrt, aber mit gleicher Anwendung des *nkn.t* auf die Sonne, wohl in der folgenden Stelle: „o Thoth, der du unter den Gefolgsleuten des Reꜥ bist," „ich bin es, der das heile Auge hell zurückgeholt hat, ich bin es, der die Bewölkung von dem verletzten Auge entfernt, so daß es hell wird" LACAU, Sarc. II 29, 5. I 212, 73 ( ). Die Beschädigung des Sonnenauges kann wie in diesem Falle durch Bewölkung oder Nebel, oder aber auch durch eine Finsternis hervorgerufen sein. Die Umgestaltung des NR *wn ḳd kkw* „öffnet die Art der Finsternis", d. h. laßt mich wissen, wie die Finsternis ist, geht sichtlich auf einen Archetypus zurück, der den Text in derselben Orthographie und Verstümmelung aufwies, wie er der Hs N zugrunde lag, d. h. ohne Bezeichnung des Suff. 1. sg., mit der Schreibung (vgl. S 3) und mit (ohne ). Spz hat das dabei verlorene *n* vor *kkw* als Genitivexponent offenbar nach älteren Hss restituiert; desgl. das hinter *wn* gleichfalls ausgefallene, d. h. mit diesem zusammengefallene *n* von *n-j* „mir" wenigstens in einigen Hss richtig als , aber an unrichtiger Stelle, nämlich in 5. Die Var. Cg mit hinter *wn* hat kaum etwas zu bedeuten, geht doch die Hs in dem Mißbrauch dieses Zeichens sehr weit (sie schreibt z. B. stets ).

**7.** Wiederholung des in 3—5 ausgesprochenen Gedankens zur Begründung der Forderung 6. — Im NR Pronomen 3. pl. durch 2. pl. ersetzt, auf die nicht genannten Tempelhüter zu beziehen, die der Tote anredet. Ebenso schon in der Textumgestaltung LACAU, Sarc. II 124.

**8.** *pśd.t* „die Neunheit" erscheint seit Dyn. 21 durch *bꜣ.w* „die Seelen" ersetzt unter dem Einfluß von 34. Dieser Umgestaltung, durch die das ungewöhnliche *pśd.t Iwn.w* in das gewöhnliche *bꜣ.w Iwn.w* verwandelt wurde (vgl. *pśḏ.t* neben *bꜣ.w Iwn.w* Pal. Stein Rs. 4, 3), liegt jedoch eine Vorstufe voraus, bei der nur von einer dieser Seelen die Rede war: Ea *pꜣ bꜣ.w* „die von(?) den Seelen", Ga *pꜣ bꜣ* „die Seele". Es wäre schwer, hiervon eine Brücke zu dem MR Texte zu finden, wenn nicht die Var. bei K vorläge, die zeigt, daß man das irrig *pꜣw.t* „die Urzeit" gelesen hat (vgl. das für die acht Urgötter von Hermopolis), ein Wort, das man in alter Zeit nicht ohne die phonetischen Komplimente geschrieben hätte (vgl. CHASS.-PALANQUE p. 44. 60). In dem verderbten N Text ist das zu geworden (das Umgekehrte in 12) und das über das Hieratische zu , das ja in alter Zeit die gleiche Form hatte. Die in manchen Hss der Spz anzutreffende Var. u. ä. statt *bꜣ.w Iwn.w* hat nichts damit zu tun; sie enthält nur eine auch sonst in dieser Zeit beliebte Schreibung für *Iwn.w*, s. GOODWIN, Ä. Z. 11, 105.

**9.** Das durch *ḥr-ś* für das MR geforderte *tmm.t* (das Fehlen der Fem.endung in der Publ. von S wohl irrig unter dem Einfluß des NR Textes) bei N. K tatsächlich überliefert, und zwar bei N bemerkenswerterweise neben der jüngeren Fassung von 8, bei der *pśd.t* durch ein Maskulinum ersetzt ist. Das läßt erkennen, daß der Relativsatz hier substantivisch aufgefaßt ist, als Apposition oder als asyndetische Parataxe (mit zu ergänzendem „und"). Die bei der ältesten Fassung von 8 (mit *pśd.t*) an sich mögliche attributive Anknüpfung ist auch sachlich unwahrscheinlich, da sie zu unhaltbaren Konsequenzen führt; dagegen wäre sie bei der Lesung *pꜣw.t* erträglich, wenn man dies abstrakt faßt, wie es die Determinierung bei K in der Tat vorauszusetzen scheint. Sie liegt augenscheinlich dem NR Texte zugrunde, wo dem Relativsatz in Beziehung auf das *pꜣ bꜣ.w* bzw. *pꜣ bꜣ* von 8 mask. Form gegeben ist (*tm..... ḥr-f*). Nachdem aber dort seit Dyn. 21 nur noch *bꜣ.w* stehen geblieben ist, ist wieder die Koordination notwendig: „die Seelen von H. (und) denjenigen, zu dem der *wr-mꜣ.w* nicht eingeführt ist". Daß die alte Form *tmm.t* der jüngeren Form *tm* ohne Gemination (in Spz gelegentlich in Atum umgedeutet) Platz gemacht hat, ist natürlich. Das Wiederauftreten des alten *ḥr-s* bei Pr wird zufällig sein, indem dort das Suffix auf die Tote bezogen sein dürfte. — Die seit Dyn. 21 herrschende Umgestaltung des Titels *wr-mꜣ.w* in *wr-pḥtj* (ebenso 31. 33) ist nur über ein zu postulierendes möglich (zur Verwechslung von *pḥ.wj* und *pḥ.tj* vgl. VI 16 und Totb. 17 = Urk. V 86, 13/14), bei dem das wie „Schiffshinterteil" aussehende *mꜣ* (zu beachten die MR Schreibungen und hier, in 31) durch das Synonym *pḥ.wj* ersetzt wäre. Auf jeden Fall zeigt die Umgestaltung aber, daß man in dem Ausdruck den bekannten heliopolitanischen Priestertitel *wr-mꜣ.w* nicht mehr erkannt hat. (Ein analoger Fall mit dem Titel *fꜣk* in 29.) Denn diesen schrieb man seit der Ramessidenzeit (Rec. de trav. 16, 124, Amenophis IV.). (ib. 14, 169, Ramessidenzeit), (O.L.Z. 1915, 358, Dyn. 22), (BERGMANN, Hierogl. Inschr. pl. 20, ptol.), leitete ihn also im Sinne unseres Textes, wenigstens so wie er uns in 30 seit dem MR vorliegt, von *mꜣꜣ* „sehen" ab. Von dieser Ableitung lassen die älteren Schreibungen des AR (altertümlich ohne Bezeichnung des Pluralis, wie das in solchen Titeln Regel war) und des NR (Westc. 9, 12. Eb. 63, 4. Ä. Z. 55, 65. Urk. IV 515) ebensowenig etwas erkennen wie die in unserem Texte vorliegenden des MR, die zu ernstlichen Zweifeln an dem Alter dieser Etymologie („Großer der Seher") Anlaß geben müssen, wenn man auch in der Schreibung des Königinnentitels , wie sie auf den Grabsteinen der 1. Dyn. üblich ist, eine gewisse Parallele für das ganz regelwidrige Fehlen des Ideogrammes des Auges hätte. Ein ähnliches Schwanken zwischen *mꜣ* „sehen" und *mꜣ* „Schiffshinterteil" auf Grund einer neutralen rein phonetischen Schreibung ist auch bei dem Namen des Himmelsfährmannes „der hinter sich schaut" zu beobachten; auch er wird gelegentlich „der das Schiffshinterteil hinter sich hat" (Pyr. 925c) geschrieben, eine offenbar unsinnige Ausdeutung des Namens, der so zu nichtssagend wäre. Einen Priestertitel , den memphitische Priester tragen, scheint die Spätzeit in der Tat zu kennen (s. u. 24). Ähnlich Thes. 911.

**10.** doppelsinnig „Mund" (vgl. 14) und „Teil"; an letzteres läßt die Verbindung mit dem mathematischen Ausdruck *ḫb.t* „Subtraktion" und die Beziehung auf die Sonnenfinsternis (15, vgl. IVa, 15) denken. Zu der Redensart vgl. den Ausdruck „die mit geschmälerter Stimme" Totb. 182, 4. 183, 43, der anscheinend das Gegenteil von *mꜣ' ḫrw* „gerechtfertigt", „triumphierend" ist; häufig *ḫbj ḫrw n ḫftj.w* vom „Unterliegen der Feinde", urspr. „wegen seiner (eigenen) Stimme geschmälert werden" Pyr. 1041d (parallel „sterben"). — Der wie eine Ableitung von *śn.w* „Brüder" geschriebene und in 21 auch mit diesem Wort zusammengebrachte Ausdruck, der mit dem Deutzeichen des Festes versehen ist und sich nur darin von der häufigen Tempelbezeichnung oder unterscheidet (Kultstätte des Reʿ Palermostein Rs. 3, 1, der Götterneunheit ib. 4, 3), könnte mit dem später wie das Fest des 6. Tages (vgl. die Var. bei K) geschriebenen

Worte für „Brüderschaft" identisch sein, das die Priesterkorporation bezeichnet (Sethe-Partsch, Demot. Bürgschaftsurkunden 458/9). Vgl. die alte Schreibung Pyr. 716a (Ä. Z. 47, 15). Im NR ist die alte Form des Festzeichens für das Zeichen *sn* (später ) genommen worden und das nach Wegfall von *ḥb.t r* übriggebliebene *m sn.t* für „im Vorbeigehen" (bei Cg noch mit dem Deutzeichen des Festes).

**11.** *ḏ3.t* ' „den Arm ausstrecken" eig. „den Arm kreuzen" in feindlicher Absicht Pyr. 978a (dort mit *m* „in den Weg von"). — *ḫtm* als Bezeichnung der dem Sonnengotte feindlichen Schlange (vgl. Totb. 149m, 79) urspr. wohl „der zu Vernichtende", wie „der fallen sollende" als Bezeichnung des Feindes, seit dem NR aber als „Vernichter" angesehen, später durch das Kaus. *śḫtm* ersetzt (ebenso Totb. 17 = Urk. V 12, 6, wo alle älteren Hss *ḫtm* haben). In der abgekürzten Schreibung bei N dürfte der Strich das Personendeterminativ vertreten. — *iw'.w* „der Erbe", d. h. der berechtigte E., nach der Erklärung in 13 Re'; bei N vielleicht verbal gefaßt: „um Heliopolis zu erben"; seit NR „die Erbschaft" als Objekt von *ḫtm*, das hier annullieren bedeuten muß. Eine Übergangsform liegt anscheinend bei K vor, wo *ḫtm* zwar noch als Name der Schlange aufgefaßt ist, aber schon *iw'.t* ohne *r* steht, vielleicht als Passiv *śdm-tw-f* zu fassen: „damit Heliopolis geerbt werde" (vgl. zu 18). In einigen Hss der Spz, die *sḫtm* haben, tritt vor *iw*" ein oder auf, das auf Wiederherstellung des alten beruhen könnte, wenn das nicht etwa bloß phonetisches Komplement zu dem irrig *wr* gelesenen sein sollte, vgl. dazu 18. — Die seit NR vor *in ḫtm* eingesprengten unübersetzbaren Worte erinnern an IV 12. 19. IVa 7.

**12.** Die Form *ḥnk.t* ohne *s* im MR Text scheint hier durch die Varr. der 21. Dyn. bestätigt, bei denen überdies das Deutzeichen des Haares durch das für Schlechtes ersetzt ist. Dagegen weisen in 26/7 alle Hss von N anfangend das *s* auf, seit Dyn. 21 freilich in der Umstellung *ḥnks*, die für das MR bereits durch Lacau, Sarc. I 189 () bezeugt ist und nach Ausweis des Berl. Wb. in ptolem. Zeit die Regel ist. Formen ohne *s*: „Locke" „Schopf" Totb. 70, 3 (Ca Pb; mit *s* Ja). „Hathor die Herrin der und der Brüste" Mar. Dend. III 74. Totb. 136B, 21 (Aa Pb La; mit *s* die and. Hss). Totb. 30A, 4 (Ca Pb Lb; mit *s* Ax Pc). Amduat Sethos-Grab IV 30 (mit *s* Jéquier, Ce qu' il y a dans l'Hadès 52). Alle diese Formen fordern zur Vergleichung mit dem das *s* wirklich entbehrenden kopt. ϩⲱⲗⲕ „flechten" (ἐμπλοκή, *cincinnus*) heraus. Da das in den MR Hss aber die hierat. Form hat, ist eine Verlesung aus nicht unmöglich, namentlich in 26/7, wo die Publ. *ḥnnk* gibt und die Hss der 21. Dyn., wie gesagt, das *s* auch zeigen. — Der Text setzt voraus, daß die *ḥnsk.t* eine spezifische Frauentracht war (vgl. dazu Westc. 5, 10ff. Mar., Dend. III 74. Festges. Isis u. Nephthys 3, 23. 6, 23. 11, 19). Daher gebraucht er hier für den Hohenpriester, der sie sonderbarerweise trägt, die Geschlechtsbezeichnung *ṯ3j* „Mann" („männlich"), die man mit „ein Mann" übersetzen muß.

**13.** Die Erzählung, durch die hier die Sätze 10/1 erklärt werden sollen und in der der Redende sein Wissen um die geheimen Dinge ausplaudert, beginnt hier wie in 24 (vgl. auch V 16. 34) mit einem Aussagesatz (hier Nominalsatz mit *ḥr* c. inf.), dem ein *pw* „c'est que" eingefügt ist, so daß der Satz selbst als Prädikat eines Identitätssatzes erscheint, in dem dieses *pw* die Rolle des Subjektes spielt (vgl. Sethe, Nominalsatz § 102/3). Im NR, dem diese grammatische Erscheinung fremd geworden ist, ist das *pw* als ungewöhnlich ausgeschieden. Erst in der Spätzeit ist es z. T. wieder hergestellt worden. — *md.t ḥnꜥ* „mit Jemd. über etwas (*ḥr*) reden" hier vom Rechtsstreit (Erbstreit) gebraucht, wie sein demot. Äquivalent *md irm* ..... *r-dbꜣ* (SETHE-PARTSCH, Demot. Bürgschaftsurkunden S. 391). Vgl. Pyr. 942/3: *in Gbb mdw ḥr-ś ḥnꜥ Itm.w* „Geb war es, der mit Atum darüber redete". Im NR ist aus der rechtlichen Auseinandersetzung nach Ausstoßung der Nennung des Gegenstandes ein einfaches Gespräch geworden: *md n* „sprechen zu". — *Imj-wḥꜣ-f* var. *Imj-hm-f.* hier und in 16 als Name der Schlange, die vorher als *ḥtm* bezeichnet war, nach LEPS., Ält. Texte 7, 42 eine chthonische Gottheit: „eintreten (*ꜥḳ*) durch das Tor der *imḥ.t* vor (*m-bꜣḥ*) den ", offenbar wenig bekannt, daher früh verderbt, bei K hier anscheinend zu einem Pluralis *imj.w-hm.t-f* gemacht. Das unübersetzbare *wḥꜣ* ist im NR zu *hꜣw* „Nähe", „Zeit" geworden (Det. der Zeit in 19, hier nur vereinzelt Spz). Dies hängt offenbar mit der Veränderung in der Rolle des ehemaligen *Imj-wḥꜣ-f* zusammen, der seit dem NR nicht mehr als Feind, sondern als Dienstmann des Reꜥ behandelt ist. Seit Dyn. 21 ist der Name infolge Verlesung des hierat. in (bereits richtig erkannt von LEFÉBURE) hier (nicht in 16. 19) noch weiter verändert zu *n-św.t m hꜣw-f* „der König zu seiner Zeit" (zu beachten die Übergangsform bei Cg, die an die alte Buchstabenschreibung erinnert). Erst in Spz wird das alte z. T. wieder hergestellt in Hss, die auch sonst zu solchen Restitutionen neigen, z. T. vielleicht aber auch nur in Ausgleichung mit 16 und 19. — Der Gegenstand des Streites scheint in dem hier stark zerstörten S Text mit dem Hapax legomenon bezeichnet zu sein; das sieht wie eine Ableitung von *sš* „verbreiten" aus, dürfte aber in Wahrheit wohl nur eine Verstümmelung von *psš.t* „Teilung", „Hälfte" sein, das K denn auch wirklich mit dem Zusatz „von Heliopolis" hat. Es handelt sich also nur um die Absicht des *Ḥtm*, dem Reꜥ die ungeteilte Herrschaft über die Stadt zu bestreiten. N hat dafür *im.t Iwn.w* „was in Heliopolis war". Bei der Fehlerhaftigkeit des Textes könnte man an die Emendation von in „Vermächtnis" denken.

**14.** in zu emendieren, Hervorhebungspartikel, falls nicht einfach Dittographie von vorliegen sollte. — *iꜣṭ.w* Pseudop. vielleicht intransitiv, da das Caus. *śiꜣt* die einfache transitive Bedeutung „foltern" hat. Sinn: der Mund des Sonnengottes wurde plötzlich gelähmt (oder biß sich der Gott auf die Zunge oder Lippe?). — Bei Ga vorübergehend umgedeutet in *ir-f*, dabei vielleicht *ḫpr* von 15 dazugezogen: „da geschah die Verzerrung?"

**15.** Bei der „Schmälerung" am Monatsfeste (vgl. dazu IV a 17), die hier wie eine Kulteinrichtung von Heliopolis erscheint, kann es sich, da gerade die Sonne der geschmälerte Teil sein soll, doch wohl nur um eine Sonnenfinsternis handeln, die dann aber als eine regelmäßige Erscheinung behandelt wäre (vgl. dazu Diod. I 50). *ibd*, das sonst den 2. Monatstag bezeichnet, müßte dann hier den Neumondstag selbst bezeichnen; die jüngeren Texte von N an scheinen nur an den Monat schlechthin zu denken. Dem widerspricht aber der Wortlaut in 10, wo die „Schmälerung des Mundes" gleichfalls auf ein bestimmtes Monatsfest angesetzt erschien, freilich nicht das des 2. Tages, sondern möglicherweise das des 6. Tages, was denn allerdings nur auf eine Mondphase gedeutet werden könnte. Erst in der Spz kommt z. T. wieder die alte Schreibung mit dem Festdeterminativ auf, auf die aber wohl nicht mehr allzuviel zu geben ist. — Der Satz *ḫpr — pw*, der die Entstehung der betreffenden Kulteinrichtung im Anschluß an das vorher zitierte Götterwort als Fazit bucht, ist als parenthetische Bemerkung aufzufassen, die den Gang der Erzählung unterbricht; vgl. 19. 27. 29 (hier mitten in einen Satz eingesprengt).

**16.** *'ḥ'-n ḏd-n,* im NR durch das synonyme *ḏd-ỉn* ersetzt; ebenso VI 22. 28 (vgl. auch V 30; in V 26. 32. 36. 44. VI 7 steht *ḏd-ỉn* bereits im MR), während es in VI 25 ausnahmsweise im NR beibehalten ist. Augenscheinlich hat sich also bei *ḏd* der Gebrauch der *śḏm-ỉn-f*-Form stark eingebürgert, so daß er hier die sonst nach wie vor verwendete Ausdrucksweise mit *'ḥ'-n* verdrängte. Vgl. auch Pap. Petersb. 1116 B, wo *ḏd-ỉn* die ständige Einführungsformel für Reden ist. — Die Einfügung des Re' als Redenden und die Verwandlung des *Imj-wh3-f* (bei K seltsam verderbt) in den Angeredeten in 16—18 hängt mit der Weglassung von 20—22 zusammen, wo Re' das letzte Wort erhalten hatte, das er nun in 16 erhalten mußte; sie wird die Folge dieser Weglassung sein. Zu der Beschädigung seines Mundes, von der vorher in 14 die Rede war, paßt sie wenig.

**17.** Ursprünglich Drohung des dem Re' feindlichen *Imj-wh3-f,* später sinnlos in einen Befehl des Re' an diesen umgewandelt, wie der Zusatz *ỉn Imj-h3w-f* in 19 außer Zweifel stellt. Voraussetzung für diese Änderung ist eine Orthographie ohne Bezeichnung des Suff. 1. sg., wie sie bei N und K vorliegt. — *m'b3* ist bei S I durch [hieroglyphs] vertreten, das wie ein Pluralis von *ḥmt* „Erz" aussieht und nach seinem Determinativ „die Harpunen" zu bedeuten scheint.

**18.** „diese Stadt" d. i. Heliopolis, bei N wohl „meine Stadt" (vgl. 18c), im NR durch „die Menschen" ersetzt (vgl. das [hieroglyphs] hinter *ỉw'-j* bei K), ob über eine Schreibung [hieroglyphs]? (s. u. 18a). Zugleich ist das Verbum „erben" umgewandelt in *ỉw'.t* „das Erbe", das zunächst als Apposition zu *m'b3* erscheint, späterhin durch ein *n* mit 17 verbunden ist („um des Erbes der Menschen willen?"), und schließlich durch *r* („um die Menschen zu erben"); archaisierende Hss scheinen es wieder zu beseitigen. Es wäre denkbar, daß das *ỉw'.t* mit seiner Femininalendung *t,* die in 11 fehlte, aus einem mißverstandenen Passiv *ỉw'-tw* mit defektiver Schreibung des *tw* hervorgegangen sei. *ỉw'-tw rmṯ.w* „damit die Menschen geerbt werden" würde eine gute Sinnvariante des alten Textes ergeben.

**18a.** Bei K folgt auf *ỉw'(-j)* „ich erbe" an Stelle des Objektes [hieroglyphs] „meine Stadt" eine abweichende Lesart mit der dafür üblichen Bezeichnung *kjj ḏd* „ein anderes Sagen": *pśš.t n* NN. „die Hälfte des NN.", d. i. in ein „meine Hälfte" des Originaltextes zurückzuübersetzen. Dies ist aber nur als Objekt zu jenem „ich erbe" zu verstehen und zeigt wohl, daß das hinter diesem fehlende „meine Stadt", zu dem es selber als Variante auftritt, nur versehentlich ausgefallen ist, also: „ich erbe [meine Stadt], andere Lesart: meine Hälfte (scil. von dieser Stadt)". Dieser Schluß wird auch durch den Satz 18c bestätigt.

**18b.** Was die wie *m pw* „was ist das?" aussehenden Worte hinter der Varia lectio bedeuten, ist unklar. Zur Lesung des [hieroglyph] vgl. [hieroglyphs] „komm" in der letzten Zeile der folgenden Seite der Hs.

**18c.** Dieser Satz, mit dem der Text in K abbricht, kann nur auf den *Imj-wh3-f* bezogen werden; er gewährleistet die Auffassung des *ỉw'* in 18 als „ich erbe". Hier ist also der Gegner des Re' der Teil, der zuletzt lacht. Das spricht dafür, daß die Sätze 19ff., welche im normalen Texte von S die als erfolgreich gedachten Abwehrmaßnahmen des Re' betreffen, dem K zugrunde liegenden Texte bereits ebenso wie im NR fehlten. Daß dieser Schlußsatz nicht etwa zu der Varia lectio gehört, sondern wirklich die erläuternde Erzählung von 16 fortsetzen bzw. abschließen soll, ist klar;

er widerspricht der Varia lectio, denn er läßt ja den obsiegenden Teil die ganze Stadt, nicht bloß deren Hälfte erben.

**19.** Zu der Textverderbnis [hieroglyphs] aus [hieroglyphs] vgl. oben 4. — *mꜥbꜣ* „Dreißigerspeer" im NR in *mꜥbꜣj.t* „Dreißigerhof" umgewandelt, nicht unpassend, da dadurch eine gewisse Differenz zwischen dem Gotteswort, aus dem der Ursprung des Gegenstandes hergeleitet werden soll, und diesem selbst hergestellt wurde (s. u. 21). Erst Spz hat das Ältere wiederhergestellt nach älteren Hss, die man damals heranzuziehen liebte. — Die Zufügung von *in Imj-ḥꜣw-f* hängt mit der Rollenvertauschung in 16 zusammen. Für den Gebrauch von *in* zum Ausdruck des logischen Subjektes bei intransitiven Verben vgl. [hieroglyphs] „die Erde ist hoch unter dem Himmel durch deine Arme, o Tefnut" Pyr. 1405a. Die in Spz auftretende Var. *ḫpr šp mꜥbꜣ pw* „und so entstand das Nehmen des Dreißigerspießes", die natürlich auf Angleichung an 17 beruht, könnte mit dadurch veranlaßt sein, daß man an dieser immerhin ungewöhnlichen Konstruktion Anstoß nahm.

**21.** Bei den [hieroglyphs] „Brüdern", die hier zur Abwehr der den Sonnengott bedrohenden Schlange „aufgerichtet" werden sollen, denkt man an die Schlangensteine, wie sie in der Schreibung [hieroglyphs] des Wortes [hieroglyphs] *šnw.t* erscheinen, auf das oben zu 10 bereits hingewiesen wurde[1], und man könnte in diesen Steinen geradezu ursprüngliche Schlangenabwehrsteine vermuten. Gegen die letztere Vermutung, aber für den Zusammenhang unserer [hieroglyphs] mit dem Gebäude *šnw.t* spricht die ähnliche Stelle Totb. 18, 15/6 (= Urk. V 121/2), wo das [hieroglyphs] „Aufrichten der *šnw.t* des Horus" (Aa [hieroglyphs], Dyn. 21 [hieroglyphs], Cb Spz [hieroglyphs]) auf einen Befehl des Seth an sein Gefolge „richtet die *šnw.t* auf dagegen ([hieroglyphs])" zurückgeführt wird. Die Varr. dieser Stelle könnten die Frage nahe legen, ob etwa auch bei uns das [hieroglyphs] wie dort *šnw.t* zu lesen sei. Wahrscheinlicher ist das Umgekehrte, d. h. daß dort in der Rede des Seth ebenso wie bei uns [hieroglyphs] „Brüder" zu lesen ist und daß die Varr., die dort statt dessen das Gebäude *šnw.t* nennen, auf irriger Angleichung an den vorhergehenden Textpassus, der durch den göttlichen Ausspruch erklärt werden soll, beruhen. Eine gewisse Differenz zwischen dem Gottesworte, das einst gefallen sein soll, und dem Gegenstand, dessen Ursprung darin begründet werden soll, ist zwar nicht notwendig, aber doch willkommen.

**22.** *nš* in gleicher Schreibung Urk. I 100: „seine Maj. ernannte mich zum einzigen Freunde und Vorsteher der *ḫntj.w-š*" [hieroglyphs] „ich verdrängte die vier Vorsteher der *ḫntj.w-š* des großen Hauses, die es gegeben hatte"; später [hieroglyphs] geschrieben; vgl. [hieroglyphs] „verdränge nicht einen Mann von der Habe seines Vaters" Pap. Petersb. 1116 A, 47.

**23.** Der Satz *ḫpr šnw.t pw* im NR in zwei Sätze zerlegt, die jeder mit *ḫpr* anfangen; es dürfte daran irrige Spaltung des in senkrechter Zeile so geschriebenen alten Textes [hieroglyphs] schuld gewesen sein, indem man das *ḫpr* als gemeinsames Anfangswort zweier paralleler Satzgebilde ansah, das nur einmal geschrieben, aber beide Male zu lesen sei, wie das in der alten Schreibweise religiöser Texte so oft ge-

1) Über dieses Wort s. jetzt die Spezialuntersuchung von Kees.

schieht. So ist aus der vorderen Hälfte des in dieser Weise zerlegten alten Textes ein geworden, das man *ḫpr šn.tj* las, „es entstand das Geschwisterpaar“, d. i. Schu und Tefnut. Aus der hinteren Hälfte aber wurde ein , das als Var. von angesehen wurde. Später (seit Dyn. 21) ist das *šn.tj* im Hieratischen in *dꜣ.tj* verderbt. Die richtige Form hat sich dann aber, z. T. sogar mit der richtigen Determinierung, wieder durchgesetzt in Spz, wo wir gelegentlich diese Textverderbnis noch als Varia lectio notiert finden (Cadet): „*šntj*, ein anderes Sagen *dꜣ.(tj)*“. — Beiden Sätzen fehlt das *pw*, das urspr. hinter *šnw.t* stand. Ein Ersatz dafür wird aber wenigstens für den 2. Satz wohl durch Hinüberziehung der Worte *Rꜥ pw* aus 23 gewonnen worden sein, die für die jüngste Periode jedenfalls anzunehmen ist, da dort bei *inš* das andernfalls unentbehrliche Suffix *f*, das das vorangestellte *Rꜥ* aufnahm, fehlt. Die Var. *m ḫpr* „als es geschah“ (oder „als entstand“) bei Pr zeigt diese Satztrennung evident.

**24.** Erzählung eines zweiten Begebnisses als Erklärung von 12, in einer Form, die der von 13 entspricht, d. h. mit Einschiebung von *pw* „c'est que“ hinter das hervorgehobene Objekt des Satzes. Das bei S 1 (Varr. nicht notiert) kaum gut ( am Ende einer Zeile!), besser wohl N, doch zu lesen . Zum transitiven Gebrauch von *ḫp* „begegnen“ s. Gardiner, Sinuhe S. 16; ferner „er geht aus und ein, ohne daß ihn die Finsternis überrascht (überfällt)“ Pap. Skrine II (Journ. Eg. archéol. V pl. 3, 4); die Bedeutung, die das Wort an dieser letzteren Stelle hat, paßt auch bei uns gut; aus ihr läßt sich auch die Bedeutung von „seltsam“ („überraschend“) Gardiner, Admonitions S. 97 erklären, das nach seiner Pluralform Part. act. impf. zu sein scheint. Die feindliche Bedeutung, die das Wort bei uns hat, liegt auch an der von Gard. an letztgenanntem Orte zitierten Stelle vor: „bist du gegen dieses mein Herz der Lebenden gekommen als Überfallende?“ Harhotep 336. Vgl. auch Pap. Petersb. 1116 B, 18. — Zur Benennung der Person, mit der Reꜥ hier zusammentrifft, vgl. Pyr. 285: „du siehst Reꜥ in seinen Fesseln, du verehrst Reꜥ in seinen Banden“ „als der große Zauber, der in seinen Binden ist“. *ins.w* als Mumienbinden Petrie, Athribis pl. 6. Bei uns könnte die Benennung das diesem neuen Gegner des Reꜥ zugedachte Schicksal aussprechen wie *ḥtm* in 11. — Im NR ist aus ein geworden. Das wurde über eine Schreibung , wie sie N zugrunde lag, zu ; das wurde durch das ihm im Hieratischen so ähnlich sehende ersetzt; in dem aber steckt vermutlich der Überrest des alten , das bereits bei N infolge Ähnlichkeit des und des sowie des und des haplographisch als vermeintliche Dittographie zusammengefallen war (vgl. 13). Auf eine defektive Schreibung für *imj*, wie sie N in 16 aufweist, könnte es nur dann zurückgehen, wenn das schon vorher vor dem ausgefallen gewesen wäre. Dagegen spricht aber der Befund bei N. Dafür könnte anderseits sprechen, daß der späte Pap. Hay an Stelle des das alte wiederhergestellt zeigt ohne das ; auch wäre ohne den Ausfall des die Umgestaltung des Textes im NR vielleicht nicht so leicht möglich gewesen. — Nachdem der alte Name durch die Umgestaltungen zerstört war, ist schließlich seit Dyn. 21 auch das auf *imj* bezügliche Suffix *-f* als sinnlos beseitigt worden; ebenso schon bei N wohl nur zufällig. Welchen Sinn man im NR dem umgestalteten Texte untergelegt hat, ist ungewiß. Die oben gegebene Übersetzung ist durchaus problematisch. oder bezeichnet sonst in dieser Zeit den roten Zeugstoff (neben dem weißen und dem grünen Stoff). Für unsere Stelle bedeutsam ist vielleicht der Priestertitel „der das *ins* kennt(?)“ Musée Guimet, der auch in der folgenden Titulatur vorkommt: Kairo, Familiendenkmal eines ʿanch-Scheschonk (Kopie Sethe).

**25.** Unklar ist die Personenverteilung hier und in 26 im MR; desgl. ob das *t* in *ḥnt-f* zum Stamme gehört (vgl. Gard., Admonitions 43. Vogelsang, Bauer 108; ptolem. ) oder nicht (vgl. Louvre C. 1, 9; Bersheh II 13, 26). Die alphabetische Schreibung und der Wegfall des *t* im NR spricht aber für das letztere. Es wird also die Satzform „als er noch nicht (d. i. bevor er) gehört hatte“ vorliegen. Zur Umwandlung der *śdm.t-f*-Form in *sdm-f* im NR vgl. 30; dabei ist das transitive Wort *ḥn* durch ein anderes intransitives ersetzt. - Die Beseitigung des *r-f* „gegen ihn“ (ebenso in 26) ist die natürliche Folge davon, daß in 24 die Begegnung zwischen zwei Personen verschwunden war und dort jetzt nur noch von Reʿ die Rede ist. Hier ist denn nun auch kein Zweifel mehr, daß das Pronomen 3. m. sg. in *ʿ-f* „sein Arm“ und in *irj-n-f šḥt.w-f* von 26 nur auf Reʿ gehen kann. Daß Reʿ wenigstens in 26 auch schon von Anfang an Subjekt war, macht aber wohl der Umstand wahrscheinlich, daß andernfalls nur von einem Angriff auf den Sonnengott die Rede wäre und gar nicht von einer Abwehrmaßnahme, die er dagegen traf, wie in 20—22.

**26.** Der MR Text läßt noch die Möglichkeit offen, daß sich Reʿ nur eines Weibes als Werkzeug gegen seinen Widersacher bedient habe, während der NR-Text voraussetzt, daß er sich selbst in ein Weib verwandelt habe. Der Umgestaltung von zu liegt der umgekehrte Vorgang wie in 19 und 4 zugrunde.

**27.** Da mit *ḥnsk* der in 12 genannte „Mann“ mit der weiblichen Locke gemeint sein muß, wird das Wort wohl wirklich „der Gelockte“, „Bezopfte“ bedeuten, obgleich es nirgends mit dem Zeichen des Haares oder der Locke determiniert erscheint. Erst seit dem NR erhält das Personendeterminativ ein entsprechendes, aber eigentlich mehr wie ein Schopf aussehendes Abzeichen. Der Ausdruck muß nach dem Zusammenhang ein richtiger Titel sein, den der Hohepriester von Heliopolis einst geführt hat. Dieser Priester soll wohl den seltsamen Haarschmuck tragen, den nach der Sage einst sein Gott in einer besonderen Stunde angenommen hatte. Es liegt also eine Übertragung der Rolle des Gottes auf seinen Diener vor, wie sie auch wohl in 30 vorliegen mag, wo der Priester als „der Erbe“ bezeichnet ist (in 11 von Reʿ gebraucht). — Seit Dyn. 21 ist aus dem alten *pw n Iwn.w* (wieder richtig bei Cadet) ein *pn m Iwn.w* geworden („es entstand dieser Gelockte in Heliopolis“), vermutlich über eine Schreibung , wie sie hier bei Cg (vor dem *m*) und in 29 bei Pr wirklich vorliegt, wo Lefébure irrig statt umschrieb. Wenn der Ägypter den gleichen Fehler machte, mußte sich das *ʃ* beinahe notwendig in das ihm so ähnliche *ȝ* verwandeln (vgl. 16).

**28.** Aus 29, das die eingeschaltete Fazitbemerkung (s. 15) zu 28 ist, geht hervor, daß 28 als Fortsetzung von 26 anzusehen ist, von dem es durch die zu diesem gehörige Fazitbemerkung 27 getrennt ist. Der *fȝk* „Kahle“ (von *fȝk* „ausrupfen“, ϥⲱϭⲉ) ist natürlich mit dem *ḥnsk* von 27 identisch, denn es soll ja noch immer 12 erklärt werden; vgl. „ich bin die beiden Locken auf dem Haupte der Kahlen“ Harhotep 423 (koll. mit Phot.), wo mit dem *fȝk* jedenfalls schon der Priestertitel gemeint ist, der bei uns in 29 vorliegt; ebenso MAR., Dend. IV 38, 121, wo der eine Locke (*ḥnsk.t*) aus Lapislazuli trägt. — In unserem Texte tritt seit NR für *fȝk* überall ein ein, das wie ein Nomen actionis „Entblößung“ (bei Ea direkt mit geschrieben) aussieht; sonst wird der alte Wortstamm *fȝk* in dieser Zeit dem kopt. Lautbestande ϥⲱϭⲉ entsprechend *fkȝ* geschrieben (Verbum I § 217, 3), indem sich nur in dem Wortzeichen die für den Ägypter wohl naheliegende Kombination mit *kfȝ* „entblößen“ verrät. — Altertümlich ist die Konstruktion von *šḫm* „Macht haben über“ mit präponderativem *r* (vgl. Pyr. 144. 204. 206. 1619) statt mit dem später allgemein üblichen *m*, das hier erst im NR an seine Stelle tritt, um seit Dyn. 19 mit dem *m* des Wortes *sḫm* zusammenzufallen, so daß nun eine Übersetzung wie die von LEFÉBURE, „dévoilé est le maître du temple“ möglich wurde. — Diese Übersetzung scheint übrigens das Fehlen des Demonstrativs *pn* für die merkwürdige Hs Pr zu bezeugen (im Spz Text übersetzt LEFÉB. „de ce temple“), was zu dem bei S überlieferten Texte des MR stimmen würde, in dem das zweite , wenn nicht bloße Dittographie, Determinativ von *r-pr* sein könnte. In diesem Falle würde das *pn* bei N eine nachträgliche Texterweiterung sein.

**29** unterbricht wie 27 den erzählenden Text und zwar mitten im Satze. NR fügt nach dem Muster von 27 ein *n Iwn.w* „von Heliopolis“ zu. — *fȝk* oder *fk.tj* als Priestertitel außer an den oben zitierten Stellen: in This (BRUGSCH, Dict. géogr. 1375), in Theben ( des Osiris in Karnak, BERGMANN, Hierogl. Inschr. pl. 4), in Memphis (s. ob. zu 24; Apisstele 208), im unterägypt. Hermopolis ( BERGMANN, a. a. O. pl. 20. BRUGSCH, Dict. géogr. 1368). Speziell von Heliopolis: „ich habe das Jubeln (*hn*) gehört aus dem Munde des in Heliopolis“ LACAU, Sarc. II 126. Daß der Titel an unserer Stelle im Gegensatz zu den eben angeführten Stellen aus jüngerer Zeit ebenso wie in 28 durch *kfȝ* „Entblößung“ ersetzt ist, kann eigentlich doch nur so gedeutet werden, daß man den Titel nicht mehr darin erkannt hat; das hat sein vollkommenes Gegenstück in der Behandlung des Titels *wr-mȝ.w*, s. ob zu 9.

**30.** Fortsetzung von 28, da 31/32 die Fazitbemerkung zu 30 ist. Hinter *iwʿ.w* „der Erbe“, womit hier nicht wie in 11 der Sonnengott gemeint ist, sondern sein Priester als sein Sohn und Erbe (vgl. den Priestertitel ), fügt N ein ein, das der späteren Textentwicklung zugrunde liegt und möglicherweise bei S (nur S 1?) nur fehlerhaft ausgelassen ist[1]. Es ist wohl das Adjektiv verbale

1) Gegen diese Annahme spricht scheinbar die nicht ganz unzweideutig bezeugte Var. bei Pr, wo in Wahrheit wohl nur eine neue Homoioteleutonauslassung vorliegt.

*ỉw‛-tj-fj* in einer besonderen Nebenform mit *w* statt *j* darin zu sehen (das | vertritt, wie so oft bei N, das Personendeterminativ), vgl. die Verbum II § 975 notierten Formen und sowie „jeder Ort, wo er ist“ Lacau, Sarc. I 186 (statt *ntj-f*). Im NR ist *r ḫpr.t*, das infolge der Trennung von 28 als störend empfunden worden sein wird, nach dem Muster von 31 in *ḫpr* umgewandelt; desgl. *ỉw‛.w* „der Erbe“ wie in 11. 18 in *ỉw‛.t* „das Erbe“; das der Ausdrücke *ỉw‛-tj-fj* und *mꜣꜣ ỉtf-f*, dessen richtige Auffassung durch die Erklärung in 32 gegeben ist, ist verkannt worden, man sah wohl fem. Relativformen des *sdm-f* mit neutr. Bedeutung darin, wie sicher in *mꜣꜣ.t-f*: „es entstand das Erbe, das er (wer?) erben sollte, groß wurde, was er sehen sollte“, wobei der gleiche Parallelismus von *wr* und *ḫpr* hergestellt wurde wie in 3/4. Seit Dyn. 21 ist vor der Relativform, die jetzt zeitgemäß *ỉw‛-f* lautete, der Genitivexponent *n* eingeschoben, der ja oft vor Attributen auftritt, wo er nicht zu übersetzen ist. — Zu der Bezeichnung *wr mꜣꜣ ỉtf-f* vgl. Totb. 94, 2 (Nav.), wo der Bücherwart des Thoth so heißt ( Aa, Ta (ed. Gardiner), Pb, Pf Pi); s. a. unten zu 31/2.

**31/2.** Dieser Satz, der die Fazitbemerkung zu 30 enthält und inhaltlich den parenthetischen Sätzen 27. 29 entspricht, hat nicht deren Form *ḫpr . . . pw*, sondern setzt scheinbar 30 selbst fort (so daß, indem?). Diese Unregelmäßigkeit erklärt sich hinlänglich daraus, daß hier der *fꜣk*, der sich in den *wr-mꜣ.w* verwandelte, ausdrücklich noch einmal genannt werden mußte, wenn man den Sinn des Satzes richtig verstehen sollte; ein *ḫpr wr-mꜣ.w pw* „und so entstand der *wr-mꜣ.w*“ würde die Identität des *wr-mꜣ.w* mit dem *fꜣk* nicht zweifelsfrei haben erkennen lassen. Das *ḫpr* hat an unserer Stelle eben eine andere Bedeutung (werden zu = sich verwandeln in) als dort (werden = entstehen). Im NR ist der *fꜣk* durch das pronominale *ḥr-f* ersetzt, das dem Satze auch eine Form gab, die den *pw*-Sätzen besser entsprach (vgl. Eb. 100/101, wo die Sätze mit *śdm-ḥr-f* ständig die Sätze mit *pw* fortsetzen): „da wurde er zum *wr-mꜣ.w*“, wobei das „er“ auf den *ḥnsk* in 27 bezogen werden muß. Diese Veränderung war eben auch deswegen nötig, weil der *fꜣk* in 28/29 durch das abstrakte *kfꜣ* „Entblößung“ ersetzt war, das sich nicht gut in den *wr-mꜣ.w* verwandeln konnte. — Im ganzen Satze werden augenscheinlich zwei Titel des Hohenpriesters von Heliopolis aus den Schlußworten von 30 erklärt, für die man danach eine Urfassung postulieren könnte, wie sie tatsächlich einerseits an unserer Stelle (in 31/2), aber nur fehlerhaft, bei Pm vorliegt, andererseits in den Varianten der oben zitierten Stelle Totb. 94, 2 vorherrscht. Diese Urfassung von 30 wäre dann in *wr-mꜣ ỉrj-n-ỉtf-f* zu zerlegen und wäre erst sekundär so ausgedeutet worden, wie es der uns vorliegende MR Text tatsächlich voraussetzt: *wr-mꜣ-n-ỉtf-f* (vgl. auch den Zusatz 2 a bei K), woraus dann, da im MR oft für steht, das *wr-mꜣꜣ-ỉtf-f* unseres MR Textes hervorgegangen sein müßte. In diesem Falle würde die später übliche Herleitung des Titels *wr-mꜣ.w* von dem Verbum *mꜣꜣ* „sehen“, die mit der bis in das NR geltenden alten Schreibung dieses Titels nicht in Einklang steht (s. ob. 9), aus der ursprünglichen Gestalt unseres Textes eliminiert werden, dieser selbst aber in gewissen Stücken unter Umständen noch über das MR hinaufgerückt, wozu ja auch die sehr altertümliche Konstruktion von *śḫm* mit *r* in 28 passen würde, während anderseits die Sätze der erklärenden Erzählung mit *‛ḥ‛-n* nicht über das MR hinaufgehen können. Seit Dyn. 21

ist das *wr-mꜣ.w* wieder in *wr-pḥtj* umgewandelt, obwohl damit die Beziehung auf das *wr-mꜣꜣ.t-f* in 30, auf die doch alles ankam, völlig zerstört wurde. Außerdem erhält der so umgewandelte Titel hier noch einen rätselhaften Zusatz *bꜣ.t* oder *bjꜣ.t*, später *nṯr* „der Gott" oder „des Gottes" (ob ein dogmatischer Name „Groß ist die Kraft des ..... resp. des Gottes" gemeint ist?), den man in seiner letzteren Form ohne jenen ihren Vorläufer *bꜣ.t* aus einem Mißverständnis des Determinativs (später ja auch oft durch ersetzt) erklären würde. — Der zweite Titel *sꜣ ỉrj n ỉtf-f* wird kaum „der Sohn, den sein Vater erzeugt hat" bedeuten, da das zu nichtssagend klingt; man könnte höchstens auf die Ausdrücke „die Kinder ihrer Väter", „das Kind, das seine Mutter geboren hat" für Personen, deren Eltern man nicht nennen kann, verweisen. Die Bedeutung wird wohl eher „der Sohn, der seinem Vater opfert" oder „für seinen Vater getan hat" gewesen sein, falls in nicht urspr. etwa das alte Verbum für „schauen" gesteckt haben sollte, das uns in dem Namen des Gottes „Sehen" und im Kopt. in der Erweiterung ⲉⲓⲱⲣϩ vorliegt (Verbum I § 359), „der Sohn, der auf seinen Vater schaut". Das letztere würde sich mit der uns tatsächlich schon im MR entgegentretenden Auffassung der Schlußworte von 30 begegnen (vgl. dazu wieder den Zusatz 2a bei K). Für die erstere Auslegung („der opfert") ließe sich dagegen geltend machen, daß der *wr-mꜣ.w* Ä. Z. 11, Taf. III, 40 geradezu als „Mundschenk des großen Gottes" () bezeichnet ist.

**33.** Ein erst bei N auftretender Einschub, der den statt 31/2 zu erwartenden Fazitsatz mit *ḫpr .... pw* nunmehr als tautologisches Duplikat darauf folgen läßt. Im NR durch Angleichung an 31 auch in der Form zu einer völligen Dublette gemacht, wäre hier nicht wie in 29 nach dem Muster von 27 noch der Zusatz *n Iwn.w* hinzugetreten (später wie dort z. T. *m Iwn.w*). — Seit Dyn. 21 ist die Tautologie beseitigt, indem das *ḫr-f* hier (im Unterschied zu 31) in *ẖr(.t)-f* „seine Angelegenheit" resp. *ẖr(.t)-f* „sein Unterhalt" umgewandelt ist: „es entstand sein Unterhalt als *wr-pḥtj* von Heliopolis".

**34.** Der Refrain „ich kenne die Seelen von ....", der unsere Spruchsammlung charakterisiert und ihre Bestandteile zusammenbindet, steht hier in einem gewissen Zusammenhang mit 8, das im NR danach umgestaltet zu sein scheint. Innerlich paßt er aber doch nicht zum Zusammenhang des ganzen Textes, wenn man dem Worte *bꜣ.w* nicht eine abstrakte Bedeutung wie Mysterium, Geschichte (Mythologie) geben will, an das *bꜣ.w* „Ruhm" der historischen Inschriften des NR oder den Ausdruck „Geschichte des Re'" der späteren Texte anknüpfend. In diesem Falle müßte die konkrete Deutung auf die drei Gottheiten in 35 sekundär hinzugetreten sein. Sie ist ja in der Tat auch inhaltlich etwas Junges; denn sie beruht auf mechanischer Auslegung der alten pluralischen Schreibung mit ihrem dreimal wiederholten Wortzeichen, s. Sethe, Untersuch. III 18.

**35.** Hinsichtlich der Setzung des *pw* weichen die Hss sehr stark voneinander ab; bald setzen sie es hinter jedem der drei Namen (N. Ga; ebenso sonst Aa. Jb), bald nur hinter dem letzten Namen, aber natürlich zu der ganzen Namenreihe gehörig (S, ebenso in III. VI. VII), bald nur hinter dem ersten Namen (Dyn. 21 in VI. VIII; Pf in VII), bald setzen sie es überhaupt nicht (Dyn. 21, nur bei uns). Bemerkenswert erscheint nur ein fünfter Fall, der bei uns in Ea und Spz vorliegt, nämlich daß das *pw* hinter dem Namen des Schu fehlt, so daß Schu und Tefnut hier durch ein gemeinsames *pw* zu einem Ganzen zusammengefaßt erscheinen, wie das mit ihren Namen nach Ausweis der griech. Wiedergabe Ἐστφῆνις des Eigennamens *Nś-Šw-Tfnwt* ja in der Sprache wirklich geschehen ist. Daß eine solche Zusammenfassung beabsichtigt ist, ist recht wahrscheinlich bei der Hs Ea, die in den Sprüchen V. VII. VIII das *pw* hinter jedem der drei Namen wiederholt zeigt (in VI hat sie es nur hinter dem ersten Namen), und ebenso bei Spz, die die gleiche Zusammenfassung der beiden letzten Gottheiten der Trias durch ein gemeinsames *pw* auch sonst gerade da anwendet, wo wirklich eine engere Zusammengehörigkeit derselben gegenüber dem ersten Gotte der Trias besteht, wie das in V. VI zwischen den beiden Horussöhnen gegenüber dem Horus, ihrem Vater, offensichtlich der Fall ist. Wie dort so stehen sich ja auch bei uns der Vater (Atum) und seine beiden Kinder (Schu und Tefnut) gegenüber.

## III (nicht im späteren Totenbuch).

Wiederum ist es ein Heiligtum (vgl. 20), in das der Tote Einlaß begehrt (11. 19. 30). Es gehört einer unter einem Grabhügel ruhenden Seele, d. h. doch wohl dem Osiris. Die Wächter fragen den Toten, wer er sei und woher er komme (7/8), und bedeuten ihm, daß er an ein Geheimnis zu rühren im Begriffe stehe, das man nicht kennen dürfe (10). Er versichert dagegen, daß er sich auf die Heilkunst bzw. die Balsamierung wohl verstehe (27—29); er kenne die Verletzungen, die der göttliche Leib erlitten habe, insbesondere das Auge der Sonne am Neumondstage bei der Sonnenfinsternis, und sei imstande, den Schaden zu heilen (20), also eine Motivierung des Tempelbesuchs ganz ähnlich der von II 6. Im Zusammenhang damit werden die Personen, die dem Toten öffnen sollen, „die welche am Neumondsfeste sind" oder „die Seelen des Neumondsfestes" genannt (19. 30), und hierauf fußt die jüngere Betitelung des Spruches (5).

Im NR ist dieser Spruch aus der Textsammlung verschwunden.

### Übersetzung.

**1**Auf Erden weilen, **2**Geist sein in der Unterwelt, **3**eintreten bei den Herren von Heliopolis. **4**Aufsteigen zum Himmel, eintreten in die Unterwelt (*Dȝ.t*). **5**Die Seelen des Neumondsfestes kennen. ⟨**6**Eintreten in das Haus des Osiris von Busiris. — NN. er sagt:⟩[1] **7**Wer ist er, der eintritt bei dieser Seele[2], **8**woher ist er, der austritt bei dieser Seele, **9**über welcher die Erde hoch ist? **10**Eine Sache, die nicht gekannt werde(n darf). **11**Öffnet mir. **12**Ich bin einer, der den Ehrfurchterheischenden achtet[3]. **13**Ich bin einer, der eine Sache geheim hält. **14**Ich gehöre zum Hause des Osiris. —[4] **15**Ich bin der Gott, der das Lederfutteral hütet[5] in der Kammer mit den Bedarfsstoffen. **16**Ich weiß, was verstümmelt ist (bzw. sein wird) von dem Auge des *Tbj* am Tage, da seine (des Auges) Teile gezählt werden, **17**wenn die Sonne mächtiger wird als die Finsternis, (der Glanz mächtiger als die Dunkelheit)[6] —[7]: **18**der fünfte Teil des einen Auges (und) die volle Hälfte gehört dem, der seine (des Auges) Teile zählt, zwischen dem vollen und dem verletzten Auge. —[4] **19**Öffnet mir, ihr die ihr am Neumondsfeste seid, **20**ich bin der, der es (das Auge) (wieder)füllt[8] mehr als die Kunst eines Balsamierungspriesters[9] in diesem Heiligtum. —[10] **21**Ich weiß, was fehlte

1) Späterer Zusatz bei N. — 2) „bei dieser Seele", das den Sätzen 7 und 8 gemeinsam ist, fehlt hier bei S. — 3) N.: „der sich von einem Unreinen fern hält"? — 4) Abschnittsschlußzeichen in S 1. — 5) N. „der große Gott, der Hüter des *Śjȝ* (Erkenntnis)". — 6) so N. — 7) Abschnittsschlußzeichen in S 2. — 8) Var. „öffnet mir . . . . . einem, der da wiederfüllt". — 9) N: „größer als es versteht, gewaltiger als es versteht ein Balsamierungspriester"? — 10) Abschnittsschlußzeichen in S 1.

(deficiebat) von der Leiche in der[1] Hand des Anubis [22]in jener Nacht, da seine beiden Hoden(?) bedeckt wurden, [23]an jenem Tage, da die Bewohner seines Mundes eingewickelt wurden. [24]Es ist etwas, das nicht da war von Osiris, [25]nachdem sein Anfang an sein Ende geknüpft worden war in Zimmerwerk von Planken. [26]Öffnet mir. [27]Ich bin einer, der[2] seinen Mund kennt. [28]Ich bin eingeweiht in die Spezerei. [29]Nicht wiederhole ich (es) den Übelgesinnten. [30]Öffnet mir, ihr die ihr am Neumondsfeste seid. [31]Ich habe den Scheider gesehen, der aus dem Schlachthofe der Großen hervorkam[3]. [32]Ich kenne die Seelen des Neumondsfestes. [33]Osiris, Anubis, *Išdš* sind es[4].

## Kommentar.

**2.** Vgl. I 3.

**3.** Dieser Satz will die dem Spruche zugrunde liegende ähnliche Situation (Besuch eines Tempels, vgl. 11. 19. 30 und „dieses Heiligtum" 20) der von II derart angleichen, daß es sich ebenfalls um einen Besuch in Heliopolis handele. Das steht im Widerspruch zu 7—9 und 14, wo eher vom Betreten des Tempels oder Grabes des Osiris die Rede zu sein scheint, zumal auch 20—25. 28. 31 von der Einbalsamierung handeln. — Zu der Redewendung *ʿḳ ḥr* „eintreten bei Jemd" für „ihn besuchen" vgl. IV 1 und unten 7/8, welche Stelle offenbar für unseren Titel mustergebend gewesen ist. Den „Herren von Heliopolis" steht dort eine einzelne „Seele" gegenüber, also umgekehrt wie II 8, wo für den älteren Pluralis erst später im NR der Singularis „Seele" eintrat.

**4.** Auch diese beiden Sätze mit ihrem Gegensatz von *pr.t* und *ʿḳ* haben offenbar in den Worten 7/8 ihr Muster gehabt, die man auf die nachts in der Unterwelt, tags hoch am Himmel stehende Sonne bezogen haben könnte, welche der Angeredete (Tote) besuchen sollte. — Zu der Anwendung des Interpunktionszeichens [hieroglyph] vgl. VII 1/2 bei J 6.

**5.** *psntjw*, bei N phonetisch ausgeschrieben (in 19. 30. 32 durch Weglassung des [hieroglyph] eigentümlich verderbt), die später übliche Bezeichnung des Neumondstages, alt [hieroglyphs] *pśḏtjw*. — Die Sinnlosigkeit dieses jüngeren Spruchtitels und der ihm entsprechenden Schlußworte 32 springt in die Augen, da diese Geister des Neumondsfestes an der Stelle des Textes, aus der sie geschöpft sind (19), als Angeredete erscheinen, denen gegenüber der Tote sich der Kenntnis gewisser anderer Dinge rühmt.

**6.** Ein nur bei S belegter Zusatz, der in krassem Gegensatz zu 3 steht und auch der bei den anderen Sprüchen zu beobachtenden Regel widerspricht, daß dem jüngeren Spruchtitel mit *rḫ bꜣ.w* kein anderer Titel mehr folgt. Dieser Zusatz ist aus den Beziehungen auf Osiris, die der Text aufweist, konstruiert, insbesondere aus 14, wo in Wahrheit die Identität des dort genannten „Hauses des Osiris" mit dem Tempel, den der Redende betritt, nichts weniger als sicher steht. — Die seit N auftretende Einführung des Toten als Redender war hier, wo der Text offenbar mit einer ihm entgegengeworfenen Frage begann, nicht am Platze; sie zeigt, daß man damals diese Frage anders verstand, wenn man sie überhaupt noch verstanden hat, nämlich als Frage des Toten an die Tempelhüter, deren Antwort dann 10 sein könnte. — Die altertümliche Anknüpfung des Ortes an den Gottesnamen durch den Genitiv (vgl. meine Bemerkungen zu Borchardt, Sahure II S. 101), ebenso in IV 2.

**7.** *pw św* bedeutungsgleich mit dem zu [hieroglyphs] verkürzten [hieroglyphs] „wer (was) ist er?" des Kommentares zu Totb. 17, welcher Ausdruck aus einem alten Fragewort *pw* „wer?", „was?", der in Fragesätzen beliebten enklitischen Partikel *tr* (od. *tj*), dem hervorhebenden Dativus ethicus *r-f* und dem Subjektspronomen *św* „er" besteht. Dieses Pronomen antizipiert oft ein nachfolgendes Nomen; so auch

1) oder: durch die? — 2) N: „öffnet mir, einem, der". — 3) N. „die Scheidung in dem Schlachthofe der Großen". — 4) Dieser Satz fehlt bei N.

bei uns. — Der Parallelismus mit von 8 könnte perfektische Bedeutung für das Partizip *ʿḳ* annehmen lassen; der Sinn muß aber jedenfalls präsentisch sein: „wer ist es, der hier eintritt?" Man würde also schon an den Gebrauch von „ich komme zu dir" zu denken haben, der darauf beruht, daß die Handlung des Kommens abgeschlossen ist, wenn der Satz gesprochen wird; vgl. aber auch das häufige Prädikat „der zuerst eintritt, zuletzt austritt (beim Könige)", wobei gleichfalls stets die geminationslose Form von *prj* steht. *ʿḳ . . . . pr.t* sind Korrelatverben, die zusammen das Kommen und Gehen, das Hinundher bezeichnen; es wird dabei die Bedeutung des Hinein und Hinaus oder Hinab und Hinauf, die den beiden Verben im einzelnen innewohnte, kaum empfunden sein. — Mit „dieser Seele" muß nach dem Zusammenhang des ganzen Textes ein in dem Heiligtum begrabener Gott, der Osiris, bezeichnet sein. N scheint stattdessen an den Pluralis „die Seelen" zu denken; das wären natürlich die „Seelen des Neumondsfestes", die in 19 angeredet werden und von denen, im Widerspruch damit, in 32 in 3. Person gesprochen wird. — Das Fehlen der Worte *ḥr bꜣ pn* bei S wird sich daraus erklären, daß in der Urhandschrift die parallelen Sätze 7 und 8 so nebeneinander gestellt waren: .

**8.** *ṯn* „wo?" hier wohl, wie so oft und gerade auch in derartigen Fragen von Wächtern, „woher?". — Bei N ist das *pr* durch *ʿḳ* ersetzt in Angleichung an 7; kann bei der Natur dieser Hs sowohl für *bꜣ* als für *bꜣ.w* stehen.

**9.** „über dem die Erde hoch ist" d. i. über dem sich der Grabhügel türmt. *kꜣj* ist das Adjektiv selbst.

**10.** *rḫ.tw* Zustandssatz statt eines Relativsatzes nach indeterminiertem Nomen.

**12.** parallel mit 13, *tr* daher wohl als Partizip, nicht etwa als enklitische Partikel aufzufassen, die kaum am Platze wäre. Zur Schreibung ohne weiteres Determinativ vgl. Urk. IV 139: „es ist ein Großer im Norden von Kusch, er schickt sich an die Gefangene (*ḫnrt.t*, d. i. Hatschepsut) anzuerkennen o. ä. ". — *šmj* von *šm* „achten", „respektieren", fast synonym mit *tr* (Pyr. 562. 892. 1406). Vgl. den entsprechend geschriebenen Titel der memphitischen Hohenpriester des AR Mar. Mast. 130. 375. ib. 111. 123. 144, der erst im NR durch das übrigens gewiß auch von dem gleichen Stamme kommende, ebenso alte , später auch geschrieben (vgl. die neuäg. Schreibung für ϲιⲙ „Kraut"), fortgesetzt wird. Auch hier wird, nach dem Personendeterminativ zu schließen, ein Priester des Heiligtums gemeint sein, nicht etwa der Gott. Die Var. bei N beruht auf der bei dieser Hs häufigen Verwechslung der Vögel; das Det. , das sonst das Unreine (aber auch die Beschneidung) bezeichnet, legt es nahe, für *tr* hier die Bedeutung „sich fernhalten von", die es auch haben kann, anzunehmen.

**14.** An sich brauchte das „Haus des Osiris", zu dem der Tote gehören will, nicht notwendig identisch zu sein mit dem Tempel, den er betritt, obgleich dies gut zum Zusammenhang paßt, sondern es könnte damit auch der Ort gemeint sein, aus dem der Tote kommt. — N arg verderbt: „im Hause des Traumes"?

**15.** Der Gott dürfte nach der Rolle, die ihm zugeteilt ist, Thoth (vgl. zu 18) oder Anubis sein. — Das Det. von *irj*, ob es nun wirklich oder aber ist, scheint für *s3* gehalten und mit dem folgenden *3ʿ.w* zusammen *s3ʿ.w* gelesen worden zu sein, woraus dann mit leichter Emendation das *ṡj3* bei N hervorgehen konnte (| Personendeterminativ). — Zu *3ʿ.w* „Futteral", det. mit dem Zeichen für Leder(?), vgl. LD II 4 = Inschr. Berlin Mus. I S. 87. „Schreibfutteral" Urk. I 42. — Mit den *dbḥ.w*, det. als Zeugstoffe, werden Verbandstoffe oder Mumienbinden gemeint sein.

**16.** Das auch Pyr. 290 erwähnt; nach dem Zusammenhange die Sonne, von deren Verfinsterung die Rede ist. Ein dementsprechendes Ideogramm in Pyr. 1394, wozu das oder JÉQUIER Ce qu'il y à dans l'Hadès 52 und GAUTIER-JÉQUIER, Fouilles de Licht pl. 17 für Totb. 85 (NAV.) zu vergleichen ist, Formen, die an die Varianten des Namens , u. ä. erinnern. — Das „Zählen der Teile" des verstümmelten Sonnenauges entspricht der Zählung der Teile des Horusauges, auf der die Bezeichnung der Teile des Scheffels beruht (Ä. Z. 48, 99). — Bei N ist aus dem *kwj ỉ3t.t* ein *kt* „klein" geworden, und die Elemente von *ỉr.t Tb hrw* (das letzte phonetisch geschrieben) sind durcheinander geworfen. — Mit Rücksicht auf die Anrede in 19. 30 und die Verheißung in 20 wird man alles, was sich hier in 16—20 auf die Sonnenfinsternis bezieht, als gegenwärtig oder unmittelbar bevorstehend aufzufassen haben, nicht als in der Vergangenheit geschehen. Die Zeitangabe „am Tage des Zählens seiner Teile", die gar nicht wie Gegenwart klingt, und die allgemeine Situation sprechen wohl für unmittelbar bevorstehende Zukunft, da an gewohnheitsgemäßige Wiederholung (Praesens consuetudinis) kaum zu denken ist.

**17.** *ʿnḏ.w*, die in den Pyr. und den Sargtexten (z. B. LACAU Text. relig. 18) so häufige Bezeichnung der Sonne , von *ʿnḏ* „unversehrt" abgeleitet wie der Name der Morgensonnenbarke? — Zu *s3.w* „Finsternis" vgl. Rec. de trav. 14, 178. Das Det. der Nacht hat in alter Zeit oft eine dem Tierfell stark ähnelnde Form, daher die Verwechslung in der Publ. — N. läßt den Worten *ʿnḏ.w r s3.w* noch ein genau paralleles Glied *ỉ3ḫ.w r kk[.w]* folgen, das im Hinblick auf 7/8. 22/3 gut sein könnte, aber ebenso gut auch eine absichtliche Texterweiterung nach dem Vorbilde dieser Stellen sein kann, wie sie auch in 20 nur bei N vorliegt. Man wird sich jedenfalls im Archetypus von N unsere Stelle wieder etwa so geschrieben vorzustellen haben:

Bei S3 könnte man in dem , das dort den Worten *m w3š* vorausgeht, auch einen entsprechenden Doppelausdruck *m b3* (oder *m sḫm*?) *m w3š* für den Anfang des Satzes vermuten.

**18.** Zum Beweis der Behauptung von 16 wird hier die Größe der Verfinsterung angegeben, die $^{7}/_{10}$ der Sonnenscheibe umfassen soll; der Ägypter drückt das durch $^{1}/_{2}+{}^{1}/_{5}$ aus. Bemerkenswert der Gebrauch des mit *nw* gebildeten Ordinalzahlwortes nach *r* „Teil", der SETHEs Erklärung der mit diesem Worte gebildeten Bruchbezeichnungen glänzend bestätigt. — Der Ausdruck *gś twt* „die volle Hälfte" (*twt* „insgesamt" Pseudopart. wie und ) auch in der *Wnj*-Inschrift: „die volle Hälfte meines Heeres" Urk. I 105. Vgl. ferner „voller Ersatz des Horusauges" Pyr. 81a. — Das Sonnenauge hier ebenso bezeichnet wie in II 5. — Unter *ip r.w-š*, demselben Ausdruck, der in 16 vorkam, kann hier nur der Gott Thoth als Berechner der Teile des verstümmelten Auges verstanden werden. Da er die verletzten d. h. verfinsterten Teile der Sonne dabei besessen haben soll, so scheint er hier zugleich auch in seiner Eigenschaft als Mondgott zu wirken; wir hätten dann die sehr bemerkenswerte Tatsache als wahrscheinlich festzustellen, daß den Ägyptern die Ursache der Sonnenfinsternis, die Bedeckung durch den Mond bekannt gewesen ist. Der Gedanke, das *n* vor *ip* etwa *n-j* „mir" zu lesen und das *ip* als Apposition zu dem Pronomen 1. sg. („mir, dem der zählt"), wie es z. T. mit den Partizipien in 20. 27 geschehen ist, scheitert daran, daß unsere MR Hss das Suffix 1. sg. sonst durch oder zu bezeichnen pflegen (Ausnahme nur *iw-j* 28. 32). Der Schreiber von S faßte das *n* also jedenfalls nicht mehr so auf, wenn es auch sein Archetypus, der das Suffix 1. sg. nicht schrieb (vgl. zu 29), vielleicht so aufgefaßt haben könnte, in welchem Falle der Redende sich selbst in der Rolle des Thoth gedacht haben müßte. — das spätere ; bei S3 und N (arg entstellt) fehlt das *nj*, wie das auch später so oft geschieht. Der Ausdruck kann hier wohl nur temporal aufgefaßt werden: „zwischen dem vollen und dem verstümmelten Auge" d. i. zwischen dem Zustande des Vollseins und dem Höhepunkte der Verfinsterung? Die temporale Anwendung z. B. in der Gebrauchsanweisung zu der Dekanaufgangstafel im Grabe Ramses' IV. Thes. 178. *r* für „und" nach „zwischen", wie auch an letzterer Stelle zu stehen scheint, ist das Normale, vgl. Totb. 17, 79 (= Urk. V 68), wo .... steht. — Zum Gegensatz von *mḥ.t* und *ḥkś.t* (bei S in der Publ. zu verlesen, vgl. Pyr. 20a u. ö.) vgl. Totb. 17, 30 (= Urk. V 32): „ich habe das Auge wieder angefüllt, nachdem es verstümmelt worden war", dort vom Horusauge, das im Kampfe mit Seth verletzt worden war. ○ bei S1 Det. des Auges wie II 6.

**19.** *b3.w psn.tjw* „Seelen des Neumondsfestes" ist ohne Zweifel die bessere Lesung, auf der voraussichtlich die Nennung dieser Seelen in Titel (5) und Schlußrefrain (32) des Spruches beruht. Die Var. *ntj.w m psn.tjw* „welche am Neumondsfeste sind" beruht ihrerseits auf Angleichung an 30.

**20.** Das Fehlen des *ink* „ich bin" bei S I ist wohl wie bei N in 27 dahin zu erklären, daß der folgende Partizipialausdruck als Apposition zu dem Pronomen 1. sg. in *wn n-j* „öffnet mir" angesehen worden ist (vgl. dazu die zu IV 9 zitierte Stelle LACAU Text. rel. 49). Dabei bleibt die Frage offen, was das Ursprüngliche war (ein sicher sekundäres *ink* in 31, dort an Stelle eines vermutlich ursprünglichen ); vgl. 12. — Das *m* vor *mḥ* in S I ist phonet. Komplement dazu wie bei S 3, wo nach *ink* die Deutung als Präposition ausgeschlossen ist. — *wr* adverbiell „viel", „sehr", mit dem folgenden praeponderativen *r* „mehr als". — In dem S 2, S 1 würde man nach der Var. bei N gern *rḫ.t-n* vermuten: „mehr als ein *wtj*-Priester versteht", doch wird der Wortstamm *rḫ* in den S-Hss sonst überall ohne geschrieben. wird also doch wohl „Sache" sein und der mit beginnende Ausdruck ein damit gebildetes Kompositum, das die „Kunst" bezeichnete. Die bei S in den beiden hier vorliegenden Hss überlieferte Schreibung würde für „Mund (Spruch) und Sache (Gerät)" sprechen. Sieht man davon ab und entschließt sich zur Emendation, so könnte an *rḫ iḫ.t* „Sachkenntnis" gedacht werden vgl. „wegen der Größe meiner Sachkenntnis" Kairo 20543. Brit. Mus. 614 (MR); „er (Thoth) gibt ihm (dem König) Sachkenntnis" Urk. IV 19. — Dem wieder stark verderbten N Texte scheint wie in 17 ein aus zwei parallelen Gliedern bestehender Doppelausdruck zugrunde zu liegen, in dem dem ein entsprochen haben könnte, während das beidemal das Gleiche war. — Der vom Verbinden der Wunden und dem Einwickeln der Leichen benannte *wtj*-Priester hier als Heilkünstler.

**21.** *ḥḏ.t* hier fast synonym mit dem *iȝṭ.t* von 16: „was fehlte" (od. fehlt?), in Wegfall kam *(deficere)*, d. h. was bei der Behandlung der Leiche entfernt wurde. Für die Verlegung dieses Vorganges in die Vergangenheit, statt in die Gegenwart (Praesens consuetudinis), spricht die Fassung von 22/3. — *ḫnt* offenbar partitiv „von" wie in 24; vgl. Siut I 272. 286. — *ẖȝ.t* trotz des Pluralzeichens, das ja bei Stoffbezeichnungen u. ä. oft vorkommt, auch wenn es sich nicht um eine pluralische Form handelt, vielleicht Singularis; das Fehlen des | in dem verderbten N Text ( ) beweist aber kaum etwas, da diese Hs das Zeichen auch sonst oft vermeidet (z. B. bei *bȝ.w* 5. 19. 32, *sȝ.w* 25). Aus 24/5 geht jedenfalls hervor, daß hier nicht an die Leiche des Osiris gedacht ist, zu der der Redende ja auch erst Zutritt gewinnen will, sondern an die Leichenbestattung im allgemeinen (wozu dann auch der Pluralis „Leichen" passen würde) oder richtiger an die erste Anwendung dieser Sitte auf sterbliche Menschen nach Osiris. — Anubis als Leichenbestatter, wie so oft, wo das Balsamieren als „Arbeit des Anubis" bezeichnet wird.

**22/3.** Die Vertauschung der beiden parallelen Ausdrücke *grḥ pw n kȝpȝp* (so ist natürlich überall zu lesen) und *hrw pw n śwdwd* bei N wird sich daraus erklären, daß der Archetypus sie wieder nebeneinander in der Kolumne stehend gezeigt haben wird: . Bei einer solchen Anordnung mußte die Vertauschung auch durch die Sitte, die religiösen Texte rückläufig zu schreiben, ganz wesentlich erleichtert werden. Man brauchte nur die Rückläufigkeit auch innerhalb der Kolumne anzunehmen, um zur falschen Reihenfolge der parallelen Glieder zu gelangen. — *kȝpȝp* Reduplikation von *kȝp* „mit einem Deckel bedecken", wie es auch beim Räuchern geschah, später *kp* κωπ „verbergen", *kp* „Dach". Zu der Form des Determ. vgl. „die Decke des Himmels" Lacau Text. relig. 16. — *wrm.t*, sonst von Bauwerken gebraucht (die Zinnen einer Befestigung Urk. IV 389. 506; Mar. Abyd. I 52, 17; Pyr. 2100 von Zelten?), hier anscheinend ein paarweise vorkommender Körperteil, die Hoden? Das Ideogramm bei N ist dasselbe, das diese Hs auch bei *kȝpȝp* gebraucht, anscheinend zwei aufeinander gestülpte Deckel. — Bei *imj.w r-f* „Bewohner seines Mundes" scheint die Schreibung mit dem Ideogramm des Wassers bei N die Deutung auf den Speichel nahezulegen, doch kommt dieses Zeichen in derselben Hs auch in 18 in dem *imjw* von *imjwtj* „zwischen" offenbar als phonetisches Zeichen für *mw* (*mjw*) vor. So kann also auch an die Zähne gedacht werden. Grammatisch besteht wohl keine andere Möglichkeit, als die Infinitive passivisch aufzufassen und das Suffix *-f* auf Anubis zu beziehen. Sind dem Anubis die Zähne umwickelt und die Hoden bedeckt, damit er nicht seiner Natur als Hund folge und sich an dem Leichnam vergreife? Auf den Königssärgen des NR wird dem Anubis in der Tat die Bitte an seine Mutter Isis in den Mund gelegt, die Binden (*ṯȝm.w*) zu entfernen, die ihm durch seinen Gegner (*irj r-j* „der es gegen mich getan hat" = Seth?) angelegt seien; eine Bitte, die ebenda auch der Tote (Osiris) selbst an seine Mutter Nut gleicherweise richtet (Davis, Tomb of Queen Hatshopsitou S. 83. 89. 97 und S. 91. 100; vgl. auch S. 86 für die Bezeichnung des Seth).

**24.** Der Sinn dieses Satzes muß sein, daß das, wovon in 21 geredet wurde, auch bei der Leiche des Osiris fehlte, der nach der Sage ja ohne seinen Phallus bestattet werden mußte, weil dieses Glied vom Oxyrhynchosfisch verschlungen worden war. In späterer Zeit wurde daher bei der Balsamierung der Leichen bisweilen der Phallus abgetrennt und besonders beigesetzt (Königsmumien der 19/20. Dyn. Berlin Ausf. Verz.[2] S. 273). Dem *ḫnt ḥ3.t* von 21 entspricht das *ḫnt Wś-ỉr* hier.

**25.** Zustandssatz: nachdem er im übrigen so schön wieder zusammengesetzt war. — Die Konstruktion von *ṯs* „knüpfen", hier wie so oft vom Wiederzusammensetzen der Glieder gebraucht, mit *n* ist ungewöhnlich. — Das Zimmerwerk aus Planken bezieht sich auf den Sarg, in dem die zusammengesetzte Leiche beigesetzt war.

**27.** Zum Fehlen des *ỉnk* „ich bin" bei N s. ob. zu 20. — *rḫ r-f* „der seinen Mund kennt" d. h. die richtigen Zaubersprüche zu sagen weiß. Vgl. „Zauberer, die ihre Münder kennen" Destr. des hommes 59. Ähnlich Pap. Turin 132. Man könnte hier überall auch an „Spruch" denken.

**28.** wie in 32 *ỉw-j* zu lesen. — Die Umwandlung von in bei N beruht auf dem Fehlen des Determinativs, das demnach schon für den Archetypus von N anzunehmen ist. Zur Schreibung von *ḥr* vgl. VIII 35.

**29.** *whm* „wiederholen" (vgl. IV 13. 20) bedeutet hier geradezu „verraten". Das bei S ist in zu emendiren; es zeigt, daß auch diese Hss auf einen Archetypus ohne Bezeichnung des Suffixes 1. sg., wie er N zugrunde liegt, zurückgehen. — *ḫ3k.w-ỉb* könnte man hier geradezu mit „Unwürdige", „Rohe" übersetzen.

**31.** Zu dem Fehler für , der sich aus der Analogie von 12. 20. 27 erklärt, vgl. II 8 Cg. — der „Scheider" oder „Öffner" mit dem Deutzeichen des Messers wird den Anatomen (παρασχίστης Diod. I 91) bezeichnen, der die Leichen öffnet, und zwar den göttlichen Ausüber dieses Handwerks, den als Hund oder Schakal gedachten, mit Anubis in Parallele gestellten der Pyr. (126 a. 727 c. 1899 b. 1913 b.) Bei N ist durch Wegfall des , das vielleicht in dem scheinbaren Determinativ von *śḫ.w* fortleben könnte (vgl. die Zeichenumstellungen dieser Hs in 16), der Sinn verändert; aus dem Nomen agentis *wpj.w* ist ein Nomen actionis, kenntlich an dem Pluraldeterminativ, geworden. — *śḫ.w*, bei S 3 wie das bekannte Derivat von *wśḫ* „die Weite" geschrieben, hier aber doch wohl von Anfang an in dem konkreten Sinn „Schlachthof" (vgl. *wśḫ.t* „Hof"), den es im NR hat: Mar. Abyd. I 35 b. 48 b. II 7 (vgl. Rec. de trav. 38, 193). Urk. IV 506. — *Wr.t* „die Große" nicht nur Beiwort der Himmelsgöttin Nut, sondern vor allem Name der schlangengestaltigen Feuergöttin Buto und der dieser gleichgesetzten Löwengöttin Sachmet, der die Ärzte als Priester dienten (Erman, Ägypten 477), wie denn auch der Hohepriester von Bubastis den Titel des Oberarztes führte (Brugsch, Dict. géogr. 1368).

**33.** Weil der Text vorher vom Balsamierungsgeschäfte handelte, sind in diesem, wie gesagt (II 34), sekundären Schlußsatze drei Götter genannt, die mit dem Totenreich zu tun haben: Osiris, der Herrscher der Toten, der doch im Texte selbst als

3. Person behandelt war und sicher nicht zu den angeredeten „Geistern des Neumondsfestes" gehören konnte, Anubis, der Wächter des Totenreiches und Leichenbestatter, für den nach 21. 31 das Gleiche gilt, und endlich ein Gott *Iśdś*, der auch sonst als „Herr des Westens" (Totb. 17, 41 = Urk. V 41) und Totenrichter (Totb. 18, 23 = Urk. V 126) vorkommt, vgl. ERMAN Lebensmüder S. 28. Deutlicher als hier kann das Unorganische dieser refrainartigen Schlußerklärung wohl kaum hervortreten.

## IV. IVa (Totb. Kap. 114. 116).

Dieser Spruch, der von dem Besuche des Tempels von Hermopolis handelt (IV 22: „dieses Heiligtum"), liegt uns vom NR ab in zwei Versionen vor, einer vollständigeren, die den Gedankengang des alten Textes im wesentlichen bewahrt hat (IV), und einer kürzeren, die zwar in vielen Einzelheiten dem alten Texte getreuer folgt, in der aber der Gedankengang durch Umstellungen und Auslassungen auf das Stärkste verändert ist (IVa). Z. T. ist der Text dieser Version augenscheinlich aus Bruchstücken eines zerstörten Archetypus unrichtig zusammengesetzt (IVa 15). Beide Versionen weisen mehrfach Übereinstimmungen gegenüber dem Texte des MR auf, die auf einen inneren Zusammenhang zwischen ihnen schließen lassen, sei es nun, daß sie auf eine gemeinsame aus dem alten Texte abgeleitete Zwischenstufe zurückgehen, wie das in IV 8 = IVa 2 (*n.t* statt *dšr.t*, *mnṯꜣ.t* als Ortsname), IV 12 = IVa 7 (*ḏd-j n rmt.w*), IV 22 = IVa 14 (*rḫ-j* aus Reʿ, Einfügung des Suffixes 2. pl.), IV 23 = IVa 16, (Pronomen 1. sg.), IV 26/7 = IVa 18 der Fall sein könnte, sei es, daß sie sich gegenseitig beeinflußt haben, wie das z. B. in IV 30 sicher der Fall ist und in IV 23 = IVa 16 (Rückkehr zur alten imperativischen Auffassung), IV 8 = IVa 2 (Umbildung der Krone *n.t* in die Göttin Neith) der Fall sein könnte. In beiden Versionen finden sich Erscheinungen, die darauf hindeuten, daß der Text, aus dem sie abgeleitet sind, in der Orthographie des AR geschrieben war ([hieroglyph] statt [hieroglyph] IV 9. 11; [hieroglyph] = [hieroglyph] IVa 14) und vielfach rein ideographische Schreibungen gebrauchte, wo der MR Text das betr. Wort, z. T. in Übereinstimmung mit der anderen Version des NR, in ganz bestimmter Weise phonetisch ausgeschrieben hat ([hieroglyph] statt *ḳʿḥ* IV 7; [hieroglyph] statt *wnm* IV 9; [hieroglyph] statt *dšr.t* IV 8. 16, wenn hier nicht der Grundtext schon *n.t* hatte, da auch IVa so hat). In IVa 13 scheint sich auch noch eine Textfassung erhalten zu haben, die älter als die des uns vorliegenden MR Textes und als die Einpassung des Spruches in die ganze Sammlung sein könnte. — Aus der Ordnung der Sprüche in Cg und dem Befunde in Ea, dessen Text für die spätere Zeit maßgebend zu sein pflegt, sowie in Ga. Pe geht hervor, daß die kürzere Version IVa später die gebräuchlichere gewesen ist und die längere Version IV zeitweilig ganz aus der Sammlung verdrängt hat.

Was den Inhalt des Spruches anlangt, so bleibt er leider in einigen wichtigen Einzelheiten unklar. Er beginnt mit der Feststellung, daß gewisse heilige Dinge, die sich, wenn der Text IV 22 richtig überliefert ist, bei dem Heiligtum befinden, das der Redende zu betreten im Begriff steht (IV 18 = IVa 11; vgl. IV 1), Verletzungen oder sonst ein Unheil erlitten haben (IV 7—9); darunter auch das Horusauge, das Thoth, der Gott des Heiligtums, wiedersuchen mußte, als Seth es verschluckt hatte (IV 9). In alle diese Mysterien ist der Redende eingeweiht (IV 10—11), und er hütet das Geheimnis (IV 12—13). Dadurch ist er zum Eintritt in den Tempel berechtigt (IV 18—20), ganz abgesehen davon, daß er als Abgesandter des Sonnengottes kommt mit dem Auftrage, auch seinerseits die Schäden an den heiligen Dingen abzustellen (IV 14—16) und dem Gotte Thoth das von ihm gesuchte und „gezählte"

Auge des Horus als Geschenk zu übergeben (IV 17). Die Gottheiten des Ortes, die „Seelen von Hermopolis“, sollen wissen, daß es der Wunsch des Reʿ ist, daß dies stattfindet (IV 22); sie sollen daher den Redenden freundlich aufnehmen (IV a 14). Denn er kennt sie (IV 25. 29), er weiß um „die Geheimnisse der Nacht“, die Mondphasen (IV 25. 26). Darum hat der Ortsgott Thoth, der Gott des Mondes und der Himmelskunde, ihn als freundlichen und willkommenen Besuch anerkannt (IV 27).

### Übersetzung.

**MR.** 1 Eintreten bei denen, die in Hermopolis sind. 2 Im Gefolge des Osiris von Busiris sein, 3 über Wasser verfügen, 4 nicht kopfüber gehen, 5 nicht ein anderes Mal sterben. 6 Die Seelen von Hermopolis kennen. 7 Gestoßen wird die Feder in der Schulter des Osiris, 8 die rote Krone leuchtet in dem *mnṯ3.t*-Gefäß, 9 verspeist ist das Auge, 9a herbeigeholt wird (bzw. werde, wurde?) der, der es sucht. 10 Ich kenne es, 11 ich bin eingeweiht darin durch einen *šm*-Priester, 12 nicht habe ich (es) gesagt (den Göttern), 13 nicht habe ich (es) wiederholt den Göttern. 14 Ich bin gekommen im Auftrage des Reʿ, 15 um die Feder wieder wachsen zu lassen in der Schulter des Osiris, 16 um schwarz zu machen die rote Krone in dem *mnṯ3.t*-Gefäß, 17 um zufrieden zu stellen das Auge dem, der es zählt. 18 Ich bin eingetreten als eine Macht wegen dessen, was ich weiß, 19 nicht sage ich (es) den Menschen, 20 nicht wiederhole ich, was (mir) gesagt ist. 21 Heil euch, ihr Seelen von Hermopolis, 22 wisset[1]: Reʿ liebt die Feder wiedergewachsen, die rote Krone schwarz bei diesem Heiligtum[2]. 23 Seid froh bei (dem Feste) der Zählung des zu Zählenden. 25 Ich kenne die Seelen von Hermopolis. 25a Was klein ist am 2. Monatstage, was groß ist am 15. Monatstage, 27 Thoth ist es[3].

#### IV

**NR.** 6 Spruch für das Kennen der Seelen von Hermopolis seitens des NN.
7 Ausgeworfen (od. gestoßen) ist die Feder in der Schulter (od. beiseite?),
8 die rote Krone (*n.t*) leuchtet in *Mnṯ3.t*,
9 die Zerstücklung(?) ist getan durch den, der über sie (die Krone) richtet.
10 Ich bin eingeweiht darin,
11 ich kenne den, der sie holen wird aus Kusai,
12 nicht sage ich (es) den Menschen,
13 nicht wiederhole ich (es) den Göttern.
14 Ich bin gekommen im Auftrage des Reʿ,
15 um die Feder in der Schulter zu befestigen,
16 damit die rote Krone leuchtet in *Mnṯ3.t*,
17 um das Auge zu revidieren dem, der es zählt.
18 Ich bin gekommen als eine Macht wegen des Kennens der Seelen von Hermopolis.

#### IV a

1 Die Seelen von Hermopolis kennen seitens des NN.
2 Die rote Krone (*n.t*)[4] leuchtet in *M3ṯ3.t*,
3 gezogen ist die Wahrheit aus der Ecke,
4 verspeist ist das Auge durch den, der es zählt.
5 Ich weiß[5],
6 (und) bin eingeweiht darin durch einen *šm*-Priester,
7 nicht sage ich (es) den Menschen,
8 nicht wiederhole ich (es) den Göttern,
9 nicht sage ich (es) den Göttern, }
10 nicht wiederhole ich (es) den Menschen. }[6]
11 Ich trete ein unwissentlich[7],
12 nicht sehe ich[8] die Geheimnisse.

1) oder „die ihr wisset“? — 2) oder „mehr als dieses Heiligtum“? — 3) urspr. vielleicht „ich weiß, ihr Seelen von H., was klein ist ... und was groß ist ..... Das ist Thoth.“ — 4) Ea: Neith. — 5) Ea ohne „weiß“. — 6) Var. „Umkehrung des Satzes“ (*ts pḫr*). — 7) Var. „in das Allerheiligste“ statt „unwissentlich“. — 8) Ea: „ich habe gesehen“ ohne Negation.

22 Ihr, die ihr das Wissen liebt, liebet (mich), ich weiß, daß die Feder wieder gewachsen (oder fest), schwarz und gezählt ist.
23 Möge ich froh sein über das Zählen des zu Zählenden.
24 Heil euch, ihr Seelen von Hermopolis.
25 Ich weiß, was klein ist am 2. Monatstage, was groß ist am 15. Monatstage,
26 Re' erkennt die Geheimnisse der Nacht, die ihr kennt.
27 Jener Thoth hat mich erkannt,
28 heil euch, ihr Seelen von Hermopolis,
29 wie ich euch kenne.

13 Heil euch ihr jene[1] Götter, die ihr in Hermopolis seid.
14 Kennet mich, wie ich die rote Krone kenne,
15 um das schwarze Auge wieder wachsen zu lassen (bzw. zu befestigen).
16 Froh bin ich[2] beim Zählen und Zählen.
17 Ich kenne die Seelen von Hermopolis, das Wachsen am 2. Monatstage, das Abnehmen am 15. Monatstage.
18 Thoth ist es, der Schwerzuerkennende ist es, der Allwissende ist es.

## IV

**Dyn. 21ff.** 6 Spruch für das Kennen der Seelen von Hermopolis. Worte sprechen seitens des Osiris NN.
7 Auswurf ist in der Seite,
8 (während) Neith leuchtet im Gefängnis,
9 das Auge ist *ndh̠* dem, der über es richtet.
10 Ich kenne es, bin eingeweiht darin,
11 ich kenne den, der es holte aus Kusai,
12 nicht sage ich (es) seinen (dieses Mannes) Leuten,
13 nicht wiederhole ich (es) den Göttern.
14 Ich bin gekommen im Auftrage des Re',
15 um festzustellen die Wahrheit der (einen) Seite[5],
16 (während) Neith leuchtet im Gefängnis,
17 um sie zu revidieren,
18 einer der gekommen ist in Gewalt wegen des Kennens der Seelen von Hermopolis.
22 Ihr, die ihr das Wissen liebt, liebet (mich), ich weiß daß die Wahrheit gezählt, schwarz und wiedergewachsen (bzw. fest) ist.
23 Seid froh über das Zählen des zu Zählenden.
24 Heil euch, ihr Seelen von Hermopolis,
29 wie ihr (mich) kennt.
30 ⟨Thoth, Verstand und Atum ist es⟩[6].

## IV a

1 Spruch für das Kennen der Seelen von Heliopolis[3]. Worte sprechen seitens des Osiris NN.
2 Die Neith's leuchten in Medamot,
3 gezogen ist die Wahrheit[4] aus der Ecke,
4 verspeist ist das Auge durch den, der es zählt.
5 Ich 6 bin eingeweiht darin durch einen *śm*-Priester,
7 ohne (es) zu sagen den Menschen,
8 ohne (es) zu wiederholen den Göttern.
9/10 Umkehrung des Satzes (*ṯs pẖr*)
11 Ich bin eingetreten in das, was ich nicht kannte.
12 Nicht hatte ich gesehen die Geheimnisse.
13 Heil euch, ihr jene Götter von Hermopolis,
17 Das Wachsen am 2. Monatstage, das Abnehmen am 15. Monatstage.
18 Thoth ist es, der Schwerzuerkennende ist es, Atum ist es.

1) Var. ohne „jene". — 2) Var. „wie froh ist es". — 3) Spz z. T. wieder Hermopolis. — 4) Spz. „was?" — 5) Spz „die Wahrheit meines Mundes, weil". — 6) 30 erst in Spz zugefügt.

Nachschrift hinter IV a (zu II—IV a?)

19 Wer diesen Spruch kennt, dessen Abscheu ist der Kot, 20 nicht trinkt er Harn.

Kommentar[1].

**1.** Der älteste, zum Inhalt des Spruches (21. 24/5) gut passende Titel, der noch nichts enthält, was auf die Anwendung des Spruches auf das Leben nach dem Tode schließen ließe, vom Folgenden durch Trennungsstriche geschieden. Zur Fassung mit *ʿḳ ḥr* vgl. III 3. — *ỉmj.w Ḫmn.w* statt des späteren *bꜣ.w Ḫmn.w* wie in III 19. 30. Vgl. dazu IV a 13.

**2—5.** Funerärer Titel, eingeleitet durch ein sinnloses […]. In der Hs S 1, deren Text in der Publ. allein abgedruckt ist, steht dies am Anfang einer Zeile. Der Schreiber ist hier also, zumal er diese Sigle nicht etwa als Zeichen eines neuen Textabschnittes zu verwenden pflegt, wohl nur unwillkürlich in die von ihm sonst freilich nicht befolgte Sitte verfallen, die einzelnen Zeilen mit […] beginnen zu lassen, oder er folgt unbewußt einer Vorlage, die die Sigle in der einen oder anderen Weise gebrauchte.

**2.** Die Beziehung auf Busiris wie in III 6 (dort dieselbe Form des Ausdrucks *Wś-ỉr n Ḏd-w*) aus der Nennung des Osiris im Texte (7. 15) konstruiert, im Widerspruch zu dem eigentlichen Sinn des Textes, der sich deutlich auf Hermopolis bezieht. Zur Fassung *wnn m šmś n* vgl. V 3. VII 1. VII a 1. Totb. 103.

**3—5.** Dinge, mit denen sich die Totentexte mit Vorliebe beschäftigen, zu denen aber schlechterdings keine Beziehung im Texte zu entdecken ist. Zu **3** vgl. Totb. 57—59, zu **4** vgl. Totb. 51, 189 (Ea), zu **5** vgl. Totb. 44. 175. Lacau Text. rel. 75. und unser VIII a 1, wo indes überall *m whm* „wiederholt" statt *kjj sp* „noch einmal" steht. Das in **4** genannte „Kopfübergehen" wird oft als etwas, dem der Tote zu entgehen wünscht, neben dem „Kot essen" und dem „Harn trinken" genannt, vor welchen Dingen ja auch der Gebrauch unseres Spruches nach der Nachschrift zu IV a (19/20) den Toten bewahren soll. Vgl. Grapow Ä. Z. 47, 102. Lacau, Text. rel. 44. Ann. du serv. 5, 241. Die Furcht vor dem Kopfübergehen erklärt sich aus der Antipodenvorstellung von der Unterwelt, über der sich ein Gegenhimmel […] wölbte.

**6** (IV a 1). Der jüngste, seit dem NR allein übliche gleichförmige Titel mit *rḫ bꜣ.w*. Die Worte „Spruch für", die erst im NR davor treten, fehlen in IV a bemerkenswerterweise noch in Dyn. 18, ein Umstand, der für frühe Abzweigung dieser Version spricht. Zu der Bezeichnung „anderer Spruch" in IV a bei Ea (damit in merkwürdiger Übereinstimmung Spz bei de Rougé) und der damit möglicherweise zusammenhängenden Ersetzung von *Ḫmn.w* durch *Iwn.w* „Heliopolis" seit Dyn. 21 s. Einl. § 2. Manche Hss der Spz haben hier wieder das richtige *Ḫmn.w*, offenbar wiederhergestellt, sei es nach älteren Hss oder auf Grund des Textes in IV a 13 oder endlich nach IV.

**7** (IV a 3), der erste von drei parallelen Sätzen, die sich auf gewisse Verletzungen des Göttlichen beziehen, wie sie überall in unserer Textsammlung den eigentlichen Gegenstand des Geheimnisses bilden und deren Heilung der Zweck ist, um dessentwillen der Redende das Heiligtum betreten will (14—17). Hier soll es sich um eine Beschädigung an der Schulter des Osiris handeln, von dessen linker Schulter es Totb. 1, 15 (Nav.) heißt: […] „ich war zusammen mit Horus, als man die Untersuchung anstellte

1) Wo Zahlen ohne weitere Angabe zitiert werden, beziehen sie sich stets auf IV, nicht auf IV a.

(vgl. Eb. 2, 4) über jene linke Schulter des Osiris, die in Letopolis ist." Diese Beziehung auf Osiris, die zu dem Titel 2 paßte, ist im NR mit diesem Titel zusammen beseitigt; wenigstens fehlt jetzt der Name des Osiris, und es steht nur die Schulter da, als ob es eine allgemein bekannte Sache sei (ebenso in 15). Da auch bei IV a, das hier im übrigen stark von IV abweicht, das Osiris in gleicher Weise fehlt, muß dieses Fehlen älteren Datums sein. — In IV ist *ḳʿḥ*, das in IV a erhalten, aber umgedeutet ist, durch sein Synonym *rmn* ersetzt, offenbar vermittelt durch eine reinideographische Schreibung [Hieroglyphen]. Da die Schreibung [Hieroglyphen], wie sie bei Aa (Jb zerstört) vorläge, für das Substantiv *rmn* sehr ungewöhnlich wäre, so könnte man das [Hieroglyphen] zu dem folgenden Satze ziehen und für die Negation halten, die in dieser Hs in der Tat so geschrieben wird. Das würde auch durchaus zu der Fassung von 15 passen (s. u. 8). Bei der späteren Schreibung [Hieroglyphen] ist eine solche Deutung aber wohl ausgeschlossen. Denkbar wäre auch, daß das beziehungslos gewordene *m rmn* als ein allgemeiner adverbieller Ausdruck wie *m-bꜣḥ* „zuvor", *ḥr-ʿwj* „auf der Stelle", *r-ḥrj* „hinauf" (ⲉⲃⲟⲗ und ⲉϩⲟⲩⲛ im Kopt.) aufzufassen sei, etwa „beiseite", „nebenbei". — Unklar ist, was die Feder, die nach 15. 22 hier das eigentlich Verletzte sein muß, an der Schulter zu suchen hat. Vielleicht hängt die Determinierung von *ḳʿḥ* durch die Feder (vgl. VIII 25) damit zusammen; vgl. auch Pyr. 753 b, wo die Krone auf der Schulter (*rmn*) statt auf dem Kopfe sitzen soll. In IV a ist [Hieroglyphen] fälschlich als Abkürzung von *mꜣʿ.t* aufgefaßt, ein Gebrauch, der nicht alt ist; ebenso in IV 15 bei Ae (IV 7 zerstört) und regelmäßig seit Dyn. 21. Bei uns ist in IV seit Dyn. 21 das *šw.t* oder *mꜣʿ.t*, wie man es damals gelesen hätte, verschwunden. In IV a ist das *mꜣʿ.t* schließlich in Spz z. T. noch zu [Hieroglyphen] „was?" geworden. — Der Ausdruck für die Verletzung ist alt *ṯwn*, det. durch das Horn; das ist das im NR [Hieroglyphen] (Eb. 101, 12/3) geschriebene Verbum, von dem [Hieroglyphen], später [Hieroglyphen] „(Stier)-kampfplatz" kommt (Schäfer, Ä. Z. 43, 74) und das „stoßen" bedeuten wird vgl. „du bist der Stößer ([Hieroglyphen]), der seinen Angreifer niederwirft" Ombos I 49, 51; [Hieroglyphen] „stoße nicht" = „greife mich nicht an" Pap. Mag. Harr. 8, 6; [Hieroglyphen] Mythe d'Horus 19. Direkte Beziehungen zu unserer Stelle (vgl. 9) könnte aber haben die Benennung des 27. Mondtages [Hieroglyphen] „das Stoßen der beiden Hörner" Brugsch, Thes. I 48. Im NR ist das Verbum in IV durch *išš* ersetzt, das in den Pyr. vom Auswerfen des Speichels („ausstoßen"?), später vom Tragen einer Last ([Hieroglyphen] Brugsch Wb. 128, „emporstoßen"?) belegt ist[1]. Dieses seltene Verbum wird sonst fast nur von der Entstehung des Gottes Schu gebraucht, dessen Name damit wohl als „Auswurf" (Nomen actionis auf *w* vom Stamme *išš* mit Verlust des 1. Radikals, wie *ʿb.w* „Reinigung") gedeutet werden soll. Ein seltsamer Zufall (oder ist es mehr?) ist, daß das Wort auch bei uns gerade von der Feder *šw.t* gebraucht ist, mit deren Bild wegen der Lautgleichheit der Name des Gottes Schu geschrieben zu werden pflegt. IV a hat stattdessen *sṯꜣ* „ziehen". Dort scheint der ganze Satz um-

1) An das Bespeien durch Seth, dessen giftiger Speichel ja dem Horusauge geschadet haben soll, zu denken, verbietet die Determinierung von *išš* durch [Hieroglyphen] und der Gebrauch dieses Verbums, das sonst immer nur „ausspeien" bedeutet. Erst in der Spz treten Varianten unserer Stelle auf, die aus dem *išš m rmn* ein *išš m r-j* (ⲣⲱⲓ) „Speichel ist in meinem Munde" gemacht zu haben scheinen (Leid. T 1); vgl. dazu die Var. bei 15.

gedeutet in „gezogen ist die Wahrheit aus dem Winkel“ bzw. „die Wahrheit, die in dem Winkel ist“ (Ea). Dabei ist dort auch die Präposition *m* durch das altertümliche *ḫnt* „hervor aus“ ersetzt. Als Gegensatz zu *ṯwn* erscheint in 22 *rd* „wiedergewachsen“, in 15 *šrd.t*(?). Die mit *t* endigende Verbalform von *ṯwn* kann wohl nur das Passiv *šḏm-tw-f* sein.

**8** (IV a 2). *wbn* „leuchten“, dem in 16. 22 als Gegensatz *km* „schwarz“ gegenübersteht, bezeichnet hier die blutigrote (vgl. „Wunde“) oder feurige Farbe der roten Krone als etwas Unheilvolles, das beseitigt werden muß. Man denkt dabei an die Rolle, die das Rot als Unglücksfarbe spielte, und den politischen Hintergrund, auf dem das beruhte (Unters. III 127). Denkbar wäre auch, daß hier die rote Farbe geradezu auf eine blutige Verletzung der Krone oder ihres Trägers zurückgeführt werden soll. Die Krone soll nach Beseitigung des Unheiles schwarz sein, als ob das ihre natürliche Farbe sei. — Die *dšr.t* „Rote“ (scil. Krone) ist im NR wieder durch Vermittlung einer rein ideographischen Schreibung in das gleichbedeutende, aber die rote Farbe nicht betonende *n.t* umgewandelt (ebenso IV a), woraus dann seit Dyn. 21 die Göttin Neith, die Trägerin der roten Krone, geworden ist (bei IV a im Pluralis), nachdem das *wbn* der Krone bereits seit dem NR, wie 16 zeigt, nicht mehr als etwas Schlechtes verstanden wurde. Da die Hs Ea, deren Text der jüngsten Textgestalt zugrunde zu liegen pflegt, bei IV a auch schon so hat, wird das bei ihr auch für den nicht erhaltenen Text von IV selber schon anzunehmen sein. Schließlich ist der Gegenstand der Aussage bei IV a (nicht bei IV!) ganz verschwunden, gerade wie in IV 7 nach dem NR das *šw.t* verschwunden war. In beiden Fällen könnte lautlicher Zusammenfall mit im Spiele gewesen sein (*tšš šw.t*, *wbn Nj.t*; vgl. *wn n-j* II 6). — *mnṯ3.t*, urspr. Bezeichnung eines Gefäßes, in dem sich die rote Krone befindet, wie 16 und der Parallelismus mit *m kʿḥ Wš-ir* in 7 zeigen, nicht etwa mit dem sie rot gefärbt war. bezeichnet in den Opferlisten seit Dyn. 19 eine Art Wassergefäß, das zwischen *dšr.t* und *mns3* genannt wird (Mar. Abyd. I 39 a, vgl. Pyr. 32 zur Ergänzung; Trans. Soc. bibl. arch. 3, pl. 3 E, 12). Im NR ist das Wort bei uns als Ortsname aufgefaßt, und zwar schon vor der Abzweigung von IV a, wo er in der Variante *M3ṯ3.t* (also *Mlṯ3.t*?) erscheint, um dort später in den thebanischen Hss der 21. Dyn. in das Theben benachbarte Medamot (*M3dj*) umgedeutet zu werden. Spz hat dort das ältere *M3ṯ3*, und zwar auch in den aus Theben stammenden Hss (wie Cadet), also doch wohl auf ältere Hss zurückgreifend. In IV selbst ist der Ortsname seit Dyn. 21 zu *ṯ3r.t* „Gefängnis“ geworden. — Die Platzvertauschung zwischen 7 und 8 bei IV a macht es wahrscheinlich, daß beide Sätze in dem Archetypus nebeneinander in der Kolumne standen, vgl. zu III 22/3.

**9** (IV a 4). Urspr. zwei parallel gebaute passivische Sätze, die das Verspeisen des göttlichen Auges, d. i. eines der beiden großen Himmelslichter, durch seinen bösen Feind und die Herbeiholung des Gottes „der es suchen soll“, gewiß der weise Thoth, aussprechen. Vergl. Lacau Text. rel. 49, 14: .... „ich bin Thoth .... ich komme, der das Auge des Horus suchte, ich holte es, ich zählte es, ich fand es vollständig, gezählt, unversehrt“ mit starken Anklängen an unser IV 15/17. 22; ferner Amonsritual 8, 9ff. (= Junker Onurislegende S. 138):

„ich bin Thoth, der zu beiden Zeiten (Tag und Nacht) umherzog, das Auge suchend für seinen Herrn, ich komme, ich habe das Auge gefunden, ich habe es seinem Horus überwiesen“. Hier ist beide Male das gesuchte Auge deutlich als das des Horus bezeichnet. Als solches werden wir auch das bei uns genannte Auge anzusehen haben, das unter Umständen mit der Feder des Osiris und der roten Krone in dieser Hinsicht wesensgleich sein könnte, indem alle drei Dinge verschiedene Erscheinungsformen des bekanntlich sehr wandlungsfähigen Horusauges darstellten. — Obgleich das Objekt von *ḏʿr* das Pronomen *śt* (3. plur. oder neutrisch „es“) ist, nicht das der 3. f. sg. *śj*, so wird es sich doch nur auf das unmittelbar vorhergenannte Auge beziehen, da auf die beiden anderen Unheilsfälle das Suchen nicht paßt. — Im NR hat sich der erste Satz „gegessen ist das Auge“ unverändert noch in IV a erhalten; in IV ist er bei Aa. Jb, vermutlich wieder über eine Zwischenstufe mit den ideographischen Schreibungen „Auge“ (vgl. Pe bei IV a) und , was man irgendwie anders gelesen haben muß, völlig umgewandelt zu *śḥḏ.w ỉr* „das . . . . . ist gemacht“, indem Subjekt und verbales Prädikat ihre Rollen vertauscht haben. An *śḥḏ.w* „Leukom“ zu denken, das als Augenkrankheit im Pap. Ebers vorkommt, verbietet die Schreibung ohne , die in Verbindung mit der in der Ähnlichkeit von und begründeten Variante *nḏḥ* in Ae und Dyn. 21 stark für eine Grundform *śḏḥ.w* spricht; vgl. das im Kapitel von der Wundbehandlung genannte Eb. 30, 1, bei dem das *ḥ3.t śḏḥ* den Krankheitszustand bezeichnen muß, sowie die Bezeichnung für eine Schlange Pyr. 430 a. In der Version mit *nḏḥ* ist das alte „Auge“ noch erhalten, und es sind dabei die Rollen von Prädikat und Subjekt noch in alter Weise verteilt; diese Version wird also besser sein. Was *nḏḥ* bedeutet, das nach seinem Determinativ und dem folgenden Dativ zu urteilen, eine Eigenschaft zu bezeichnen scheint, ist ungewiß (vgl. den Namen Urk. IV 954 ff.). Wenn es wirklich älter als die Var. *śḏḥ* gewesen ist, könnte an einen ursprünglichen Zusammenhang mit *nḏḥ.t* „Zahn“ (vgl. die Nebenform dazu *nḥd.t*) gedacht werden; „gekaut oder gebissen ist das Auge“ wäre eine gute Sinnvariante des Grundtextes. — Der zweite Satz im NR überall, auch bei IV a, zu einem präpositionellen Ausdruck des ersten Satzes umgestaltet, indem das *ỉnw* „geholt ist“ (ohne ) zerlegt worden ist in *ỉn* „durch“, das man in alter Zeit auch schrieb, und in *w* das man mit dem folgenden *ḏʿr* in der defektiven Schreibung irrig zu *wḏʿ* „richten“ verband (dieselbe Verderbnis in VI 13 bei Ae). Mit dem *wḏʿ śj* „der es (das Auge, bei Aa. Jb die Feder oder die Krone?) richtet“, d. i. darüber ein Urteil fällt, ist jedenfalls auch wieder Thoth gemeint. So deutlich in IV a, wo das *wḏʿ śj* in Angleichung an IV 17 durch *ỉp śj* „der es zählt“ (hier viell. „der es zählen sollte“?) ersetzt ist, eine Bezeichnung des Thoth mit Bezug auf die Rolle, die er z. B. in III 18 spielte. Hier (in IV a) ist Thoth aus dem Retter des Auges zu seinem Vernichter geworden. Dabei könnte, wenn das Ganze noch Sinn haben soll, nur an eine Sonnenfinsternis gedacht sein. — Die Umwandlung des in , zu der in IV 11 das Umgekehrte als Gegenstück vorliegt, setzt ein ziemlich hohes Alter voraus. Der Redaktor des NR Textes muß hier zum mindesten geglaubt haben, einen Text des AR vor sich zu haben, wenn er nicht wirklich einen solchen benutzte, wie es in IV 11 eigentlich doch geradezu der Fall gewesen sein muß (vgl.

IV a 14 zu IV 22). In den Texten, die *nḏḥ* haben, ist wenigstens seit Dyn. 21 (Ae leider nicht erhalten), dieses *ỉn* durch die Dativpräposition *n* ersetzt, die auf eine defektive Schreibung dieses *ỉn* zurückgehen könnte (vgl. IV a 4 bei Pe). Daran zu denken, daß hier etwa das von Aa. Jb falsch in (Pseudopartizip statt *ỉrw*) und geteilt sei, verbietet der Umstand, daß die betr. Texte gerade neben dem möglicherweise älteren *nḏḥ* das sichere alte erhalten zeigen. Da die Hss der späteren Zeiten, namentlich die der 21. Dyn., in der Regel mit Ea zu gehen pflegen, ist für den Archetypus dieser Hs, der IV neben IV a enthielt (s. Einl. § 2), eine dementsprechende Fassung *nḏḥ ỉr.t n wḏ' śj* zu vermuten.

**10—11** (IV a 5—6). Der wieder aus zwei parallelen Sätzen bestehende Passus, der die Vertrautheit des Redenden mit den vorhergenannten geheimnisvollen Dingen ausspricht, hat in IV im NR Platzvertauschung erfahren, die gewiß wieder auf Nebeneinanderstellung in der Kolumne zurückzuführen ist (s. ob. zu 8 a. E.): Bestätigt wird diese Vermutung durch die Beziehung, die zwischen unserer Stelle und den beiden folgenden Sätzen 12/13 zu bestehen scheint. Eben daraus erklärt sich auch der Wortlaut in IV a, wo einerseits in Ca. Pf das *ỉw-j* vor *bs.kwj* nicht wiederholt ist, andererseits in Ea und dem ganz mit dieser Hs gehenden Text der späteren Zeit das *rḫ.kwj śt* ausgefallen ist (vgl. dazu auch IV in Ja). — Erst eine Folge der Vertauschung bei IV ist dann die Veränderung der Worte *ỉn śm* daselbst gewesen, die nun nach *rḫ.kwj* unverständlich wurden. Das *ỉn*, das hier eine Schreibung gehabt haben muß (vgl. 9), wurde zu , das wurde in *śj m Ḳjś* verlesen oder ausgedeutet: „ich kenne den, der es (das Auge) holt aus Kusai", d. h. „ich weiß, wer es holt". IV a hat auch hier wieder den alten Text besser erhalten. Eigenartige Var. *njś-j* „als ich rief" für *ỉn śm* bei Pe. — Seit Dyn. 21 ist in IV 10 das alte *rḫ.kwj śt* vor *bs.kwj ḥr-ś*, aber ohne Wiederholung des *ỉw-j* wiederhergestellt, wohl nach älteren Hss, da das *śt* und der trümmerhafte Zustand von IV a 5 eine Beeinflussung durch IV a ausschließen. Jetzt steht das *rḫ.kwj* zweimal da, einmal in seinem alten Zusammenhang (IV 10), und einmal umgestellt mit dem veränderten *ỉn śj m Ḳjś* (IV 11).

**12—13** (IV a 7—8). Die beiden parallelen Sätze sind hier in der MRHs S 1 in der Tat in der Kolumne nebeneinandergestellt, wie es eben für 10/11 postuliert wurde: . — Im NR ist die *śḏm-n-f* Form durch das *śḏm-f* ersetzt, und dem das Ganze beschließenden Dativ *n nṯr.w* „den Göttern", der urspr. beiden Sätzen gemeinsam war, ist im ersten Satze ein entsprechendes *n rmṯ.w* „den Menschen" gegenübergestellt; ebenso in IV a. Beide Veränderungen sind vielleicht aus einer irrigen Auflösung des zu erklären, das *n rmṯ.w* gelesen wurde, während das vorher zu erwartende Subjektssuffix 1. sg. als nicht geschrieben angenommen wurde; vgl. dazu Spz, wo dieses Suffix überhaupt fehlt (ebenso in IV a schon in Dyn. 21): „ohne (es) den Menschen zu sagen, ohne (es) den Göttern zu wiederholen (d. i. zu verraten)". — In IV 12 folgt dem *rmṯ.w* in Dyn. 21 ein , das wie die neuägypt. Schreibung des Possessivsuffixes nach *t*-Laut aussieht und „die Menschen" zu „seinen (d. h. dessen, der das Auge aus Kusai holt) Leuten" zu machen scheint. — In IV a 9—10 folgt den beiden Sätzen ihre Umkehrung (*ts pḫr* „Kehrsatz") und zwar mit Vertauschung der Götter und der Menschen, wie die Auflösung in Pf. Pe zeigt. Diese Umkehrung geht aber augenscheinlich auf die Variation IV 19/20 zurück, die in IV selbst im NR verschwunden ist, in IV a aber, nach Ausfall von IV 14—17, mit IV 18 (= IV a 11) zusammen unmittelbar auf unseren Passus (IV 12/3 = IV a 7/8) folgte. Auch hier setzt also IV a einen Grundtext voraus, der älter als der NR Text von IV war. — Der Bedeutungsunterschied, der zwischen *dd* „sagen" und *whm* Gesagtes „wiederholen" besteht und der in der Parallelstelle 19—20 so deutlich hervortritt, liegt ohne Zweifel auch hier vor. Der erste Satz „nicht sage ich es" bezieht sich auf das „ich kenne es" (10), der zweite „nicht wiederhole ich es", nämlich was mir gesagt worden ist, aber auf das „ich bin eingeweiht darin durch einen *śm*-Priester" (11). Diese inneren Beziehungen zwischen den Sätzen 10 und 12, 11 und 13 traten auch äußerlich hervor, wenn 10 und 11, wie oben wahrscheinlich gemacht wurde, urspr. nebeneinander in der Kolumne standen; dann war es sogar möglich, erst 10 und 12 hintereinander, dann 11 und 13 hintereinander zu lesen: „ich kenne es und sage es nicht den Göttern, ich bin eingeweiht darin durch einen *śm*-Priester und wiederhole es nicht den Göttern". Im NR ist durch die Platzvertauschung von 10 und 11, die die Umwandlung des Schlusses von 11 zur Folge hatte, auch diese Beziehung zerstört worden.

**14** bildet mit 15—17 einen einzigen Satz, der die Begründung für das Kommen des Redenden gibt, den Re' der Götterkönig sendet, um die drei Verletzungen, von denen in 7—9 die Rede war, wiedergutzumachen. — Seit NR ist die alte Genitivverbindung durch die jüngere mit dem Exponenten *nt* ersetzt.

**15** (vgl. IV a 15). Die Herstellung der Feder (*šw.t*) in der Schulter des Osiris, aus der später die „Wahrheit" geworden ist, nachdem der Osiris ausgeschaltet war (s. ob. zu 7), wird im MR durch ein Verbum ausgedrückt, das so, wie es bei CHASSINAT wiedergegeben ist, beispiellos ist, . Das Auge könnte, da ihm die Femininalendung folgt, kaum ein echtes Ideogramm (Determinativ) sein. Was man nach IV 22 erwarten sollte, ist ; ein steht in IV a 15 in der Tat da, dort aber nicht an seiner richtigen Stelle, sondern an Stelle des *rd.tj* von IV 22. Es erscheint dort als versprengtes Bruchstück eines zerstückelten Textes, das bei der Wiederzusammensetzung dieses Textes fälschlich an die dazu passenden Überreste einer anderen zerstörten Stelle angepaßt worden ist; ein Fall ähnlich dem Tatbestand, den SETHE für den Denkstein von Nebireh mit den Resten der Rosettana festgestellt hat (Nachr. Gött. Ges. d. Wiss. 1916, 288). Es wäre denkbar, daß das rätselhafte von S auf unrichtiger Umschreibung einer hieratischen Vorlage beruhte, die hatte, vgl. die dem ganz ähnliche Form des bei MÖLLER, Hierat. Paläogr. I Nr. 298 (Sinuhe). Dieser Fehler müßte aber schon im Altertum begangen sein, da S uns hieroglyphisch geschrieben vorliegt. Als Bestätigung für diese Emendation kann es vielleicht angesehen werden, daß das strittige Verbum im NR durch *śmn.t* „feststellen" (constituere) ersetzt ist, das in der Tat in gewissem Sinne synonym mit *śrd.t* wie namentlich auch mit dem bei IV a 15 dafür später eintretenden *śrwd* ist. Es ist der zu der Umdeutung der „Feder" in die „Wahrheit" besser passende Ausdruck; und das fordert zu der Frage heraus, ob diese Umdeutung etwa auch schon für die älteren Hss der 18. Dyn. mit ihrer Schreibung anzunehmen ist, wie es in IV 22 bei den Hss der 21. Dyn. mit der gleichen Orthographie sicher der Fall war. — Seit Dyn. 21 ist hier (im Unterschiede von IV 7) das *m* vor *rmn* ausgefallen „um die Wahrheit der (einen?) Seite festzustellen". Spz hat z. T. *r-j n* „meines Mundes, weil" statt *rmn*, wie gleichzeitig, aber nicht in denselben Hss, auch z. T. in 7 zu lesen war. — Bei Ae ist der finale Infinitivausdruck *r śmn.t* „um festzustellen" durch das synonyme *śḏm-f* mit finaler Bedeutung *śmn-j* „damit ich feststelle" ersetzt. Vermutlich werden dort auch die beiden folgenden Sätze IV 16/17, die zerstört sind, die gleiche Gestalt gehabt haben.

**16.** Die Herstellung der roten Krone (8) wird im MR durch *śkm.t* „schwarz machen" bezeichnet. Zu der unregelmäßigen Infinitivform des Caus. II gem. vgl. Eb. 69, 8 (Verbum II § 709; vgl. ib. 705 a. E.). An sich könnte man zumal im Hinblick auf die zu 9 zitierte Stelle Lacau Text. rel. 49 auch an das Kausativ von *km* „vollenden" denken. — Das Fehlen des *r* vor *śkm.t* bei Chassinat wird sich daraus erklären, daß 16 in der Urhandschrift in der Kolumne neben das parallele 15 gestellt war unter das zu beiden gemeinsam gehörende [Hieroglyphen]: [Hieroglyphen]. Im NR ist das *r* in der Tat da. Dort ist aber das Ganze an 8 so angeglichen, daß nunmehr als Zweck des Kommens die Herstellung eben des Zustandes genannt ist, der dort in 8 schon als vorhanden hingestellt schien. Hier kann *wbn* nicht mehr etwas Schlechtes bezeichnen, sondern muß den normalen Zustand der Krone wiedergeben. Daher würde man nun bei 8 eine Negation vor *wbn* gebrauchen können, die in dem [Hieroglyphen] der seltsamen Schreibung [Hieroglyphen] von Aa. Jb gesucht werden könnte. Im Parallelismus mit *r śmn.t* und *r śip.t* würde man in dem *r wbn* unserer Stelle ebenfalls einen transitiven (kausativen) Infinitiv nach *r* vermuten, nicht etwa eine *śḏm·f*-Form („damit leuchte"). Nachdem seit Dyn. 21 in IV 16 das *r* vor *wbn* wieder verschwunden ist, ist völlige Gleichheit zwischen 8 und 16 hergestellt, und der Satz „es erglänzt Neith im Gefängnis" kann nun eigentlich an beiden Stellen nur noch als ein belangloser Nebensatz verstanden werden, dessen Sinn im Dunklen bleibt.

**17.** Was mit dem Auge, das verspeist war, geschehen soll, „um zufriedenzustellen das Auge dem, der es zählt" klingt in seinem ersten Teile eigentlich so, als ob von dem aufsässigen Sonnenauge die Rede sei, das in die Ferne zog und das Thoth zufriedengestellt haben soll (*śḥtp nsr.t*), aber der Dativ „dem, der es zählt" scheint vielmehr diesen Gott Thoth selbst als Empfänger des Auges hinzustellen, mit dem es unzufrieden war. Das paßt ja auch zu der Situation, in der der Redende sich offenbar befindet beim Betreten des Tempels von Hermopolis. — *ip śj* „der es zählt" als feste Bezeichnung oder Benennung des Gottes als Ganzes mit dem Deutzeichen des Gottes determiniert, bezeichnet den Thoth als den, der das Auge vollzählig feststellt; zu dieser Bedeutung von *ip*, die sehr deutlich in 22 seit NR vorliegt, vgl. „du erfreust dich aller deiner Glieder" [Hieroglyphen] „du zählst deinen Leib ganz und unversehrt" Urk. IV 115. — Im NR ist *śḥtp* durch *śip.t* ersetzt, jedenfalls um zu dem *ip.tj* in 22 das entsprechende Kausativ zu haben, wie zu *rd* und *km* die Causativa *śrd.t* und *śkm.t* gehörten. Diese Veränderung wird also wohl noch, ehe diese beiden Verben beseitigt waren, erfolgt sein, also ehe der Text von 15—16 seine NR Fassung erhielt. Sie wird unterstützt gewesen sein durch die lautliche Ähnlichkeit mit *śḥtp* (mit Metathesis *śḥpt*). Wenn *śip.t* wirklich das Kausativ zu dem *ip.tj* von 22 bilden soll, wird man es vielleicht nicht mit „überweisen", sondern mit „revidieren", „kontrollieren" d. h. vollzählig feststellen, zu übersetzen haben. Seit Dyn. 21 lautet das Ganze nur noch *r śip.t-s* „um es zu revidieren", indem offenbar infolge Homoioteleutons die auf *śip.t* folgenden Worte *ir.t n ip* ausgefallen sind.

**18** (IV a 11) setzt 14/17 fort: der als Bote des Reʿ Kommende hat Einlaß in das Heiligtum gefunden. — *ḥr rḫ.t-n-j* „wegen dessen, was ich weiß", nicht etwa „zu dem, was ich kenne" mit dem in 1 vorliegenden Gebrauch von *ḥr* nach *ʿḳ*. Das zeigt die Umgestaltung im NR, wo einmal in Angleichung an 14 das *ʿḳ* durch *ij*

„kommen“, sodann in Angleichung an 6. 25 das *rḫ.t-n-j* „was ich weiß“ durch „das Kennen der Seelen von Hermopolis“ ersetzt ist; ob über eine Verlesung *rḫ-tn* „euch kennen“ (vgl. IVa 14) und Kombination mit 21? (s. u.). Hinsichtlich des *ḥr* kann man hier zweifeln, ob man es auch mit „wegen“ oder aber mit „indem“ oder „nachdem“ (vgl. dazu VI 47) zu übersetzen hat. Bemerkenswert die vereinzelte Variante *hrw* „Tag“ bei Ae, die dem infinitivischen Nebensatze deutlich temporale Bedeutung gibt, die aber wohl nur auf einer Verlesung von in beruhen wird. — Seit Dyn. 21 ist das *ij-n-j m sḫm* „ich bin gekommen als eine Macht“ verändert in *ij m sḫm* „gekommen in Gewalt“, wobei die grammatische Verbindung mit dem Vorhergehenden zweifelhaft ist. — Bei IVa hat sich wieder das alte *ʿḳ-n-j* getreuer erhalten, aber das *m sḫm* ist in ein *m ḫm-j* „unwissentlich“ (vgl. „nicht log ich“ „wissentlich“ Ani pl. 19, l. 15) verkehrt, so daß aus dem Satze eine Entschuldigung geworden ist, die zu dem Vorhergehenden, auch nach dem Ausfall von IV 14/17, schlecht paßt. In den Varr. seit Dyn. 21 scheint die Auffassung „ich bin eingetreten in das, was ich nicht kannte“ hervorzutreten, doch ist das urspr. vielleicht nur ein orthographischer Ersatz für gewesen. Die die gleiche räumliche Auffassung des *m* voraussetzende Var. der 19. Dyn. „[ich bin eingetreten in] das Allerheiligste“ könnte uns eine Vorstufe der Textentwicklung erhalten haben, indem aus dem *sḫm* des Grundtextes zunächst ein hervorgegangen wäre und erst daraus das ; die Anwendung des gleichen Determinativs in dem parallelen Satze IVa 12 bei *štȝ.w* „Geheimnisse“ durch dieselbe Hs zeigt aber wohl, daß es sich nur um eine individuelle Auslegung des betreffenden Schreibers handelt. In der Tat deutet der Wegfall der Negation in dem folgenden Satze (IVa 12) in derselben Hs wie in Ea eher auf eine Vorlage hin, die nur ohne und ohne am Ende hatte.

**19—20** (IVa 12). Wie die entsprechenden Sätze IV 12/13 zu dem *rḫ.kwj* von 10, so gehören diese Sätze zu dem *rḫ.t-n-j* von 18; sie sind wohl eher als Nebensätze zu diesem Relativsatz aufzufassen als als selbständige Hauptsätze, die ein Versprechen künftiger Geheimhaltung enthalten (dagegen auch die Fassung in S 2). Während in 12/13 urspr. nur die Götter, erst sekundär Menschen und Götter, genannt werden, sind hier von vornherein nur die Menschen genannt. Sagen, was man aus sich weiß, und wiederholen, was einem von anderen gesagt ist, scheinen sich hier gegenüberzustehen. Dies ist auch für die entsprechende Stelle in IV 12/13 lehrreich. Während an jener Stelle der Dativ „den Göttern“, der später in ungeteilter Kolumne nur einmal hinter dem zweiten Satze erschien, urspr. beiden Sätzen gemeinsam war, ist das hier bei dem Dativ „den Menschen“ mehr als fraglich. Es wäre schwer zu erklären, wie es kommen konnte, daß er hinter den ersten Satz geriet und nicht wie dort hinter den zweiten. Auch wird hier der zweite Satz ohne den Dativ bereits die gleiche Anzahl von Hebungen gehabt haben wie der erste mit dem Dativ; der Parallelismus membrorum ist hier eben nicht so streng bis ins einzelne durchgeführt als dort; dem Dativ *n rmṯ.w* entspricht hier der Akkusativ *ḏd.t*. — Seit dem NR sind bei IV die beiden Sätze mit 21 zusammen ausgefallen, vermutlich infolge des Homoioteleutons auf *bȝ.w Ḫmn.w*, mit dem jetzt 18 schloß, oder doch im Zusammenhang mit dieser Umgestaltung von 18, die unter Umständen ihrerseits eine Folge jenes Ausfalles von 19/21 gewesen sein könnte, wenn dieser etwa durch ein Homoioteleuton *inḏ ḥr-tn* (21) — *rḫ-tn* (18) verursacht sein sollte, in welchem Falle das *bȝ.w Ḫmn.w*, das jetzt 18 beschließt, aus 21 stammen würde. Wenn IV 21 im NR unverstümmelt an anderer Stelle (IV 24. 28) untergebracht erscheint, so mußte der Homoioteleutonausfall in 19/21 jedenfalls erst nach diesen Umredigierungen, die IV 21 noch intakt vorauszusetzen scheinen, erfolgt sein, oder es handelte sich bei dem Ausfall von 19/21 nicht um eine zufällige Textverstümmlung, sondern um eine absichtliche Umredigierung. — Bei IV a scheint unser Passus einerseits in IV a 9/10, der Umkehrung zu IV 12/13, fortzuleben, andererseits ist er durch eine Paraphrase ersetzt, die sich der bei IV a vorliegenden Umgestaltung von IV 18 anpaßt und die Entschuldigung des unwissend in den Tempel Eindringenden durch die Versicherung ergänzt: „ich sehe bzw. sah nicht die Geheimnisse“. In den Hss Ea. Pe fehlt die Negation und es steht die *sḏm-n-f*-Form: „ich habe die Geheimnisse gesehen“ (s. hierzu ob. zu 18 a E.).

**21** (IV a 13), die Anrede, welche die Übermittlung des Willens des Reʿ (IV 14) eröffnet. Die Seelen, von deren Kenntnis der Spruch nach dem jüngsten Titel (6) und nach dem uniformen Schlußsatz 25 handeln soll, sind hier in Wahrheit die angeredeten Gottheiten des Heiligtums, vor die der Redende tritt, gerade wie in III 19. 30. Im NR fehlt wie gesagt dieser Passus; er findet sich hinter 23 und 27 (mit Elementen, die in IV a unsere Anrede begleiten?) verpflanzt wieder. — IV a, auch hierin wieder dem alten Texte näherstehend, hat die Anrede noch an ihrer alten Stelle, aber anstatt des stereotypen *bꜣ.w Ḫmn.w* das unbestimmtere *nṯr.w imj.w Ḫmn.w* „die Götter, die in Hermopolis sind“. Darin wird sich eine ursprünglichere Version erhalten haben, auf die einst der älteste Titel unseres Spruches IV 1 Bezug nahm; vgl. auch dazu die schon oben zitierten Parallelstellen III 19. 30, wo das *bꜣ.w* ebenfalls durch ein unbestimmteres *ntj.w m* „die ihr seid in“ vertreten war. Jedenfalls ist es unwahrscheinlich, daß das in unserer Textsammlung so beliebte *bꜣ.w* durch einen anderen Ausdruck ersetzt sein sollte; nur das Umgekehrte kann in Frage kommen. — Hinsichtlich des Demonstrativs *ip.w*, das in den jüngsten Hss die Regel ist, gehen die älteren Hss auseinander. Ea und Ga, das ihm meist folgt, haben es nicht. Der spätere Text trennt sich hier also ausnahmsweise von ihnen; er ersetzt überdies das *imj.w* „die sind in“ durch den Genitivexponenten *nw*: „jene Götter von Hermopolis“.

**22** (IV a 14/15). Die Kundgebung des Willens des Reʿ, dem in 14 ff. Angekündigten entsprechend, eingeleitet entweder durch „wisset, daß Reʿ will“ oder durch ein relativisch an die Anrede IV 21 anzuknüpfendes Partizipium „die ihr wisset, daß Reʿ will“; das letztere offenbar die Auffassung des NR Redaktors. Es folgt darauf zunächst in zwei parallel gebauten, urspr. gewiß wieder in der Kolumne nebeneinandergestellten Sätzen die Wiederherstellung der Feder und der Krone, 7/8 und 15/16 entsprechend. Dabei fehlt scheinbar der dritte Gegenstand der Verletzungen, das Auge, auf dessen Herstellung (*ip*) in 23 in einer Weise angespielt wird, die ihre vorherige Erwähnung vorauszusetzen scheint. — Im NR ist die Dreiheit der Wiederherstellungen in der Tat noch, 15—17 entsprechend, ausgedrückt durch die Worte *rd.tj* „wiedergewachsen“ (von *rd*) oder „fest“ (von *rwḏ*), urspr. auf die Feder gehend, *km.tj* „schwarz“ (bei Pm als „vollständig“ gedeutet), urspr. auf die rote Krone gehend, und *ip.tj* „gezählt“ d. i. „vollzählig“, auf das Auge gehend. Für den letztgenannten Ausdruck haben die Hss der a-Gruppe (Aa. Jb) *ip-śj*, vielleicht unter dem Einfluß von IV 17, vgl. jedoch Totb. 17, 34 (= Urk. V 35, 10), wo die älteren Hss der 18. Dyn. mit derselben Form statt des normalerweise zu erwartenden der späteren Hss haben, sowie Eb. 60, 10, wo steht, indem das ausdrücklich aus korrigiert ist.

Seit Dyn. 21 ist die Reihenfolge der drei Ausdrücke umgekehrt *ỉp*, *km*, *rd* (vielleicht wegen der Umdeutung des in *mꜣʿ.tỉ*). — Seltsamerweise ist aber der Gegenstand selbst, auf den sich diese drei Ausdrücke beziehen, nur noch einer, die Feder, die hier, wie es scheint, erst später in die Wahrheit umgedeutet ist; das ist sicher der Fall seit der 21. Dyn., wie die Form des hieratischen Zeichens zeigt, dem die für *šw* in dieser Zeit charakteristischen Unterscheidungsstriche fehlen; daß im NR hier noch die Feder gemeint war, macht das *km.tj* „schwarz" wahrscheinlich, das sich mit der späteren Auffassung „Wahrheit" gar nicht verträgt, freilich nichts destoweniger daneben beibehalten wird. — Auf den vollständigeren Text, wie man ihn nach IV 7—9 postulieren müßte, in dem also außer der Feder und der Krone (hier wie in 8. 16 *n.t* genannt) auch das Auge berücksichtigt war, scheint der verworrene Text von IV a zurückzugehen, der indes statt des zu erwartenden nur noch Trümmer eines , also mit Verschiebung der Substantiva um einen Platz nach vorn, aufweist, bemerkenswerterweise mit der altertümlichen Defektivschreibung der Pseudopartizipialendung *tj*. — Nicht minder verunstaltet sind die Eingangsworte der Kundgebung. Bei IV erscheinen die Elemente *rḫ* „wissen" und *mrj* „lieben" zweimal in umgekehrter Folge *mrrj.w rḫ mr(j)-tn ỉw-j rḫ.kwj* und zwar das erste Mal in einem Relativsatz, der eine allgemeine Feststellung enthält („die ihr liebt das Kennen" oder „den Wissenden"), das zweite Mal in einer speziellen Anwendung desselben Gedankens auf den vorliegenden Fall („liebet mich, denn ich weiß"), wie wir das in den Pyr.-Texten so unendlich häufig antreffen („du gelangst zu dem Orte, wo die Götter neugeboren werden, du wirst dort neugeboren mit ihnen"); vgl. auch II 5/6. Der Relativsatz, der nach dem Ausfall von 21 als Anrede fungiert, knüpft an 18 an, wo der Redende sich auf seine Kenntnisse berufen hat. Die angeredeten Götter lieben solche Kenntnis oder den, der sie hat; darum sollen sie den Redenden lieben, denn er weiß, worauf es ankommt, die Wiederherstellung des heiligen Gegenstandes. Diese ist hier aus dem Zweck des Kommens zu einem Grunde geworden, weshalb der Redende Zutritt haben darf; was er einst nach der MR Fassung tun sollte, ist jetzt eine Tatsache, die er kennt. — Der Text von IV a ließe sich zur Not als Verstümmelung eines entsprechenden Wortlautes [*mrrj.w*] *rḫ* [*mr-*]*tn wj mj rḫ-j* „[die ihr liebt das] Kenn[en, lieb]et mich, wie ich kenne" auffassen, dabei wäre jedoch sehr seltsam, daß dann gerade das eine alte Element *mrj* zweimal ausgefallen wäre und andererseits in Gestalt des ein neues Element auftauchte, für das es in dem alten Texte an einem Äquivalent fehlte. In Wahrheit hat man vielleicht aber in ebendiesem *mj* das vermißte alte wiederzuerkennen wie in dem darauffolgenden das alte , dessen ○ (Reʿ) in *ḫ* verlesen sein könnte. Ist diese Erklärung richtig, so würde sich daraus zweierlei ergeben, erstens ein sehr hohes Alter für die Entstehung des IV a Textes, da die Schreibung für *mj* „wie" für das AR charakteristisch ist (später ist sie erst in der archaisierenden Zeit der 26. Dyn. wiederaufgekommen), oder wenigstens müßte der Redaktor des IV a Textes des Glaubens gewesen sein, einen so alten Text vor sich zu haben, daß er ihm eine derartige Schreibung zutrauen durfte. Zweitens würde ein Zusammenhang des NR Textes von IV mit IV a wahrscheinlich werden, da auch IV mit einem „ich kenne" endigt, das in seiner

Form *iw.j rḫ.kwj* der Stelle IV 25 angepaßt sein dürfte. Hier ist aber das alte [hieroglyph] nicht in *mj* „wie" umgedeutet, sondern lebt in dem *mrj-tn* „ihr liebet" ebenso ausgestaltet fort, wie in IV a das alte [hieroglyphs] in [hieroglyphs] ausgestaltet fortlebt. — Die im NR beseitigte Ortsangabe am Schluß von IV 22, die als Schauplatz der Vorgänge „bei diesem Heiligtum" anstatt des zu erwartenden „in diesem H." zu nennen scheint, klingt so seltsam, daß man sich fragen muß, ob der Text hier in Ordnung ist. Ist nicht vielleicht davor, wo man ja ohnehin die Nennung des wiederhergestellten Auges vermißt, mit dieser zusammen ein Verbum ausgefallen im Sinne von „ich trete ein"? Tatsächlich paßt die ganze Ortsangabe viel besser in einen Zusammenhang, ähnlich dem von IV 14 und IV 17, wohin man sie ebensogut verflanzen könnte. Eine andere Möglichkeit, die anstößige Ortsangabe zu beseitigen, wäre, daß man das *r* präponderativ nähme: „Re' liebt die Feder wiedergewachsen .... mehr als dieses Heiligtum". Das hat aber wohl kaum Wahrscheinlichkeit. — Seit Dyn. 21 sind IV a 14—17 infolge des Homoioteleutons nach *Ḫmn.w* von IV a 13 ausgefallen; dazu ist bei Ec ein weiteres Homoioteleuton nach *Št3.w* von IV a 12 hinzugetreten.

**23** (IV a 16). *ršj.j* „seid froh" (vgl.. das **ⲣⲁϣⲉ-ϭⲉ ⲛ̄ⲧⲉⲧⲛ̄-ⲧⲉⲗⲏⲗ** der Pist. Soph.) in der für das MR charakteristischen Orthographie mit [hieroglyph] (vgl. Prisse, Sinuhe, Bauer, Schiffbr.), das später bei *rš* ungebräuchlich ist und daher bei uns im NR in [hieroglyph], das Zeichen der 1. Person umgedeutet erscheint. Diese Umdeutung liegt auch bei IV a vor, wo aber das in den Zusammenhang gar nicht passende *sḏm-f* durch die normale Form des Nominalsatzes *rš wj* „froh bin ich" ersetzt ist. Dem eigentümlichen verderbten Wortlaute bei Pe (*r šr.t* aus *rš*) scheint eine Umdeutung dieses *rš wj* in die häufige Redensart *rš.wj* „wie erfreulich ist es" (vgl. Prisse 16, 10. Schiffbr. 124) zugrunde zu liegen. In der Hs Ea, der die späteren Hss von IV folgen und deren Archetypus also auch hier in IV ebenso gehabt haben wird, hat sich die ältere imperativische Auffassung erhalten. Die Stelle bildet ein bemerkenswertes Zeugnis für die gegenseitige Beeinflussung von IV und IV a. — *m* wohl zeitlich „bei der Zählung", „an dem Zählungsfeste", im NR durch *ḥr* „über" ersetzt, bei IV a aber wieder erhalten. Der Grund zu dieser Veränderung ist darin zu suchen, daß man das *ip.w ip.t* nicht mehr als Zeitbestimmung nahm, wie sich das in dem Verschwinden des Deutzeichens des Festes wiederspiegelt. Die alte Schreibung mit diesem Zeichen läßt an das thebanische Monatsfest 'Επεῖφι (kopt. **ⲉⲡⲏⲡ**) denken, daß in der Volkssprache der Ramessidenzeit [hieroglyphs] oder [hieroglyphs] heißt (GARDINER, Ä. Z. 43, 138), später aber in den Tempelinschriften [hieroglyphs] „Zählung ihrer Majestät", d. i. des „Sonnenauges (Hathor)" genannt wird, entsprechend der Nennung im Kalender des Pap. Ebers. Vgl. „jene Nacht des [hieroglyphs]" Totb. 71, 17 (NAV.), vom „Füllen (*mḥ*) des *wḏ3.t*-Auges", das auf verschiedenen Daten lag (JUNKER, Ä. Z. 48, 106), wohl zu unterscheiden. In wechselseitiger Angleichung der beiden Bestandteile des Ausdruckes, die nun mit der Abkürzung [hieroglyph] geschrieben als Doppelung eines Wortes erscheinen, hat IV a (außer bei Ea) *ip ip* „Zählen und Zählen". *ip.t ip.t* bei IV in Dyn. 21 könnte nur orthographische Variante für *ip ip* sein, das sowohl dasselbe bedeutet wie auch die alte Bedeutung „Zählung des zu Zählenden" behalten haben könnte.

**24**, die seit dem NR hierher verpflanzte Anrede 21, die in IV a ihre alte Stelle bewahrt hatte. Mit dieser Verpflanzung hängt wohl die Veränderung zusammen, die der folgende Satz 25 seit dem NR in IV erlitten hat.

**25** (IV a 17), der unserer Textsammlung eigentümliche stereotype Schlußsatz mit „ich kenne die Seelen", der hier ebensowenig am Platze ist wie III 32, weil der Text eine an ebendiese Seelen gerichtete Anprache ist. In IV ist seit dem NR das Objekt dieses Satzes („die Seelen von Hermopolis") ausgefallen, während IV a es, auch hier wieder treuer, bewahrt hat. Der Grund zu dieser Auslassung ist augenscheinlich gewesen, daß man den Ausdruck, ganz konsequent dem Zusammenhange folgend, für eine eingeschobene Anrede hielt („ich kenne, o Seelen"), die nun durch die Einfügung von 24 in gewöhnlicherer Anredeform ersetzt wurde („heil euch, ihr Seelen, ich kenne"). Dabei wurden die beiden parallelen Ausdrücke von 25 a, die nach dem regelmäßigen Schema der Spruchschlüsse des MR unzweifelhaft mit dem ihnen folgenden *Dḥwtj pw* von 27 zusammengehören mußten, um mit diesem die übliche Trias der Seelen, „das ist x, y und z" (in der bei S üblichen Formulierung mit einem gemeinsamen *pw* am Ende) zu bilden, ihrerseits zum Objekt von „ich kenne". Es ist aber mehr als wahrscheinlich, daß diese Umdeutung den ursprünglichen Sinn des Passus wiederhergestellt hat, wie er vor der mechanischen Ausgestaltung des Triasgedankens (s. zu II 34), die uns im NR bereits allenthalben in unserer Sammlung entgegentritt, bestanden haben dürfte. In der Tat ist ja auch die Nennung des Thoth an dritter Stelle in dieser Trias anstößig. Sachlich ist der Sinn, auf den man so für den ältesten Text kommt, „ich kenne, o Seelen von Hermopolis, was klein ist am 2. Monatstage, was groß ist am 15. Monatstage, das ist Thoth", ganz vortrefflich; „das ist Thoth" (27) ist die gegebene Antwort auf die Frage nach dem, was klein am zweiten Tage des Mondmonats, groß in der Monatsmitte ist. Denn damit kann ja nur der Mond selber gemeint sein, als Neumond und als Vollmond. — Auch in IV a ist die Verbindung der beiden parallelen Ausdrücke (IV a 17 a) mit dem folgenden *Dḥwtj pw* (IV a 18) gelöst, wie die Erweiterung dieses Ausdrucks zu einer neuen Dreiheit zeigt. Ebendies zeigt aber auch, daß hier die Seelen in IV a 17 noch als Objekt des Kennens aufgefaßt waren, denn auf sie bezieht sich ja die Dreiheit. Die parallelen Ausdrücke IV a 17 a können dann nur als asyndetische Parataxe („und") zu den „Seelen" gefaßt werden. Dazu stimmt, daß sie anscheinend nicht mehr partizipialer Natur sind, sondern infinitivischer: „das Wachsen am 2. Tage, das Abnehmen am 15. Tage des Monats". Die Platzvertauschung von groß und klein und die Ersetzung von *šr.t* „klein" durch *ḥb.t* bei IV a führen wenigstens auf eine solche Erklärung. Diese Platzvertauschung (vgl. die Versetzung von *ỉbd* in S 3) dürfte ihrerseits wieder auf Nebeneinanderstellung des alten Textes in der Kolumne zurückzuführen sein: Daraus erklären sich auch die eigentümlichen Umstellungen bei S 1 und eventuell auch die Auslassung bei Aa. — Bei Ea, derselben Hs, deren Fassung des Spruchtitels IV a 1 mit „ein anderer Spruch" die Erklärung für die später in diesem Titel vorliegende Ersetzung von Hermopolis durch Heliopolis abzugeben schien, ist seltsamerweise die nämliche Ersetzung hier in IV a 17 festzustellen, während sie dort in IV a 1, wo sie später aufzutreten pflegt, in derselben Hs noch nicht vorliegt. Es kann sich bei dieser durchaus vereinzelten Variation wohl nur um ein individuelles Versehen handeln; man könnte daran denken, daß der Schreiber die Ersetzung des einen Stadtnamens durch den anderen an der falschen Stelle vorgenommen habe, anstatt in IV a 1, wie er sollte, in IV a 17; dann würde zu seiner Zeit neben dem normalen Text der 18. Dyn., den er kopierte, bereits eine Variation in der Fassung von Dyn. 21 gestanden haben, die der Schreiber zur Korrektur benutzte.

**26—27** (IV a 18). Die im NR bei IV voneinander gelösten alten Stücke 25 a und 27 sind in dieser Zeit auch noch durch neu dazwischen getretene Teile getrennt, zwei zusammengehörige Sätze, in die das alte *Dḥwtj pw* „das ist Thoth" in der

Umdeutung *Dḥwtj pwj* „jener Thoth" als satzschließendes Subjekt des zweiten Satzes eingefügt ist. Diese Sätze, die hier ganz gegen das Schema unserer Textsammlung verstoßend auftreten, sind nur in zwei einander sehr nahestehenden Hss bezeugt. Daß sie aber wirklich hier an ihrem richtigen Platze stehen, scheint durch IV a 18 gewährleistet, das augenscheinlich aus denselben Elementen aufgebaut ist. Dabei ist es klar, daß IV a 18 nicht etwa als Muster für unseren Passus (IV 26/27) gedient haben kann; denn dann wäre dieses sich in das Schema der Textschlüsse unserer Sammlung so gut einfügende Muster getreu ohne Veränderung übernommen worden. Das Abhängigkeitsverhältnis wird vielmehr umgekehrt sein, wenn nicht etwa beiden Teilen (IV 26/27 und IV a 18) eine gemeinsame Vorstufe anderer Gestalt zugrunde gelegen haben soll. — Andererseits könnte man in IV 26—29 Anklänge an die in IV fehlenden Stücke IV a 12—14 finden (*št3.w* IV a 12, *ind-ḥr-tn ntr.w imj.w Ḫmn.w* IV a 13, *rḫ-tn wj mj rḫ-j n.t* IV a 14) und die Frage nach einer Entlehnung unseres Passus von dort aufwerfen wollen. Eine solche würde nur in allerfreiester Form unter völliger Umgestaltung des benutzten Musters möglich sein. — So wie der Text in IV 26/27 uns tatsächlich vorliegt, kann er eigentlich nur so ausgelegt werden: „wie ich um die Mondphasen Bescheid weiß, so kennt Reʿ, der mich zu euch, ihr Seelen von Hermopolis, sendet, die Geheimnisse der Nacht, die ihr als Trabanten des Mondgottes Thoth ex officio kennt, und so hat auch dieser Gott Thoth selbst mich „erkannt" (etwa auch als Nachtgeheimnis?) d. h. als willkommenen Besucher aufgenommen.

**28—29.** Diese Sätze, von denen der erste eine Wiederholung von 24 (alt 21) ist, erscheinen als ein noch jüngerer Zuwachs, der sich den alten Schlußworten des Textes *Dḥwtj pwj* angehängt hat und der vermutlich noch fehlte, als IV a 18 aus seinem Grundtext, d. i. eventuell IV 26/27 selbst, hergestellt wurde. IV 29 mit seinem „wie ich euch kenne" = „denn ich kenne euch", seit Dyn. 21 in „wie euer Kennen" oder „wie ihr kennt" umgestaltet, bedarf einer Anknüpfung an einen vorhergehenden Satz. Ob IV 28 mit seiner abgegriffenen Begrüßungsformel, die doch eigentlich nur noch den Wert einer Interjektion hat, dafür genügte, erscheint mehr als fraglich. Wenn man nicht annehmen will, daß der betreffende Satz ausgefallen sei, so bliebe nur eine Anknüpfung an IV 27: „Thoth hat mich erkannt, wie ich euch kenne"; man hätte dann die gleiche Gegenüberstellung von *sj3* und *rḫ* wie in IV 26. Aber kann die Anrede mit *ind-ḥr-tn* so in einen Satz eingeschoben werden? Sonst pflegt sie doch stets am Anfange der Rede zu stehen.

**30** (IV a 18). In IV a ist das alte, nicht, wie es in IV seit dem NR der Fall ist, umgedeutete *Dḥwtj pw* „das ist Thoth" von IV 27 durch Hinzufügung zweier neuer paralleler Glieder mit *pw* wieder zu der für die Erklärung der „Seelen" üblichen Dreizahl ergänzt. Die erste dieser neukonstruierten Seelen heißt *št3 sj3* „schwer zu erkennen" (vgl. *nfr m33* „schön zu schauen"), die andere *rḫ tm* „allwissend" mit dem gerade im MR so beliebten substantivischen Gebrauch von *tm* „Alles" (Ä. Z. 54, 43). Man könnte in beiden Benennungen Beiworte der in 25 a genannten Paraphrasen für Neumond und Vollmond vermuten. — Die älteste bekannte Vignette zu IV a in Pf stellt die beiden neuen Seelen als zwei menschenköpfige Götter (ohne besondere Abzeichen) dar, die den ibisköpfigen Thoth begleiten. In Pe ist diese Vignette durch die von IV ersetzt, die drei ibisköpfige Götter zeigt. Die Benennungen der beiden Gottheiten sind später mißverstanden worden, indem der zweite Bestandteil im einen Falle für den Namen der Personifikation des Verstandes *Sj3*, im anderen Falle für den Namen des Gottes Atum genommen wurde. Diese Auffassung wird durch die Vignette, die den Spruch IV a in Ga begleitet, bereits für die 19. Dyn. bezeugt; sie zeigt den ibisköpfigen Thoth, einen menschenköpfigen Gott ohne Abzeichen, d. i. *Śjꜣ*, und den mit der Doppelkrone geschmückten Atum. Ebenso Spz, und zwar nicht nur hier bei IV a, sondern auch bei IV, das hier nach dem Muster von IV a einen neuen Schluß IV 30 bekommen hat. Dabei ist auch vor *Śjꜣ* das störende *štꜣ* ausgeschieden, das man, wo es sich in IV a gehalten hat, eigentlich nur als Beiwort des Thoth verstanden haben kann. In IV a ist es seit Dyn. 21. z. T. infolge eines Homoioteleutons glücklich verschwunden (Ec), damit aber auch das vorhergehende *Ḏḥwtj pw*, so daß die verstümmelte Textgestalt, die im Pap. Cadet auch für Spz bezeugt ist, nicht etwa das Muster für die Neubildung IV 30 gewesen sein kann, man müßte denn annehmen, daß IV 30 auf einer Kombination des unverstümmelten und des verstümmelten Textes von IV 18 a beruhte. — Das entsprechend überflüssig gewordene *rḫ* vor Atum ist schon früher verschwunden; es tritt zuletzt in Pe auf, in Übereinstimmung mit der Vignette, die dort, wie gesagt, noch nicht die Umdeutung des *tm* in Atum voraussetzt. Der Wegfall des *rḫ* wird also so alt wie diese Umdeutung sein, für die er vielleicht die Voraussetzung bildete.

**IV a 19/20.** Überall da, wo der Text IV a der Textgruppe 2 (VIII a. V. VI = Totb. 111—113) vorangeht, also in den Hss Ea. Cg, sowie da, wo er isoliert dasteht, also in Ca, folgt ihm ein Nachwort, das dem Kenner des Spruches verheißt, von Hunger und Durst verschont zu bleiben, und in einer gewissen inhaltlichen Beziehung zu dem älteren Spruchtitel IV 3 zu stehen scheint. Vielleicht hat man darin ein gemeinsames Nachwort zu der ganzen Textgruppe 1, wie sie sich im NR darstellte (II. IV. IV a = Totb. 115. 114. 116), zu erblicken, wie ja auch am Ende der zweiten Textgruppe hinter VI im MR eine zu dieser ganzen Gruppe gehörige Schlußbemerkung erscheint.

(Fortsetzung folgt.)

# Ein Rechnungsbuch des königlichen Hofes aus der 13. Dynastie[1].

## (Papyrus Boulaq Nr. 18)[2].

Von ALEXANDER SCHARFF.

Der Papyrus Boulaq Nr. 18 ist bereits vor langen Jahren von BORCHARDT[3] auszugsweise und von GRIFFITH[4] besonders in Hinsicht auf die Lesung des Hieratischen behandelt worden. Auf Grund der seitherigen Fortschritte in unserer Wissenschaft habe ich es jetzt aufs neue versucht, den schwierigen und interessanten Text zu bearbeiten und glaube auch, dank der mir von Herrn H. O. LANGE gütigst zur Verfügung gestellten Photographien[5], zu neuen Ergebnissen gelangt zu sein, die ich im folgenden darlegen werde.

Durch den Königsnamen Sebekhotep, den BORCHARDT mit Sicherheit auf dem Original gelesen hat[6], und das Vorkommen des Veziers [Hieroglyphen][7] ist der Text in die 13. Dynastie datiert, wozu auch Schrift und sprachliche Eigentümlichkeiten bestens stimmen. Wie schon BORCHARDT gesehen hat, zerfällt der Papyrus in zwei Handschriften, von denen uns hier nur die größere beschäftigen soll[8]. Diese umfaßt die Tafeln XIV—XLVI (Recto XIV—XXX, Verso XXXI—XLVI) und einige in den weiteren Tafeln (bis LV) zerstreute Fragmente. Der Anfang des Papyrus und ein großes Stück in der Mitte (hinter Taf. XXX) fehlen; nach ungefährer Berechnung der Lücken dürfte der Papyrus die ansehnliche Länge von $7^1/_2$ m gehabt haben. Zu der Vorderseite gehören, den Tagesdatierungen nach, noch drei Einträge der Rückseite (Taf. XLII 2, 1—13 und XLII 3, 1—3), kurze Notizen, die sich der Schreiber, wohl um sie nicht zu vergessen, auf den zusammengerollten Teil seines Papyrus schnell aufgeschrieben hat.

### A. Der Schreiber und seine Buchführung.

Der Schreiber, dem der Papyrus mit ins Grab gegeben war[9], hieß nach anderen Fundstücken [Hieroglyphen] und führte den Titel [Hieroglyphen]; im Papyrus selbst kommt er unter den Beamten nicht vor[10]. In Theben hatte er sein Büro und führte dort Buch über die Verpflegung des Hofes, der königlichen Familie sowohl als auch der Hofbeamten. In täglichen Bilanzen werden Eingänge und Ausgaben, die sich beide aus

1) Zusammenfassung der Ergebnisse meiner Dissertation, Berlin 1920, in der der ganze Text in Umschrift und Übersetzung wiedergegeben und eingehend kommentiert ist. Wegen Raummangels müssen in diesem Auszug fast sämtliche Personennamen fortbleiben. — 2) MARIETTE, Les Papyrus de Boulaq, 1872, Bd. II Taf. XIV—LV. — 3) Ä. Z. 28, 65ff. — 4) Ä. Z. 29, 102ff. — 5) Sie erstrecken sich auf die Tafeln XIV—XXX und LI. — 6) Aegyptiaca (Festschrift für Ebers) S. 8, Anm. 1. Im Facsimile ist die Stelle (Taf. XXXI) fast unlesbar. — 7) Er kommt u. a. auf der Stele Louvre C 12 vor, die ihrerseits mit der durch den Hyksoskönig *Ḫnḏr* datierten Stele C 11 eng zusammengehört. — 8) Die im Facsimile schwer lesbare kleinere Handschrift besteht nur aus Fragmenten, im wesentlichen Taf. XLVII—LV. — 9) Der Papyrus wurde 1860 in Draʿ-abuʾn-Negga gefunden; vgl. darüber MARIETTE, Pap. d. Boul. II Text p. 6ff. — 10) Nur in der kleineren Handschrift, die aber eine völlig andere Hand zeigt als die große und aus einem anderen Jahr ist, kommt ein Beamter mit diesem Titel und Namen vor (Taf. XLVII gr. Fragm. links Z. 2).

einzeln aufnotierten Einträgen zusammensetzen, verrechnet, und der verbleibende Saldo wird auf den nächsten Tag vorgetragen. Wir können so die Verpflegung am Hofe für die Zeit vom 26. des zweiten bis zum 4. des dritten Überschwemmungsmonats (Vorderseite) und vom 16.—18. Tag desselben Monats (Rückseite) im dritten Jahre eines Königs Sebekhotep kontrollieren. Bei größeren Ausgaben an viele Personen hatte der Schreiber ferner die zugehörigen Listen anzufertigen, aus denen wir jetzt ersehen, welch erstaunliche Menge von Beamten, z. T. mit ihren Familien, damals vom königlichen Hofe Speisen erhielten.

Ausgaben auf Grund mündlicher Aufträge. — Der direkte Vorgesetzte des Schreibers war der ; er erteilte dem Schreiber die Aufträge () und erhielt die Weisungen seinerseits unmittelbar aus dem Kabinett des Königs; denn es heißt am Anfang seiner Befehle regelmäßig: „weswegen der Vorsteher usw. kam, mit dem was ihm darüber (aus dem Kabinett (*ꜥḫnwtj*) des Königs) herausgekommen (= befohlen) war, (war folgender Auftrag)“[1]. Folgen mehrere dieser Aufträge hintereinander, so beginnen die folgenden kürzer: „ein anderer Auftrag, wegen dessen dieser Beamte[2] kam“[3]. In Ausnahmefällen erteilte auch ein einen Auftrag und zwar in einem Falle deshalb, weil *Rnf-m-ib* selbst der Empfänger der im Auftrag befohlenen Speisen war[4]. Da der *ḫnt*-Schreiber aber keinen Zutritt zum Kabinett hatte, erhielt er den Befehl durch einen Diener übermittelt, und es heißt bei sonst gleichem Anfang des Auftrags diesmal: „mit dem, was dem Diener des Herrschers darüber herausgekommen (= befohlen) war“. Der Inhalt lautet bei allen Aufträgen fast regelmäßig: N. N. „veranlasse, daß man dem N. N. (etwas) von guten Dingen hinträgt“[5], worauf der Schreiber die Erledigung des Befehls mit den Worten „getan gemäß diesem Auftrag“[5] bescheinigt. Bei dieser Art der Befehlsübermittlung nimmt es wunder, daß bis auf einen einzigen Fall[6] in dem Auftrage selbst nie angegeben wird, woraus die *iḫ.t nfr.t* bestehen sollten. Ob der Schreiber hierfür bestimmte schriftliche Unterlagen in seiner Kanzlei hatte? Wir müssen es annehmen, denn bei der Verteilung der auf Grund dieser allgemein gehaltenen Befehle ausgegebenen Speisen können wir ein gewisses System erkennen. Bei Brot und Bier herrscht z. B. das Verhältnis 10:1 vor, wie der Vergleich der auf den Befehl und den Erledigungsvermerk folgenden detaillierten Angaben der Speisen untereinander zeigt[7]. Die einzelnen Speisen werden als Ganzes *fkꜣ* „Spende“ genannt; das Wort bezeichnet im Papyrus durchweg die Extraausgaben, Festzulagen, besondere Verpflegung u. dergl. und wechselt mit dem ungefähr dasselbe bedeutenden *šꜣbw*[8].

Fast nie erfahren wir die Gründe, die zur besonderen Belieferung eines Beamten führten. Bei einigen wenigen Aufträgen ersparte sich der Schreiber die Einzelauf-

1) XV 2, 6. — 2) *śr* bezeichnet im Pap. durchweg den hohen Beamten schlechthin ohne besondere Hervorhebung. — 3) z. B. XV 2, 14. — 4) XLII 2, 15—16. — 5) z. B. XXI 2, 15—16. — 6) XX 2, 14—15 ist die Speisenverteilung schon im Befehl genau angegeben. — 7) z. B. XX, 10:10 Brote — 1 Bier und XXI 2, 19—20: 30 Brote — 3 Bier. — 8) XVIII, 10 *šꜣbw* und XX, 9 *fkꜣ* bei auf den gleichen Befehl zurückgehenden Einträgen.

zählung der verabfolgten Speisen und notierte sich die Erledigung nur mit der Bemerkung:* , worauf immer zwei mit *irj-* beginnende, sonst meist zerstörte Titel folgen[1].

Ausgaben auf Grund schriftlicher Befehle. — Neben diesen mündlichen Aufträgen empfing der Schreiber auch schriftliche Befehle, die er sich abschrieb ([2]) und die wir uns als sogenannte Umlaufbefehle zu denken haben werden. Sie gingen von einer nicht genannten Zentralbehörde aus und waren in der Regel „an die *wʿr.t* gerichtet" ([2]), drei Speicherverwaltungen: *wʿr.t tp-rś*, „Büro dessen, was die Leute geben"(?)[3] und „Schatzhaus", die im Papyrus durchweg als die drei *wʿr.t* zusammengefaßt werden. Der die Befehle überbringende Bote (ein ) wurde vom Schreiber wohl zur Kontrolle mit aufnotiert[4]. Aus dieser Art der Befehle geht mit Deutlichkeit hervor, daß der Schreiber nur das Rechnerische bei den Speisenverteilungen zu erledigen hatte, die tatsächliche Ausgabe dagegen bei den drei *wʿr.t* erfolgte. So wurde z. B. die Gesandtschaft der Matoi auf diese drei Speicherverwaltungen verteilt und gleich dabei angegeben, wieviel jede als Verpflegung zu liefern hatte[5]. Ebenso waren die täglich an den Hof verausgabten Rationen auf diese drei Verwaltungen verteilt[6], wobei der des *tp-rś* die weitaus größten Leistungen zugemutet waren[7]. Durch diese Art der Rundbefehle erfuhr also jede Stelle, was sie zu leisten hatte, und der Schriftverkehr war für den Schreiber, der die Buchungen der einzelnen *wʿr.t* auszuführen hatte, wesentlich erleichtert.

Ausgaben ohne Befehl. Außer der Ausführung der Aufträge und der schriftlichen Befehle, die sich beide in der Hauptsache auf Brot, Bier und Fleisch erstreckten, lag dem Schreiber noch die Ausgabe von besonders kostbaren Dingen (Schminke, Wein, Honig u. a.) ob, und zwar hierbei nicht nur die Verrechnung, sondern auch die tatsächliche Ausgabe. Die diesbezüglichen Einträge beginnen regelmäßig mit [8] sic „genommen aus dem Verschluß"[9]. Merkwürdig ist, daß der Schreiber hierzu nie einen Befehl erhielt; vielleicht beruhten diese Ausgaben auf irgendwelchen anderen, nicht mehr erhaltenen Unterlagen. Einmal[9] wurde frischer Weihrauch (*śntr w3ḏ*) entnommen „um[10] Weihrauch zu bereiten ....." Aus $^3/_8$ *ḥḳ3.t* frischem Weihrauch wurden drei weißbrotförmige Weihrauchkegel von 1 Elle 5 Spannen und drei von 1 Elle hergestellt (). Die Größe dieser im Papyrus oft genannten

1) XLIII 2, 18; Titel erhalten XXII, 19 u. 20, letzterer: sic N. N.; ob „Türhüter der Frühe" = der morgens Dienst hat? vgl. im 5. Siutvertrag (Ä Z. 20, 176) und den Titel *irj-ʿ3 ntj m* Ä Z. 40, 114 (Berl. Illahun-Pap.). — 2) z. B. XXIX, 11. — 3) Ausgeschrieben Kairo 20577 mR; derselbe Ausdruck auch Griffith, Kahun XIII, 11; in Boul. 18 auch nur *ḫ3* allein (XXIX 2, 11). — 4) Er wird bald durch „seitens des" (z. B. XXIX, 12), bald durch „anvertraut dem" (XLIII 2, 5—6) angeführt. — 5) XXIX, 20—21. — 6) XIV 2, 2 ff. — 7) Bei Brot z. B. 850 gegen 460 und 320 der beiden anderen *wʿr.t*. — 8) *šdj* in der gr. Hs. immer so; dagegen in der kleinen XLVII, gr. Fragm. links Z. 6. — 9) XV, 1 ff. Zu *ḫtm* vgl. Urk. IV 1105. — 10) Der Gebrauch der Präp. *m ś3* zur Angabe des Zweckes ist auffallend und mir sonst nicht bekannt.

Weihrauchkegel schwankte zwischen 2 Ellen[1] und 5 Spannen[2]. Sie wurden auch aus *śnṯr* (*pḳ3*[3]) „zerriebenem(?) Weihrauch" und *śnṯr* [4] „Weihrauch und *š3w*"(?) hergestellt. Die andere im Papyrus gebräuchliche Form des Weihrauchs hieß [5], auch nördliches *s3t.t*[6], und wurde nach *ḥḳ3.t*[5] oder Hin[7] angegeben. — Andere Dinge, die der Schreiber dem Verschluß entnahm, waren: „Schminke" (*mśdm.t*), nach *dbn* gemessen[8], Wein in *hbn.t*-Krügen[9], auch besondere Weinsorten[10] „Wein aus der Oase Baḥrîje"[11] und „Oasenwein" (wohl von Chargeh), „Früchte (*pr.t*) . . . . ." mit einem mir unbekannten Zusatz *tbn* (als Maß oder dergl.)[12], in *hbn.t*-Krügen, Honig[13] in Krügen[14]. Manchmal notierte sich der Schreiber zur Kontrolle den Überbringer: N. N. „anvertraut dem Speicherbeamten N. N."[15] oder N. N. „gegeben dem Hausbeamten und Diener N. N."[16]. Wozu das an derselben Stelle als zweiter Empfänger genannte „Fleischhaus" Honig, Weihrauch usw. erhielt, ist mir nicht ersichtlich. Für die Buchung all dieser dem Verschluß entnommenen Dinge ist bemerkenswert, daß sie nie in den täglichen Schlußabrechnungen mit verrechnet wurden.

Eingänge. — Diesen drei Gruppen von auf Ausgaben bezüglichen Einträgen stehen mehrere Listen von Eingängen gegenüber. Die regelmäßigen, täglichen Eingänge werden als [17], die einmaligen, nur bei bestimmten Gelegenheiten als [18] bezeichnet. Dieser Unterschied wird klar, wenn man die Buchung der Brote in den täglichen Schlußabrechnungen betrachtet[19]. Sie werden dort in *t3 šbn ʿḳw* und *t3 šbn ỉnw* gesondert und zwar so, daß die zu den regelmäßigen Ein- und Ausgängen gehörigen immer in der Reihe der *ʿḳw*, die zu besonderen Eingängen oder Spenden (*fḳ3* s. oben) gehörigen in der der *ỉnw* stehen. Nur wenn bei den Einnahmen keine *ỉnw*-Brote vorhanden sind, werden ausnahmsweise die Spenden von den *t3 šbn ʿḳw* bestritten[20]; liegen an einem Tag überhaupt keine Spenden vor, so fällt die Rubrik *t3 šbn ỉnw* ganz fort[21]. Als Unterlage für die Buchung der täglichen Eingänge (*ʿḳw*) haben wir eine Liste[22] anzusehen, die ich ihrer Wichtigkeit wegen hier ganz wiedergeben möchte. Sie steht am Anfang des Papyrus und außerhalb der jeweils durch das Datum eingeleiteten übrigen Tagesnotizen.

---

1) XVIII 3, 21. — 2) XVIII 3, 22. — 3) XXXIII, 9; die Lesung *dnj* an sich möglich, die Bedeutung „Korb" hier aber unwahrscheinlich. — 4) XXXIII, 10; vgl. auf einem unpubl. Kairener Ostrakon. — 5) XV 2, 5. — 6) XLII 2, 7. — 7) XXXIII, 12. — 8) XV 3, 3. — 9) XV 3, 9. — 10) XXXIII, 6—7. — 11) nach SETHE in Ä. Z. 56, 50. — 12) XXXIII, 4 und ohne *šnn* XV 3, 4 und 8. — 13) XXXIII, 8 und XXIV, 17 (ohne ). — 14) XXIV, 15. — 15) XXXIII, 3. — 16) XXIV, 12—13. — 17) Schreibung durchweg ohne ⊿ wie in der Geschichte des Bauern; mit Artikel z. B. XLIII 2, 8. — 18) Mit Artikel XV 2, 17, mit XXVI, 9. — 19) vgl. Seite 59 die beiden ersten Zahlenspalten. — 20) z. B. XXI 2 und XXII (obere Hälfte) Z. 9 und 10. Unter diesem Verfahren haben natürlich die regelmäßigen Brotempfänger zu leiden (Z. 7 und 8), die statt 630 nur 600, bzw. statt 525 nur 515 Brote erhalten. — 21) z. B. XXIII, erste Spalte. — 22) XIV 2, 1—8.

| | | | | |
|---|---|---|---|---|
| | 850 | 460 | [3]20 | (= 1630) |
| | 70 | 36 | [2]4 | (= 130) |
| | | | | (= 1) |
| | 52 | | | (= 52) |
| | 2 | | | (= 2) |
| | sic 100 | 50 | [50] | (= 200) |

„Tatsächlich eingegangen (wörtl. ‚vollendet') als Eingänge des Herrn". Diese Eingänge verteilen sich auf die drei schon besprochenen Speicherverwaltungen. Wir werden die in Klammern beigefügten Summenzahlen und die sechs Arten von Speisen als regelmäßige Überschriften der Zahlenreihen in den Bilanzen wiederfinden. Die Liste gab also dem Schreiber den täglichen Fonds an, aus dem er die notwendigen Rationen entnehmen konnte. Dieser Fonds wurde am 27. Tag um täglich 50 Brote und 5 Krug Bier erhöht, wie alle hierauf folgenden Schlußabrechnungen[4] zeigen. Der schriftliche Befehl (*snn*) dazu ist in Trümmern erhalten[5], er war an das Büro des Veziers gerichtet, und der Schreiber schrieb ihn sich beim Durchlauf ab. Auch wurde die erfolgte Erhöhung durch eine kurze Notiz[6] bestätigt; sie lautet: „bestätigt als Vermehrung zu den Eingängen des Herrn", worauf die Erhöhung an Brot und Bier angegeben wird.

Eingänge außer der Reihe (*inw*) hatte der Schreiber immer dann zu buchen, wenn besondere Ausgaben (z. B. Festspeisungen) notwendig waren, und die Beträge beider scheinen von vornherein gut aufeinander abgestimmt gewesen zu sein. Wie diese Eingänge eingezogen wurden, ob als Steuern, Tribute oder Abgaben der Domänen, erfahren wir leider nirgends. Für den Schreiber war das ja auch gleichgültig; er notierte nur, was die Speicherverwaltungen (*w'r.t*) ihm als Eingänge meldeten. Diese Meldung geschah meist in drei Teilen[7]: 1. was eingehen sollte (als Überschrift ist zu ergänzen), 2. was wirklich eingegangen war (), 3. was noch ausstand ()[8]. Die Bedeutung von *kmt* wird besonders dadurch erhärtet, daß in den Bilanzen, die doch natürlicherweise nur die tatsächlich eingegangenen Summen enthalten, die Zahlen dieser Rubrik stehen[9].

---

1) *bnr.t* „Süßigkeiten", *pg3* „Schale"; der Schreiber gebraucht durchweg für *bnr*, auch bei „Dattel" XXIX 2, 14. — 2) Eine selten belegte Kuchenart; z. B. Anast. IV 13, 12 … (*tr.t*-Mehl). — 3) „Bund"; vgl. Urk. IV 825, 17 und *ḥrš.t* „Pfeilbündel" z. B. Lacau, Sarcoph. 28024 mR. — 4) Von XX, 2 an. — 5) XIX 3, 15 ff. — 6) XIX 4, 15—18. — 7) Zu allem Folgenden vgl., wenn nichts Anderes bemerkt ist, XV 4, 1—22. — 8) Die Dreiteilung zeigt XV 4, 8 deutlich. — 9) Vgl. XVIII, 4, wo z. B. die 716 Brote der Rubrik *kmt* angeführt sind und nicht die 1000 der *inw*.

Es liegen uns Eingangslisten von der *wʿr.t tp-rś*[1] und dem *ḥ3 n ddj rmṯ*[2] (?) vor; bei der ersteren ist — wohl als verantwortlicher oberster Beamter — der Vezier selbst genannt. Bei einer anderen ähnlichen Liste ist als Einlieferer der Speisen nur der erwähnt[3]; die für die Speisungen am Monthfest (s. unten) eingehenden Dinge werden ohne weitere Nennung von Beamten als „Zulagen des Monthfestes“ bezeichnet[4]. — In der Anlage der ersten *inw*-Liste[5] finden wir im wesentlichen auch das Schema für alle anderen. Die drei Brotarten , und , die in den Bilanzen dann immer als zusammengefaßt sind, werden nach verschiedenen Backarten (*fśw*) angegeben; auch die teils rote, teils schwarze Schrift der das Backverhältnis angebenden Zahlen scheint irgendeine Verschiedenheit der Backart oder des Getreides anzudeuten. Es folgen Bier mit Angabe des Brauverhältnisses und Süßigkeiten, diese in der ersten Liste geteilt in [6], [7] und [8], in der zugehörigen Bilanz[9] aber wieder als zusammengefaßt. Die beiden völlig übereinstimmenden Listen der Festeingänge enthalten noch verschiedene Biersorten, z. B.: „Bier von Koptos“[10], „Bier “[11] u. a. m. Hieran schließt sich der „Opferhaufen“ [12], dessen Zusammensetzung durch eingeleitet wird. Bier in *ḳbj*-Krügen und verschiedenen Brauarten, nach *dś* gemessen[13], bildet den Hauptbestandteil; dazu kommt Kuchen (auch mit dem Zusatz [14]), Brot, [15]-Brot, Weißbrot, Gemüse in [16] (auch „Erdkraut“(?)[17] und *ʿ3*-Vögel[18]. Daß die Opferhaufen zum mindesten nicht ausschließlich Opferzwecken dienten, zeigt die Zusammenfassung des Bieres mit dem übrigen Bier in den Bilanzen[19]. Ein Opferhaufen ist durch weitere Kuchen noch reicher ausgestattet[20]: , , [21], , und die Zusammensetzungen *bnr.t ḥfʿ* und *bnr.t ḥr.t*, wohl „süße *ḥr.t*-Kuchen“.

Einmal hat der Schreiber drei kürzere *inw*-Listen zu einer „Zusammenstellung der Eingänge dieses Tages“ vereinigt[22], wohl um in der Bilanz

1) XV 4, 1 ff. — 2) XXV 2, 16 ff. — 3) XXX, 1 ff. — 4) XXXV, 1 ff. und XLIV 2, 1 ff. — 5) XV 4, 1 ff. — 6) ob *ḫntw*? vgl. Urk. IV 666, 3 und Ebers 93, 14. — 7) nur hier; ob das ebenfalls etwas Süßes bedeutende *šʿj.t* (XXX, 21) irgendwie hierzu gehört? — 8) *hnb3š t3-ḥd* XLI Überschrift der 7. Kolumne. — 9) XVIII, 4. — 10) XXXV, 14. — 11) XXXV, 17; *g3š* „ein Getränk“, vgl. Lond. Med. Pap. 3, 6 und 11, 5; *nšw* „ein Gefäß oder Maß“, vgl. Griffith, Kahun XX, 63 und Totb. (Budge) I 52 B, 13 (Seite 162). — 12) So in XV 4, 13, wo es zehn Opferhaufen sind; an den drei anderen Stellen (XXX, 10, XXXVI, 1, XLIV 2, 17) in etwas anderer Schreibung. — 13) Anders kann ich das Nebeneinander von *ḥḳ.t ḳbj* und *dś* nicht erklären. — 14) z. B. XXXVI, 5, *ḥfʿ* hier ohne Pluralstriche, *śpḥt* (sonst „Fleichstück“) ist mir unverständlich. — 15) Ob von *wdʿ* „abschneiden“? — 16) Vgl. *ḥ3d* „Reuse“. — 17) XXXVI, 9. — 18) nur in XV 4, 22. — 19) XV 4, 14—16: 30 Krug + 95 Krug von Zeile 8 ergeben die 125 von XVIII, 4. — 20) XXX, 10 ff. — 21) Genau ebenso Griffith, Kahun XXVI, 11. — 22) XXVII, 18 ff.

Einträge zu sparen. Außer den Eingängen zweier Speicherverwaltungen[1] gehört hierzu ein kurzer Eintrag[2] der „genommen [von (*m'*?)] dem Diener dieses Tages“ überschrieben ist und Bier, *ḥr.t*-Kuchen und [× ]-Brot[3] enthält.

Zu den Eingangslisten gehört schließlich noch eine ebenfalls mit *šḫwj ỉnw n hrw pn* überschriebene Liste[4], in der die verschiedensten Beamten und auch eine Schwester des Königs als Lieferanten von Geflügel oder Weihrauch genannt sind: , , , kommen neben *śnṯr t3-ḥḏ* — alles wohl Geschenke für das bevorstehende Monthfest — zur Ablieferung. Jeder scheint, was er eben vermochte, beigesteuert zu haben: der Vezier stiftete nur einen Weihrauchkegel, der Vorgesetzte unseres Schreibers *Rnf-m-ỉb* dagegen fünf Tauben. Ob es ein bloßer Zufall ist, daß der „der Obergütervorsteher“ weitaus am meisten, elf Vögel, abliefert?

Rückstände. — Hier müssen auch noch kurz die Rückstände gestreift werden, von deren teilweiser Erledigung hie und da die Rede ist. So werden am 29. Tag 90 dem Schatzhaus geschuldete *bjt*-Brote als „erledigt“ (*kmt*) gebucht[5], und in einer leider sehr zerstörten Liste, die „Abrechnung (??) der Rückstände“ überschrieben ist[6], werden eine Menge Dinge aufgezählt, — aber gleich hier bleiben neue Rückstände. Eine einigermaßen genaue Kontrolle läßt sich nicht durchführen, und man gewinnt den Eindruck, daß sich Rückstände auf Rückstände häuften.

Bilanz. — An Hand der bis jetzt behandelten Eintragsarten stellte der Schreiber täglich seine Bilanzen auf, von denen ich im Folgenden eine ausführlich mitteile[7] (s. S. 58/59).

Die Zeilen 3—8 umfassen die Einnahmen, von deren Summen die Ausgaben (Z. 9—14) abgezogen werden. Das Sätzchen *šśm ḫnt rḫt pn* bringt sozusagen den Minusstrich zum Ausdruck und muß etwa mit „was von dieser Liste (nämlich der Einnahmen) abzuziehen ist“ zu übersetzen sein[8]. Z. 3 bildet die Überschrift für das Ganze: „Abrechnung über die Eingänge des Herrn usw.“ — Z. 4 bringt die täglichen Eingänge auf Grund der oben mitgeteilten Liste mit den später angeordneten Erhöhungen[9]; jener Liste entsprechen auch die Überschriften[10] der Zahlenkolumnen, nur ist hier ausnahmsweise das Gemüse[11] in *ḥ3d.t* und *ḥrš* geteilt. — Z. 5 fügt den Rest des vorigen Tages hinzu (*ỉnnf* „gebracht dazu“) und Z. 6 einen täglichen[12] Zuschuß des Amontempels. Es ist bemerkenswert, daß dieses Heiligtum hier am Ausgang des mR lediglich als steuerzahlender Tempel[13] auftritt, während das Heiligtum des Month in Medamot und sein Kultbild durch Festspenden und Festspeisungen geehrt werden. —

---

1) XXV 2, 1 ff. und 16 ff. — 2) XXV 2, 22—25. — 3) Vgl. *sšwsš.t* (Seite 56), das wie eine Reduplikation dazu aussieht; sonst z. B. Harris I 37 b, 8. — 4) XXXII, 1 ff. und XXXIII rechts. — 5) XLII 3, 1—3. — 6) XLIII, 1 ff. — 7) XXVII 2, 3—15 und XXVIII oben; die von Borchardt seinerzeit gewählte vom 26. Tag weist im Text und in den Zahlen Fehler auf, die bei allen folgenden nicht mehr vorkommen. — 8) Vgl. ebenso Griffith, Kahun XV, 43. — 9) Siehe S. 55. — 10) Über die Einteilung der Brote in *'ḳw* und *ỉnw* vgl. S. 54. — 11) In den Bilanzen vertritt „Lauch“ (deutlich z. B. XXII oben) das nach XIV 2, 8 erforderliche *śm*. — 12) Sonst lautet die Wendung immer: *ỉnnf m wḏ. nśw* „das aus dem T. Gelieferte“, z. B. XXI 2, 4. — 13) Eine ähnliche Rolle spielt der Chonstempel in der kleineren Handschrift, Taf. XLVII, gr. Fragm. links Z. 4.

3

4

5

6 sic sic

7

8

9

10 sic

11

12 sic

13

14

15

Schließlich kommen in Z. 7 noch „die an diesem Tage fälligen Eingänge“ hinzu, die vorher in Listen aufgezählt waren[1]. —

Die Ausgaben enthalten in drei Zeilen die täglich zu liefernden Rationen, die in Z. 10 und 11 als *p*ʿ*.t*[2] *šn*ʿ „Rationen des Speichers“ bezeichnet sind. Die erste Zeile wird die Rationen für die königliche Familie[3], die zweite die für die Hofbeamten, die dritte die für die Dienerschaft o. ä. enthalten. Das *pr-mn*ʿ*.t* in Z. 8 ist ein im Papyrus häufiger, aber meist unklarer Ausdruck. In einer Liste[4], die seine Insassen enthalten soll, werden hauptsächlich Beamtenfrauen aufgezählt, aber auch z. T. Beamte selbst, so daß ich annehmen möchte, daß es etwa ein zusammenfassender Ausdruck für die Wohnungen und Familien der Beamten war. — Ein ebenso unklarer Begriff ist ʿ*ḳjw* ʿ*š3w*, was ich etwa durch „verschiedene[5] Vertraute“ wiedergeben möchte. Wer zu ihnen gehörte, wird nie gesagt, aber wenn man dazu Worte wie ʿ*ḳj.t* „Dienerin“[6] und *wdpw* ʿ*ḳ* „der Diener, der Zutritt hat“[7] vergleicht, wird man mit der Vermutung nicht fehlgehen, daß unter ʿ*ḳjw* ʿ*š3w* die Unterbeamten und Diener zu verstehen sind. — Die Zeilen 12—13 enthalten besondere Ausgaben[8], die

1) XXV 2, 1 ff. und XXVII, 18—25. — 2) Das mir sonst in dieser Bedeutung unbekannte *p*ʿ*.t* bildet im Pap. den Gegensatz zu *fḳ3*, den Extrazuwendungen. — 3) Ob *m*ʿ*ḳn wdpw* Temporalsatz ist „als der *w.* kam“?? — 4) XIX 2, 1 ff. — 5) ʿ*š3* ganz abgeblaßt, wie wir von „verschiedenen Leuten“ reden. — 6) Z. B. Louvre, Stele C 15 mR. — 7) Z. B. Kairo 20147 mR; ferner Prisse 11, 1 „befriedige deine Klienten (). — 8) Über *fḳ3* und *š3bw* vgl. S. 52.

| | | | | | | | | | |
|---|---|---|---|---|---|---|---|---|---|
| | | | | | | | | | 3 |
| ˇ | 1680 | | 135 | 2 | 1 | 52 | | 200 | 4 |
| | 200 | | 2 | | | | | | 5 |
| | 100 | | 10 | | | | | | |
| | | 938 | 90 | 7 | | | 7 | | |
| | 1980 | 938 | 237 | 9 | 1 | 52 | 7 | 200 | 8 |
| o | 625 | | 45(+)15 | 2 | 1 | 52 | | 100 | 9 |
| | 630 | | 61 | | | | | 50 | 10 |
| | 525 | | 38 | | | | | 50 | 11 |
| | | 310 | 35 | 5 | | | | | 12 |
| ^ | | 290 | 22 | | | | | | 13 |
| | 1780 | 600 | 216 | 7 | 1 | 52 | 7 | 200 | 14 |
| o | 200 | 338 | 21 | 2 | | | | | 15 |

sich auf voraufgehende Einträge und Listen stützen[1]. — Der bei der Subtraktion verbleibende Rest (Z. 15) wird dann in der nächsten Bilanz wieder aufgeführt[2]; das glatte Aufgehen wird durchweg durch *nfr* bezeichnet. — Im allgemeinen ist zu den in den Bilanzen verrechneten Speisen noch zu bemerken, daß mancherlei, was der Schreiber verausgabt, darin nie erscheint, vor allem das Fleisch. Wir müssen daher auf andere derartige Rechnungsbücher bei anderen Ressorts schließen.

## B. Die beköstigten Personen, verschiedene Anlässe zu besonderen Speisungen u. ä.

Nachdem wir so einen Einblick in die Rechnungsführung des Schreibers gewonnen haben, wenden wir uns im folgenden den Anlässen zu besonderen Ausgaben und Speisungen und den damit bedachten Personen zu. Ich kann dabei nur das Wichtigste erwähnen.

1. Die Königin, mit Namen[3], durfte sich besonderer Zuwendungen erfreuen. Sie besaß, wie es ja auch von anderen Königinnen bekannt ist[4], ihr eigenes ,

1) Z. 12 geht auf XXVI, 7 ff. mit Liste, Z. 13 auf XXVI, 1 ff. zurück; mit *wr n* . . . . ist der *wʿrtw ʿ3 n n.t ʾIwj* von XXVI, 3 gemeint. — 2) XXVIII, 18. Die *t3-šbn šnw* sind allerdings in diesem Falle infolge eines noch hinzukommenden Eintrags etwas geändert und die *ḥr.t*-Kuchen vergessen. — — 3) XXIV, 19 und XXVI, 12 (hier geschrieben). — 4) z. B. LD III 100d (Königin Teje).

also Privatbesitz, der seine besonderen Eingänge (*ỉnw*) in Gestalt von verschiedenen, sonst im Papyrus kaum vorkommenden Brotarten (z. B. *šnś*, *ḥ3d*) hatte[1]. An einer anderen Stelle[4] wird Schminke und ..... an das *kp* zu den Eingängen der Königin geliefert. Danach scheint das nie genau definierbare Wort *kp* hier also einen Vorratsraum o. ä. zu bedeuten.

2. Ähnliche Dinge erhielt nach derselben Notiz[2] auch „das Haus des *ỉmj-r3 ʿḫnwtj n.kp Rnf-m-ỉb*", des oft genannten Vorgesetzten des Schreibers.

3. Damen kommen außer in den Speisungs- und Festlisten (s. unten) nur in zwei Notizen vor. In der einen[3] handelt es sich um Verteilung[4](?) von Weihrauch und Wein für Kultzwecke. Unter den Empfängern ist die „Tochter des Fürsten von Hermonthis"[5] ( ) genannt. — Ferner kommt ein in den üblichen Formeln gehaltener Auftrag[6] einer Frau(?) mit Namen und einer zugute.

4. Völlig abweichend vom Schema ist ein Eintrag, der ohne besonders aufnotierten Befehl beginnt[7]: „es war eine Zulage für die Beamten (*śrw*), Schwestern des Königs und die Insassen des *pr-mnʿ.t* an diesem Tage gemäß Befehl ..... für einen jeden davon aus jeglichem Rest in der Scheune des *pr-dw3.t*(?) und des ". Leider erfahren wir sonst gar nichts Näheres über diese Ausgabe.

5. Mehrfach werden die Handwerker ( ) in den Einträgen genannt. Sie sollen z. B. mit ihren Vorgesetzten, einem und einem , strittige[8](?) Rationen ausgehändigt erhalten[9]. Hier werden sie als zum [10] gehörig bezeichnet. Nach einem anderen Auftrag, dem einzigen, der die Speisen genau im einzelnen anweist, erhalten die „Werftarbeiter", eine besondere Zulage[11].

6. Als Einzelfall sei hier noch eine Spende (*fk3*) an verschiedene Bürger erwähnt[12], wohl in Gestalt einer Speisung, denn es heißt ausdrücklich, daß sie in der -Halle stattfand. Zugegen waren der , wohl eine Art Stadtältester, ferner ein „Gefolgsmann" (damals meist militärischer Titel) und „Bürger" , deren Zahl sich nach den Speisen auf etwa 20 schätzen läßt.

7. Die Gesandtschaft der Matoi. — Nur über wenige Ereignisse erfahren wir etwas Ausführlicheres im Papyrus. Da ist zunächst eine Gesandtschaft der nubischen

---

1) XXIV, 18—24; Übersetzung der beiden ersten Zeilen wohl: „Eingänge .... des Hauses der Königin ... (und zwar) für das Haus der Königin J." — 2) XV 3, 1—9. — 3) XXXIII, 14—20. — 4) ; die Übersetzung nur dem Sinn nach. — 5) Der Fürst von Hermonthis erhält einmal *fk3*, XXI 2, 14ff. — 6) XLI, 13ff; zum Namen vgl. Kairo 20313 mR. — 7) XXIII 2, 11—15. — 8) ; *tbj* ist mir sonst nicht bekannt. — 9) XXII, 13—20. — 10) Vgl. Tell-Amarna, Culte d'Atonou p. 119, 101 und 104, wo ebenfalls ein *ỉmj-ḫnt* mit Bauten und Handwerkern zu tun hat. — 11) XX 2, 13—22 und in der zugehörigen Bilanz XXI 2, 10. — 12) XXVI, 1—6.

Matoi, deren Verpflegung eine Reihe von Notizen beansprucht. Zuerst hören wir am 2. Tag des 3. *ꜣḫ.t*-Monats von einer Spende[1] [2] „aus dem *ḫnt*" für die [3] „Matoi, die mit gesenktem Haupt gekommen sind". Am folgenden Tag wird die Zusammensetzung der Gesandtschaft angegeben[4]; denn daß es sich wohl um eine solche und nicht um einen Trupp Polizisten o. ä. handelt, zeigt die für unser Aktenstück bemerkenswerte Umständlichkeit, mit der der Empfang hier geschildert wird: , was etwa „persönlich(??) empfangen und überbracht(?) von dem Schreiber des Veziers S." zu übersetzen sein dürfte. Darauf folgt die Liste : zwei *mdꜣj* „Große", ein *m.* „Gefolgsmann", ein *m.* „*ḥw*"(?), ein *m.* „kleiner Matoi" und drei „Frauen der Beamtenschaft(?)". Die Matoi werden zu zweien[5] auf die drei Speicherverwaltungen (*wʿr.t*) verteilt, und ihre Beköstigung wird mittels Umlaufbefehls (*snn*) bei den *wʿr.t* angewiesen[6]. Wie es aber zu allen Zeiten vorkommt, daß für dieselbe Sache von verschiedenen Stellen sich widersprechende Befehle ausgegeben werden, so geschah es auch bei der Verpflegung der Matoi: der Vorgesetzte des Schreibers *Rnf-m-ib* erteilte einen Auftrag ihre Beköstigung betreffend, der ganz andere Zahlen als die schriftliche Anweisung enthielt[7]. Welcher von beiden Befehlen zur Ausführung gelangte, könnte nur die leider gerade hier gänzlich zerstörte Bilanz zeigen, in der die Verpflegung der Matoi erwähnt ist[8]. Die bisher genannten und in Verpflegung übernommenen Matoi bildeten sozusagen den Stab der Gesandtschaft, während ihr Führer, der den fremden Namen führte, erst einige Tage später, am 18., eintraf[9]. Er wurde ebenfalls von einem Schreiber des Veziers abgeholt und durch schriftlichen Befehl der *wʿr.t tp-rś* zur Verpflegung zugeteilt[10]: (sic) „man halte (etwas) von den Eingängen[11] für den Grossen der Matoi *ꜣwšpkwj* bereit(?), wie . . . bei der Verwaltung des *tp-rś* (bis zu?) diesem Tage". Der Sinn dieses Zusatzes ist infolge einiger unsicherer Zeichen nicht ganz klar.

8. Auszug aus dem königlichen Tagebuch. Wie so oft bei Papyris liegt gerade an der Stelle, an der der Text abbricht, etwas besonders Interessantes vor. Bei unserem Text scheint an einer derartigen Stelle[12] — es ist am 4. Tag des 3. *ꜣḫ.t*-

1) XXVII 2, 17ff. — 2) wohl = ; vgl. die Schreibungen , Var. , Rec. de trav. XXVII, 227 und *ỉmjw ḫnwf*, Newberry, Beni Hasan I, 25. — Die hier aus dem *ḫnt* entnommenen Brote usw. erscheinen nicht in der Schlußabrechnung, weil das *ḫnt*, wie auch andere Einträge zeigen, nicht zum eigentlichen Ressort des Schreibers gehörte. — 3) Hier noch deutlich verbal; erst später wird der Ausdruck substantivisch. Hiernach scheint *m wꜣḥ dꜣdꜣ* eine bei Fremdenbesuch übliche Phrase zu sein. — 4) XXIX, 1—10. — 5) Hier sind es auf einmal 2 *šmśw*, während die Frauen fehlen. — 6) XXIX, 11—21. — 7) XXIX 2, 1—8. — 8) XXX 2, 10. — 9) XLIII 2, 1—3. — 10) XLIII 2, 4—14. — 11) NB! Im Text steht *ʿḳw* hier deutlich im Singular. 12) XXX 2, 13—20.

Monats — ein Auszug aus dem königlichen Tagebuch erhalten zu sein, der von einer Unternehmung des Königs berichtet. Die noch vorhandenen Zeilenanfänge lauten:

13 Jahr 3, 3. *3ḫ.t*-Monat, 4. Tag; sich begeben ....

14 an (auf) dem Tor des Königswegs im Palaste ....

15 fahren nach diesem Ort, *śrś*(?) ....

16 nordwärts segeln vor(?)[2] *wḏ3*(?) ....

17 landen[3] an diesem Ort zur Zeit des ....

18 [4] gemacht wurde dort ein Blutbad(?) mit (durch?) Holz(?) ....

19 [5] der Genosse *tp-ḥt*, landen bei der Insel(?) ....

20 lebend erwachen[6] an den Stätten des Lebens, Heils und der Gesundheit ....

Klar ist dabei nur, daß der König eine Fahrt zu Wasser unternimmt, irgendwo an Land geht und übernachtet. Als Zweck der Fahrt möchte man angesichts der Worte *ḫ3j.t* „Blutbad" und *tp-ḥt* (vgl. Abbott 5, 7, wo es etwa „Marterpfahl" bedeutet,) fast an eine Hinrichtung oder dergleichen denken. Aber für eine sichere Erkenntnis ist viel zu wenig erhalten.

Für diese Unternehmung wird am Tage vorher mittels Umlaufbefehls an die drei Speicherverwaltungen der nötige Proviant bestellt[7]. Zunächst soll ein für den folgenden Tag gebracht werden. *ḏrj.t* ist nach Gardiner[8] eine besondere Art Schlaflager (Gegensetz *ḥnkj.t* „Bett"), was ja an unserer Stelle im Hinblick auf das Übernachten des Königs gut passen würde. Vielleicht soll durch den sonst nicht belegten Ausdruck *r3 n ḏrj.t* alles (insbesondere auch die Speisen) bezeichnet werden, was zu einer Unternehmung mit Übernachten gehörte. *r3 n ḏrj.t* steht nämlich wie ein allen folgenden Speisen übergeordneter Ausdruck. Diese bestehen zunächst aus Früchten und Getreidearten: Art Feigen[9], (sic) Datteln, Weizen, Emmer[10]. Gemessen werden alle vier Fruchtarten nach *ḥk3.t*, und die Abgabe ist so geregelt, daß die Verwaltung des *tp-rś* jeweils doppelt soviel als die beiden anderen Speicher zu liefern hat. Zwei Brotarten

---

1) Wohl kaum „aufwecken", das fast stets mit an zweiter Stelle geschrieben wird. — 2) *tp m* sonst in Wendungen wie „vor jem. hintreten" (Bauer B 1, 74) gebräuchlich. — 3) *wd r t3*; ebenso Paheri 5, 3: . — 4) Oder , sicher nicht ; die ältere Form des Wortes ist *ḫ3j.t*, Schiffbrüch. 132. — 5) Oder ? — 6) Typischer Ausdruck für das Erwachen des Königs, vgl. Urk. IV 656, 13. — 7) XXIX 2, 1—19. — 8) Admonitions 7, 10, Kommentar S. 28. — 9) Übersetzung nach ϭⲉⲉϣⲓ = ὄλυνθος; *b33* wird zum Bierbrauen verwendet: Math. Rhind Pl. XVIII, 2. — 10) Diese vier Frucht- bzw. Getreidearten kommen seit alter Zeit häufig nebeneinander vor, z. B. Kairo, Grabstein 1653 aR. (nach Ermans Abschriften).

in Gefäßen (oder Maß?)[1] und „Feldbrot" beschließen die Aufzählung des Proviantes.

9. Der Besuch des Götterbildes von Medamot. Wie schon erwähnt, spielte in der Zeit unseres Papyrus der Tempel des Month in Medamot mit seinem Kultbild eine weit bedeutendere Rolle als der Amontempel in Theben. Aus mehreren, sich über drei Tage (vom 26.—28. des 2. *ꜣḫ.t*-Monats) erstreckenden Einträgen gewinnen wir ein recht anschauliches Bild von einem Besuch dieses Kultbildes am königlichen Hofe und den dazugehörigen Festlichkeiten. Eingeleitet wird der Besuch durch ein Opfer, das der Hof in Medamot selbst darbringen läßt: [2] [3]. Es besteht aus einem Ochsen, fünf *ʿꜣ*-Vögeln[4] und Weihrauch. Am gleichen Tage wird der *imj-rꜣ ʿḫnwtj n kp Kkj*, der im Gegensatz zu seinem Kollegen, dem mehrfach genannten Vorgesetzten des Schreibers, mehr den Außendienst zu versehen hatte, nach Medamot geschickt ( ), wohl um das Götterbild abzuholen; er erhält zu diesem Zweck eine besondere Verpflegung (*fkꜣ*) angewiesen[5]. Der folgende Tag ist schon im Datum als besonderer Festtag gekennzeichnet: „[es begeben sich] das Bild[6] des Month in Medamot und Harendotes zum Palaste"[7]. Das mitgenannte Kultbild des Harendotes wird außer hier und im folgenden Eintrag nicht erwähnt. Beide Kultbilder werden in der *wꜣḫj*-Halle aufgestellt, — das des Month ist von Frauen, dem Harem ( ) des Gottes, begleitet[8], — und von den Bauern ( ) werden Rinder zur Opferung herbeigebracht ( )[9]: für jedes Götterbild zwei, von denen je eins als „freiwillige Gabe", das andere als „befohlen" gekennzeichnet ist. Außerdem werden an die ganze Hofgesellschaft zu diesem Festtag besondere Zulagen verteilt[10]. Am folgenden Tag erhält derselbe Beamte *Kkj*, der das Götterbild abgeholt hatte, wieder eine besondere Verpflegung mit der Bemerkung: „siehe, er ist auf der Reise (oder Rückkehr?) nach Medamot begriffen"[11], d. h. um das Götterbild wieder zurückzugeleiten. Schließlich hören wir noch von einem letzten Opfer bei der Abreise des Götterbildes ( ); und zwar wird das nur aus Weihrauch bestehende Opfer hälftig auf die Abreise aus der *wꜣḫj*-Halle und die Ankunft im Tempel von Medamot verteilt[12].

Über ein anderes wichtiges, ebenfalls mit dem Gott Month zusammenhängendes Ereignis erfahren wir aus dem Papyrus interessante Einzelheiten: über das am 17. und 18. des 3. *ꜣḫ.t*-Monats gefeierte Fest des Gottes, zu dessen Ehren große Speisungen stattfanden. Doch um die hierzugehörigen langen Personenlisten in den richtigen Zusammenhang zu setzen, muß ich vorher die übrigen im Papyrus erhaltenen Listen kurz besprechen.

1) Ebenso z. B. Urk. IV 754, 11. — 2) Wohl ein Substantiv „Gabe" o. ä. — 3) XV 2, 1—5. — 4) ebenso nur in Inschriften Thutmosis III, z. B. Urk. IV 756, 2—3; dort sieht der Vogel taubenähnlich aus. Das Wort ist nicht mit „gewöhnliche Gans", z. B. Harris I 20 b, 9 zu verwechseln. — 5) XV 2, 6—13. — 6) Vielleicht der Stier, der auch in der Renovierungsinschrift des Monthemhet erwähnt wird: MARIETTE, Karnak 42, 25 ff. — 7) XVIII, 14. — 8) XIX 3, 11. — 9) XVIII 3, 15—23. — 10) Vgl. die Listen von XVI, XVII und XIX; im einzelnen siehe S. 65, c. — 11) XX, 15. — 12) XLII 2, 1—7; dieser Eintrag, vom Schreiber zuerst flüchtig auf die Rückseite notiert, stimmt wörtlich mit dem sehr zerstörten Eintrag XXI, 1—6 überein.

10. Personenlisten. Es sind vier Arten von Personenlisten zu unterscheiden:
a) eine für alle Tage gültige Liste[1],
b) eine Liste mit Verteilungsplan von Speisen an die engere Hofgesellschaft[2],
c) zwei die Verteilung der Zulagen beim Besuch des Kultbildes aus Medamot enthaltende Listen[3],
d) die die Speisungen am Monthfest betreffenden Listen[4].

a.

Diese Liste bildet mit dem oben[5] mitgeteilten Eintrag über die täglichen Eingänge zusammen den Rest der am Anfang des Papyrus außerhalb der Tagesnotierungen enthaltenen Notizen über das für alle Tage Gültige. Weitere derartige Einträge, vor allem Unterlagen für die täglich wiederkehrenden Posten der Bilanzen, müssen hier noch gestanden haben. In der Liste werden Getränke (wohl Bier) verteilt, auf die Person je ein Krug. Die Liste diente also wohl als Unterlage für die Bierzuteilung in einer der drei Ausgabenzeilen[6] der täglichen Schlußabrechnungen und enthielt demnach ausschließlich Personen, die zur täglichen Verpflegung am Hofe gehörten. Erhalten sind die Namen von vier Schwestern des Königs (Nebenfrauen) und fünf „Haushalten" ( ) anderer königlicher Schwestern. Diese Bedeutung von *ʿ.t* wird so zu erklären sein, daß einzelne Nebenfrauen des Königs eigene Wirtschaft führten. Einzelne Besitzerinnen solcher *ʿ.t* erhalten bei Festzulagen neben denen für ihr *ʿ.t* noch eine persönliche Zulage[7], von anderen, die nie besonders, sondern nur als Inhaberinnen des *ʿ.t* erwähnt werden[8], wird man annehmen müssen, daß sie selbst tot waren, ihre Wirtschaften (für die Kinder usw.) aber weiter bestanden und weiter vom Hofe ihre Bezüge empfingen. — In unserer Liste folgen auf die Nebenfrauen der , 2 , 5 , 2 und die beiden schon oft erwähnten . Diese Beamten werden also etwa das engere Hofpersonal gebildet haben und kehren in derselben oder ähnlichen Zusammenstellung auch in den anderen Listen immer wieder.

b.

Im wesentlichen sind es dieselben Personen wie in a, die hier eine besondere Zulage auf Grund eines kurzen, inhaltlosen Kabinettsbefehls[9] erhalten. An der Spitze steht diesmal die Königin[10]; ihr folgen der Prinz [11] und drei Prinzessinnen. Zwischen die Schwestern des Königs und ihre *ʿ.t* schieben sich noch zwei Frauen ein, die Gattin des Richters von Nechen und die eines *šmšw h3j.t*. Da sie an so hervorragender Stelle und vor ihren Gatten in der Liste stehen, werden sie wohl zur königlichen Familie gehört haben. Die Beamten sind fast dieselben wie in a, die Zulage erstreckte sich also nur auf den engsten Hofkreis. Zur Verteilung kamen Brot, Bier, *ḥr.t*- und *sšw*-Kuchen; nur die Königin, die das drei- bis fünffache der anderen erhielt, bekam außerdem Gemüse. Das Durchschnittsquantum der Zulage betrug 10 Brote, 1 Krug Bier und 1 *ḥr.t*- oder *sšw*-Kuchen, also üppig ist die Zulage nicht gewesen.

1) XIV, 1—24. — 2) XXVI, 10—22 und XXVII, 1—17. — 3) XVI—XVII und XIX 2, 1—25 und XIX 3, 1—14. — 4) XXXVII—XL (rechts) und XLV—XLVI. — 5) Seite 55. — 6) z. B. XXVII 2, 9—11, vgl. S. 58/59. — 7) z. B. XXVI, 19 und XXVII, 7 in derselben Liste. — 8) z. B. XXVII, 5. — 9) XXVI, 7—10. — 10) XXVI, 12; den Namen der Königin siehe S. 59. — 11) Die von Borchardt, Aegyptiaca S. 8, Anm. 1 gegebene und mir gegenüber von ihm mündlich so modifizierte Lesung scheint mir wegen der Stellung der letzten Zeichen und auch sonst äußerst unwahrscheinlich zu sein; vgl. auch den Namen XLVI, 9.

c.

Dieselbe Personengruppe (königl. Familie und einige Hofbeamte) bildet den mittleren Teil[1] dieser langen Liste, die die Verteilung der Zulagen anläßlich des Besuches des Götterbildes von Medamot[2] angibt. Voraus geht eine Reihe von zumeist höheren Beamten, die anscheinend nicht zu den täglich Verpflegten gehörten, sondern nur bei besonderen Gelegenheiten zur Hoftafel zugezogen wurden, bzw. eine besondere Verpflegung erhielten. Die Liste, der ein allgemein gehaltener Befehl voraufgeht[3], beginnt mit den Worten: „Liste der Beamten, denen (Speisen) an diesem Tage gemäß Befehl hingetragen wurden"[4]. Die Beamten sind folgende: der Vezier *ʿnḫw*[5]; drei „Siegelbewahrer"[6] und zwar der , der und der ; vier „*wʿrtw* (Art Vorsteher) der Tisch-(*ꜣṯ.t*)leute des Herrschers"[7]; drei ; ein „Wekil des Schatzmeisters"; ein (wohl ein militärischer Titel); ein „Berichterstatter" und noch mehrere zerstörte Titel. Außer bei den zuerst aufgeführten höchsten Beamten läßt sich eine Rangordnung der Beamten nirgends feststellen; besonders die , von denen 18 im Papyrus vorkommen, und die sind nach den Speisenzuteilungen ganz verschieden untergebracht; so erhält hier z. B. der eine der drei Großen der Zehnerschaften genau doppelt soviel wie seine beiden Titelkollegen. Zur Verteilung kommen Bier, Süßigkeiten (in -Gefäßen), Fleisch (in *pgꜣ*-Schalen) und Gemüse (in ). Bis zum *imj-rꜣ ḳn* erhalten die Beamten je eine Portion der vier Gerichte, von da ab nur Bier und Fleisch. Die Brote, die hier fehlen, erscheinen erst in der nächsten Spalte, die, wie schon gesagt, die Mitglieder der königlichen Familie und die Hofbeamten enthält. Die Königin steht (wie in b) mit ihren Bezügen wieder für sich; sie erhält als einzige Süßigkeiten, alle übrigen erhalten 10—20 Brote, 1—2 Krug Bier und 5 Portionen Fleisch (nach angegeben). Die dritte Spalte[8] bringt bei gleicher Speisenzuteilung eine Nachlese; am Anfang vier Frauentitel: „Sängerin", „Amme" und zwei sonst unbekannte: und [9]; am Schluß erscheinen auch die Musikanten, hier nur zwei Sänger . — Aber die Speisen scheinen nicht ausgereicht zu haben, denn am folgenden Tag findet abermals eine Verteilung statt, und diesmal sind es vor allem Frauen und Kinder, welche daran teilhaben[10]. Auf die übliche

1) XVII rechts. — 2) vgl. S. 63 ff. — 3) XV 2, 14—18. — 4) XVI, 1—2. — 5) Seine volle Titulatur im Papyrus ist: (XXXII, 2). — 6) Über diesen Titel, der lediglich einen Rang, kein Amt bezeichnet, vgl. Borchardt in Ä. Z. 28, 90—91. — 7) Vgl. dazu die Titel und , beide Kairo 20143, mR. — 8) XVII links. — 9) Ob „Spinnerin" von *šsn*? Vgl. die Schreibung Zauberspr. f. Mutter und Kind Rs. 6, 1. — 10) XIX 2, 1—25 und XIX 3, 1—14.

Einleitung des Befehls folgt hier: . In dem Relativsätzchen scheint mir ein Vorwurf des Vorgesetzten zu liegen: „denen man es schon gestern hätte hintragen sollen“[1]. Bei gleicher Speisenzuteilung wie in der Hauptliste sind hier verschiedene Frauen aufgezählt und teils als Mütter, Töchter oder Kinder von Beamten gekennzeichnet; auch werden noch ein paar Beamte nachgetragen. Im zweiten Teil fällt eine Dame auf, die genannt wird[2]; in einer anderen Frauenliste[3] dagegen erscheint sie als , aber nicht mit den übrigen Schwestern des Königs zusammen. Ob sie die wirkliche Schwester des Herrschers im Gegensatz zu den Kebsweibern war? Ein Teil dieser Frauen erhält auch am Monthfest laut besonderer Liste je einen Krug Bier[4]. Wir kommen damit zu

d.

den auf die Festspeisungen bezüglichen Listen, die das Hauptstück des Papyrus bilden.

11. Das Monthfest. Es sind jedesmal rund 70 Personen, die an den beiden Festtagen des Gottes Month an der Hoftafel verköstigt wurden. Beide Listen sind gleichmäßig überschrieben[5]: „die hereingeführt[6] wurden, um in der *w3ḫj*-Halle an diesem Tage zu speisen“[7]. Wieder ist also die *w3ḫj*-Halle der Raum für Festlichkeiten im Palaste. Merkwürdigerweise fehlt die königliche Familie hier gänzlich, und die sonst mit ihr im Zusammenhang genannten Hofbeamten sind unter die anderen ohne jede Hervorhebung eingereiht. Wie bei der vorher besprochenen Liste ist auch hier keinerlei System in der Anordnung der Beamten zu sehen. Nur eröffnen auch hier wieder der Vezier und die den Reigen. Letztere sind vermehrt[8] durch den [9] und den [10], der hiernach also am Monthfest zum befördert worden ist. Sein Nachfolger, ohne diesen Ehrentitel, ist in der zweiten Liste auch schon genannt[11]. Mit seiner Beförderung zum Siegelbewahrer muß also der seitherige seine Amtsfunktionen geändert haben. Außer den Trägern der schon bei der vorigen Liste genannten Titel — hier nur alle in größerer Anzahl — nahmen an der Festtafel noch mancherlei andere Beamte teil, deren Titel nicht auf allzugroße Vornehmheit schließen lassen, so z. B. mehrere , Vorsteher der Hundehüter“[12] und „Unteraufseher der Vogelhäuser“[13]; ferner treffen wir [14], dann verschiedene militärische Dienstgrade [15], , „Bogenschütze“[16], „Gefolgsmann“[17], *ḫrp*-‘[18] vielleicht auch hierzu gehörig und schließlich als Vertreter der Bürgerschaft vier [19] und einen Bürger

1) Vgl. das *nfr pw* im Pap. Westcar 11, 23. — 2) XIX 3, 7. — 3) XLIV, 17. — 4) XLIV, 1—18. — 5) XXXVII, 1 und XLV, 1. — 6) Vgl. *śt3* in ähnlicher Bedeutung Sinuhe 250/251. — 7) *wnm t3*, wie hebr. אָכַל לֶחֶם, allgemeiner Ausdruck für „essen“, ohne daß nur Brot das Objekt zu sein braucht. — 8) Vgl. Seite 65. — 9) XXXVII, 4. — 10) XXXVII, 6. — 11) XLV, 20. — 12) XXXVIII, 6. — 13) XXXIX, 3. — 14) XXXVIII, 9. — 15) XXXVIII, 12. — 16) XXXIX, 9. — 17) XXXIX, 11. — 18) XXXIX, 12. — 19) XXXVIII, 14.

[1]. Die Musik ist hier beim Fest reicher vertreten; am Schluß der ersten Liste finden wir drei [2] „Sänger, (die den Takt) mit der Hand (klatschen)" und „Sänger zur Harfe"[3] (die Zahl fehlt); zwischen beiden Musikantengruppen ist ein genannt, was vielleicht durch „Spaßmacher" zu übersetzen sein könnte[4]. Also für lustige Unterhaltung war bei dem Festmahl gesorgt. Dagegen mutet uns der Speisenzettel etwas dürftig an, wenn wir lesen, daß es auf den Kopf bei den Höheren 10, bei den Niederen 5 Brote und je einen *ḫfʿ*-Kuchen gab. Ein Getränk fehlte gänzlich, und nur der Vezier und der General erhielten eine Portion Süßigkeiten. Bei der Speisung am zweiten Festtag, zu der zum großen Teil andere Personen (ohne neue Titel) geladen waren, gingen wohl die Vorräte zu schnell zur Neige, denn die letzten erhielten hier nur noch zwei Brote (davon ein ) und einen Kuchen.

Da der gewöhnliche Verpflegungsfonds für zwei Speisungen so vieler Personen natürlich nicht ausreichte, war für die nötigen Lebensmittel schon vorgesorgt worden; der Schreiber bucht sie als „Mehreinnahmen des Monthfestes"[5]. Ferner gehören zu den auf das Fest bezüglichen Einträgen noch eine sehr zerstörte Liste, welche die an die kleineren Leute summarisch ausgeteilten Festzulagen (*fḳ3*, einmal [6]) enthält[7], eine Notiz über Ausgabe von Brot an Kinder[8] und eine infolge großer Lücken nicht kontrollierbare Berechnung des Restes[9]. In der Liste der Festzulagen sind die Handwerker ( und sic „die Handwerkerschaft, welche unter der Aufsicht des N.N. steht"), die Matoi und die Wächter ( ) zu erkennen. Sieben verschiedene Speisen kommen in verschiedener Verteilung zur Ausgabe. Dabei fallen die niedrigen Zahlen auf; z. B. erhält die Handwerkerschaft nur 5 Krug Bier, 1 *ḫfʿ*-Kuchen und 2 *ḥnb3š t3-ḥḏ* (Weißbrote aus irgendeiner Süßigkeit[10]). Die am Hof beschäftigten Arbeiter- und sonstigen Leutegruppen können also nicht sehr zahlreich gewesen sein. —

Ähnlich anschauliche Bilder wie von diesen Festspeisungen lassen sich für die alltägliche Verpflegung am königlichen Hofe aus dem Papyrus leider nicht gewinnen. Den täglichen Bilanzen entnehmen wir nur Summenzahlen, zu deren weiterer Verwertung die Kopfzahl der belieferten Personen nie angegeben ist. Von den drei täglich verpflegten Gruppen (kgl. Familie, Beamte und Gesinde[11]) erhalten bei geringen Schwankungen täglich die erste 625 Brote, 45 Krug Bier und 100 Bund Gemüse, dazu Süßigkeiten und *ḥr.t*-Kuchen, — die zweite 630 Brote, 61 Krug Bier und 50 Bund Gemüse, — die dritte von demselben 525, 38 und 50. Wenn wir also auch darauf verzichten müssen, aus dem Papyrus genaueste Detailangaben über die Naturalverpflegung am Königshofe zur Zeit des ausgehenden Mittleren Reiches zu er-

---

1) XXXIX, 14. — 2) XXXIX, 16. — 3) XXXIX, 20. — 4) XXXIX, 17; wohl zu „lachen" (Schiffbrüch. 149) gehörig; vgl. MARIETTE, Abydos II Pl. 29/30 (Stele des Neferhotep): sic „er beruhigte die Lacher (Spötter) in R." — 5) XXXV, 1 ff. und XLIV 2, 1 ff.; über die Zusammensetzung dieser Listen vgl. S. 56. — 6) Vgl. Ä. Z. 48, 31 ff. unter II b und II a (Schiffbrüch. 162). — 7) XL und XLI, 1—12. — 8) XL, 13. — 9) XL, 13—18. — 10) Vgl. Seite 56. — 11) Vgl. Seite 58.

halten, so lernen wir doch eine Fülle wichtiger Einzelheiten kennen, die den Papyrus Boulaq 18 als ein bedeutsames Dokument für die Wirtschaftsgeschichte des alten Ägyptens immer werden erscheinen lassen. —

Aus den nicht mehr einzuordnenden Fragmenten sei als interessante Einzelheit noch das Vorkommen der Stadt Cusae ([illegible]) hervorgehoben[1]; leider ist auch der nähere Zusammenhang im Text nicht mehr herzustellen. Die Stadt scheint zur Hyksoszeit die nördliche Grenzstadt des thebanischen Reiches gewesen zu sein[2].

Bemerkung: Während des Drucks bot sich die Möglichkeit, den gesamten Text als Beilage zu geben. Die dort neben den Tafelzahlen verwendeten durchlaufenden Abschnittziffern konnten im Aufsatz leider nicht mehr benutzt werden.

---

1) L, Fragm. Zeile 3; ebenso in der kleineren Handschrift Taf. IL, großes Fragm. Z. 6 und LIII, großes Fragm. links, letzte Zeile. — 2) Gardiner im Journ. of Eg. Arch. III (1916) Seite 95 (Carnarvon Tablet No. 1, Zeile 5 und 6).

# Ein historisches Datum aus der Zeit des Ptolemaios XI Alexandros.

Von WILHELM SPIEGELBERG.

Eine von REVILLOUT[1] im Auszug veröffentlichte demotische Stele des Serapeums von Memphis (no. 110) enthält am Schluß folgende Datierung

„Geschrieben im Jahre 15, das dem Jahre 12 entspricht, am 6. Mechir(?)[2] der Königin Kleopatra und des Königs Ptolemaios mit Beinamen Alexandros, als er[3] bei dem Heere in Pelusium war“.

Der gesperrt gedruckte Schlußzusatz *'w-f ḥr mtkte* (*n*) *Pr-'r*(?)-*'mn*(?), den REVILLOUT in seiner Übersetzung übergangen hat, bedarf einer kurzen philologischen Rechtfertigung. Das Wort *mtkte*. „Heer“ ist auch sonst bekannt[4] und findet sich in dem Straßburger Petubastispapyrus (Pap. Spieg.) in derselben Verbindung wie hier *Pr-'3 ḥr mtkte.t* „Pharao war bei dem Heere“. Der Ortsname, dessen sichere Lesung mir nicht geglückt ist[5], ist zweifellos identisch mit der im Mag. Pap. 1[3] genannten Stadt , in der GRIFFITH (Text z. d. St.) **перемотн** = Pelusium erkennen wollte[6], eine Vermutung, deren Richtigkeit unser Text zu erweisen scheint. Das Doppeldatum unserer Inschrift entspricht nämlich 103/2 v. Chr. In diese Zeit fällt der von Kleopatra gegen ihren abtrünnigen Sohn Ptolemaios X Soter II (Lathyros) unternommene Feldzug, mit dessen nomineller Leitung sie Ptolemaios Alexandros betraute. Nach BOUCHÉ-LECLERCQ[7] war die Basis der gegen Syrien gerichteten Operationen Pelusium und hier wird auch das Hauptquartier des Ptol. Alexandros gewesen sein. Damit würde der Datierungszusatz der Serapeumsstele auf das beste übereinstimmen und uns überdies lehren, daß der Sohn und Mitregent der Kleopatra am 6. Mechir des Jahres 103/2 v. Chr. in Pelusium bei dem von ihm kommandierten Heere war[8]. Welche weiteren historischen Schlüsse sich aus dieser Tatsache ergeben, mögen die Historiker entscheiden, für die ich freilich zum Schluß wiederholen möchte, daß der Name der Stadt Pelusium, so wahrscheinlich auch die Deutung des ägyptischen Stadtnamens ist, nicht über jeden Zweifel erhaben ist.

---

1) Revue égyptol. VII S. 167. — Die nicht von der Hand REVILLOUTS herrührenden Zeichnungen sind anscheinend gute Nachzeichnungen der Originaltexte. — 2) So wohl eher als Payni, wie REVILLOUT liest. Der Tag ist sicher der 6., nicht der 2. — 3) Nicht relativisch „welcher ..... war“. Das müßte nach dem bestimmten Beziehungswort durch die Relativpartikel *nt* ausgedrückt werden. — 4) Siehe Petubastisglossar no. 179 mit den sonstigen Literaturnachweisen. Das Wort ist in der Rosettana Z. 7 durch δύναμις übersetzt. Zu dem assyrischen Ursprung des Lehnworts siehe jetzt LIDZBARSKI, Ä. Z. 55 (1918) S. 93. — 5) Vielleicht ist mit GRIFFITH *Pr-'r?-'mn* zu transkribieren. — 6) Siehe dazu Ä. Z. 49 (1911) S. 84 Anm. 3 und GARDINER in Journ. Eg. Arch. V (1918) S. 255. — 7) Hist. des Lagides II 102, dessen antike Quelle ich freilich nicht ermitteln kann. JOSEPHUS (Ant. Jud. XIII 13[2]) enthält nichts darüber. — 8) Vgl. dazu die Wendung eines Präskripts (B. G. U. 993 = WILCKEN: Chrest. no. 107) ἐφ' ἱερέως τοῦ ὄντος ἐν τῶι τοῦ βασιλέως στρατοπέδωι 'Αλεξάνδρου καὶ θεῶν Σωτήρων etc.

# Horus als Arzt.

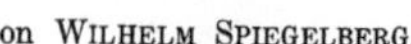

Von Wilhelm Spiegelberg.

Diodor berichtet (I, 25)[1], daß Horus als Sohn seiner heilkundigen Mutter Isis auch als Arzt gewirkt habe. Diese ärztliche Tätigkeit des Horus läßt sich schon für die ältere Zeit[2] aus einem noch unveröffentlichten Ostrakon der Straßburger Sammlung nachweisen (H 111). Es ist ein großer Scherben, der in der schönen Unziale der Ramessidenzeit den folgenden Text enthält. Leider fehlt links ein erhebliches Stück, und nur die ersten vier Zeilen sind vollständig

## A. Umschrift.

1 [hieroglyphs]

2 [hieroglyphs]

3 [hieroglyphs]

4 [hieroglyphs]

5 [hieroglyphs]

6 [hieroglyphs]

7 [hieroglyphs]

8 [hieroglyphs]

9 [hieroglyphs]

10 [hieroglyphs]

11 [hieroglyphs]

12 . . . . . . . . . . . . . . . . . . . . . . . . . . . . . . . . .

## B. Übersetzung.

[1]Die Worte des Horus wehren den Tod ab, indem sie den am Leben erhalten, [2] der eine enge Kehle hat[3].

---

1) τόν δὲ Ὧρον μεθερμηνευόμενόν φασιν Ἀπόλλωνα ὑπάρχειν, καὶ τήν τε ἰατρικὴν καὶ τὴν μαντικὴν ὑπὸ τῆς μητρὸς Ἴσιδος διδαχθέντα διὰ τῶν χρησμῶν καὶ τῶν θεραπειῶν εὐεργετεῖν τὸ τῶν ἀνθρώπων γένος. — 2) Wie ich Gardiners vortrefflichem Aufsatz über „Magic" (in Hastings Encyclop. of Religion and Ethics) S. 268 no. 10 entnehme, führte Horus vor Letopolis ein Epitheton „Oberarzt im Hause des Rê" (Pap. Turin 124 [5]). — 3) D. h. schwer atmet, wohl ein Ausdruck für den schwer Kranken, der nach Luft ringt. So sagt der unter dem

3 Die Worte des Horus beleben aufs neue, indem sie die Jahre dauerhaft machen (o. ä.) für den, der ihn anruft.
4 Die Worte des Horus löschen das Feuer[1]. Seine Sprüche machen den Fiebernden(?) wieder gesund.
5 Die Worte des Horus retten jenen Mann, dessen Geschick hinter(?) [ihm][2] steht.
6 Die Zaubereien (Magie) des Horus wehren Bögen ab, indem sie Pfeile umkehren lassen.
7 Die Zaubereien des Horus wehren die Wut ab, indem sie beruhigen(?) [. . . . . . . .
8 Die Zaubereien des Horus machen die durch ihn(?) Erkrankten wieder gesund [. . . . . . . .
9 Die Zaubereien des Horus besänftigen die Glut[3], indem sie wegnehmen [. . . . . .

Die nächsten Zeilenreste lasse ich unübersetzt. Aus den gut erhaltenen Teilen des Textes ist die Rolle des göttlichen Arztes (Z. 1—5. 8. 9) mit aller Deutlichkeit zu ersehen. Der Text selbst sieht aus wie eine Empfehlung (Reklame) von Zaubersprüchen des Horus, die wohl ein „Zauberpapyrus" enthielt, auf den die Aufmerksamkeit gelenkt werden sollte. Beachtenswert ist die Unterscheidung der „Worte" (*md.w*) und der „Zaubereien" (*ḥkꜣ.w*), die ersteren werden Zaubersprüche, die letzteren mögen Zauberriten sein, und beide nehmen die Autorität des Gottes Horus für sich in Anspruch.

---

# "FINGER-NUMBERING" IN THE PYRAMID TEXTS.

By BATTISCOMBE GUNN.

---

In a recent volume of this periodical[4] Professor SETHE discusses at length the remarkable rhyme for counting on the fingers which concludes the long spell (B. D. 99, Introduction) published by GRAPOW from Middle Kingdom coffins Urk., V, 146—80. This "Spell for obtaining a Ferry-boat" commences with sentences which, as GRAPOW points out[5], are nearly identical with the commencement of Pyr. Spell 359 (also of Spell 475) and which conclude as follows in both cases (Urk., V, 147/4—5 = Pyr., 594 *b*—*c*): "The Eye of Horus will(?) leap up[6] and fall[7] on the eastern side of heaven,

Zorn der beleidigten Gottheit leidende (offenbar mit Krankheit gestrafte) Neb-Re (Stele Turin 102 — ERMAN: Denksteine in Sitzber. Akad. Berlin 1911 S. 1098 = Maspero: Recueil II 109) „ich rief der Luft, (aber) sie kam nicht zu mir" bis die Göttin sich schließlich erbarmte und „mit süßer Luft" zu ihm kam. Der Ausdruck auch MÖLLER: Lesestücke II Tafel 31[2].

1) Das „Feuer" wird hier die Fieberglut bezeichnen. — 2) Kann die Präposition *ḥꜣ* vor Suffix *ḥꜣj-f* (lies *ḥêjef* < ϩηϥ) lauten? Danach würde ich, ergänzen. Der Sinn würde sein „der vom Tode bedroht ist". — 3) *wsr.t* wird wohl ähnlich wie *ḫt* die Fieberglut des Kranken bezeichnen. — 4) ÄZ., 54, pp. 16 foll. — 5) Urk., V, German text, p. 56, footnote 10. — 6) *Śtp*; not "wandeln" as translated by GRAPOW; the king jumps up and places himself on the wing of Thoth, Pyr., 387; the lynx-goddess leaps upon the snake's neck, 438; the king leaps up to heaven, 980; the evil-doing god shall not jump over(?) his *ỉbt*, 485; Gēb has not jumped over(?) his *ỉbt*, 1321; obscure 676a. For *śtp* of a male animal "jumping upon" *i. e.* covering the female, GARDINER refers me te Zeitschrift, 38, pl. V (pp. 94—5), passim (O. K. relief). — 7) *Ḫr* seems in the Pyramid version to be used in the verbal form described ERMAN, Grammatik (1911), § 284.

(Pyr: on yonder side of the *Ḫꜣ* Canal) that she may safeguard herself from Sēth". It is to this "eastern side" that the deceased wishes to cross by ferry (Urk., V, 149/9, 165/17). Follows the lengthy dialogue in which first *Mꜣ-ḥꜣ.f* and later *ʿḳn* delay the "magician", i. e., the deceased, with a number of objections and questions which are satisfactorily met; the last of these is the statement by *ʿḳn*: "This august god will say: "Hast thou brought me a man who cannot number his fingers?," — to which the "magician" retorts by repeating the rhyme in question.

Now neither SETHE nor GRAPOW appear to mention the fact that Pyr. Spell 359, which begins in the same way as B. D. Spell 99 (Introd.), and which is also a spell for transportation by *Mꜣ-ḥꜣ.f*, contains an allusion to this matter. §§ 599*a*—601*a* may be translated as follows: "Rēʿ! commend K. to *Mꜣ-ḥꜣ.f*, the ferryman of the *Ḫꜣ* Canal, that he may bring him that ferry-boat of the *Ḫꜣ* Canal wherein he transports the gods to yonder side of the *Ḫꜣ* Canal, to the eastern side of heaven, so that he may transport K. to yonder side of the *Ḫꜣ* Canal, to the eastern side of heaven! [hieroglyphs] This P. is in charge(?) of the Eye of Horus which is his own[1]; *this P. is going to*[2] *the numbering of fingers*"[3].

My inference from this passage is that there is to be a "numbering of fingers" on the other side of the water, and that one of the deceased King's objects in crossing the *Ḫꜣ* Canal is to take part therein. If this view is correct it shows that the reason for *ʿḳn*'s speech, quoted above, is that the "august god" will be displeased with him if he brings over a man who is not qualified for this rite or test. The motive for the "numbering of fingers" remains, however, obscure. It seems to be closely connected with the Eye of Horus; both spells begin with the reference to the retreat of the Eye which I have quoted, and which seems to contain the reason (or the pretext) for the deceased's journey; in the Pyramid spell the gods and the deceased are said to cross in order to "converse with Sēth on behalf of (*ḥr*) this Eye of Horus"; the Eye is further the theme of the sentence (Pyr., 600*c*) immediately preceding "this K. is going to the numbering of fingers", and of the finger-rhyme itself. One is involuntarily reminded of the mathematical properties of the *Wḏꜣt*; also of the connection of Thoth (who is mentioned Pyr., 594*d, f*) with the Eye on the one hand and with all forms of "learning" on the other.

---

1) I deal with the word *śwtt* elsewhere. — 2) That the not uncommon idiom [hieroglyphs] X [hieroglyph] Y "X is going to, is bound for, Y" (cf. ERMAN, Neuäg. Gramm. § 181) is present here seems clearly shown by the parallel sentence in the same spell (598a): "He is bound for (*ỉw.f ỉr*) that Palace of the Lords of Ka's in which Rēʿ is adored". — 3) The writing of this word (exactly as in 1302*c*; cf. also 292*a*, 1983*c* 1999*b*, etc. ) makes it extremely unlikely that "tens of thousands" is meant.

# Die Determinative des sprechenden Mannes und der Buchrolle in den Pyramidentexten.

Von H. WIESMANN.

Die sogenannten Pyramidentexte weisen bekanntlich eine eigentümliche Schreibweise auf. Insbesondere kennen sie das später herrschende System der allgemeinen Deutezeichen nicht, sondern geben den einzelnen Wörtern ihre eigenen Determinative. So finden auch die Determinative [1] und in ihnen eine viel eingeschränktere Verwendung als in späteren Schriftwerken. Im folgenden wollen wir nun die Wörter zusammenstellen, die mit diesen Zeichen versehen sind[2]. Da die Setzung der Determinativa in den Texten, auch derselben Pyramide, nicht scharf durchgeführt wird, so werden die Stellen einzeln angeführt. Daraus ergibt sich dann die Häufigkeit ihres Vorkommens.

## I. Das Determinativ .

*dürsten* 382b (P), 696d (N).

Bedeutung? 1492a.b, 1493a.b, 1494a.b, 1495a.b (P). — Ob Determinativ ist?

1102a (N) Bezeichnung einer Person, vielleicht Ableitung von einem Verbum .

Bedeutung unsicher 367a (N); was hier soll, ist völlig unklar.

*schlucken* 1229a (PMN), 1417b (N), 1450b.d (P). — 1417b (M).

*essen* 1941a (N), 2143a (N). — 61a (N), 88c (N), 566c (P), 807c (M), 1218a (M), 1440a (PM), 1674c (M). — 129a (M), 966d (?M), 1226c (M), 1450d (M). — 128a (M), 129a (M), 131a (M), 133e (M), 551d (M), 553d (M 2mal), 555e (M), 560e (M), 566e (M), 789c (N), 807c (N), 937a (M 2mal N), 966d (N), 1200a (M), 1217c (MN), 1218a (MN 2mal), 1674c (N), 1939b (N), 2083a (N). — 553d (N). — 128a (N), 129a (N 2mal), 131a (N), 133e (N), 551d (N), 553d (N), 555e (N), 560c (N), 564b (N), 566c (N), 937a (N), 1200a (N), 1226c (N).

1) steht hier für die verschiedenen in den Pyramidentexten gebräuchlichen Zeichen des Mannes mit der Hand am Munde, die typographisch nicht wiedergegeben werden können. — 2) Auszuscheiden sind von vornherein die Wörter, deren Determinativ das abgekürzte Zeichen des Kindes ist, wie *nḫm Kind, jung sein* 548b (MN), 1214c (PMN), 1320c (P), 1701b (MN), *ḥꜥꜣ jung* 1104c (MN), 1105ac (MN), 1225b (PMN) *ḳwn Jüngling* 803e (M), 1718a (M), *ẖrd Kind* 1214c (PMN), 1320c (P), vielleicht auch *śnḫ aufziehen* 465b (N), 1111b (N), 1966b (N).

*recht* 1047a (M). — 1194b (M). — 1002b (M), 1003b (M). — 1194b (N).

*essen* 1722b (M). — 1717c (N). — 803b (M 2mal), 805d (M).

*kauen* 1460b.c (P 2mal M).

*entwöhnen* 2003c (N), 1344b (P).

*Überfluss haben* 1722a (N 2mal). — 1557a (P). — 805d (N). — 805d (M).

*beissen, essen* 123i (PN).

*rufen* 1719c (M), 1947b (N).

*schreien* 1771b (N).

*trinken* o. ä. 123i (P).

*hungern* 131a (MN), 551a.d (MN), 552a.c (MN), 553a (M), 696c (N 2mal), 893c (PN 2mal), 1376b (PM 2mal N 2mal), 1513c (P). — 893b (M 2mal).

*sich sättigen* 551c (MN), 551e (M), 854b (N), 1701b (N). — 551e (N).

*schreien* 1366a (P). — 872a (M), 884b (P). — 872a (N). — 884b (M).

*Fütterung* 123h (P).

*aufziehen* 465b (N), 1111b (N), 1966b (N).

*Nahrung* 1717c (N); vgl.

*sättigen*(?), *erfreuen*(?) 1148c (M).

*Streit* o. ä. 1463c (M).

*bejammern* 872a (M).

Das Determinativ findet sich also in den Pyramidentexten 147 (bzw. 137) mal und zwar bei 24 (bzw. 23) Wörtern: bei P 28 (20), bei M 55 (54), bei N 64 (63) mal, bei W und T (den ältesten Texten) kommt es nicht vor. ist das Determinativ des Essens, so findet es sich bei *wnm*, *ʿmj*, *wšb*, *šbw*, *wgj*, *psḥ*, *śꜣj*, *šnmw*, *śnḫ*(?). Daran schließt sich auch wohl *bʿḥ*; *wnmj* ist durch *wnm* beeinflußt. *ḥḳr* wird wohl als ein zu *wnm* gegensätzlicher Begriff mit dem gleichen Determinativ versehen; ebenso vielleicht *wdḥ*. Bei *ỉbj* (*dürsten*) steht wohl statt des Mannes, der einen Becher am Munde hält, ebenso wohl bei *ndbdb*. Bei *njś*, *nhm*(?), *śbḥ*, *šnṭ.t*, *dśw* steht wohl statt oder bezeichnet vielleicht schon den Übergang zu dem später erweiterten Gebrauch. Bei den noch übrigbleibenden Wörtern entzieht sich das Determinativ einer Erklärung.

## II. Das Determinativ .

*Darreichung, Opfer* 399d (T), 1059c (P).

*verklärt* 813d (P).

*einführen* 1060a. b (P).

*zählen* 580a (TMN), 582a (TPM), 587a (TPN), 589a (TM), 590b (TM), 591c (M), 602a (TPN), 609b (T), 612a (TM), 615c (TM), 766d (P), 767a (P), 823d.e (PM), 895b (P), 1287a (P 2mal), 1297c (P), 1523c (P 2mal), 1524b.e (P), 1537a (P), 2084a (N).

*Auftrag*, *Bote* 333c (W), 400b (T), 429c (WT), 660b (T 2mal), 687d (T), 1195b (P), 1252b (PN), 1254d (PN), 2000b (N), 2095a (N). — 400b (W), 1195b (MN), 1252b (M), 1254d (M). — 920a (P). — 920a (N).

*Zeremonie* 760a (N), 1191b (PMN).

*Tat*, *Untat* 298b (WT). — 414b (WT).

*Urkunde* 275e (T 2mal), 286a (T), 408c (W), 467c (WN), 1519 (P).

*abschütteln*, *räumen* 747b (T), 1481b (PMN).

*befehlen*, *Befehl* 491a (W), 1452a.c (P), 1470a (P), 1480c (P), 1481a (P), 1482a.c (P). — *Befehl* 1458e (PM).

*richten* 289c (T), 347b (T). — 1406a (N), 1564b (N).

*Neues* 304b (T).

*Wort*, *Rede* 218d.e.f (N), 251c (N), 254a (N), 289c (W), 318b (W), 333c (T), 347b (T), 399a (WT), 485c (P), 511c (WT 2mal), 573b (N), 712c (N), 713a (N), 731c (TN), 770d (PMN), 829b (MN), 836b (MN), [866c (M)], 871d (N), 873b (N), 938b. d (N), 1093d (P), 1127a (P), 1161a (N), 1166b (N), 1189f (N), 1406a (N), 1564b (N), 1558b (PN), 1688a (M), 1714a (N), 1761a (N), 1934c (N), 1993b (N), 2037b (N), 2040a (N), 2046b (N), 2088b (N), 2104 (N), 2110d (N), 2173b (N). — 273a. b (W), 462a (W), 462c (WN), 573b (T), 868c (M), 1523a (P), 1564b (P). — 871d (M), 873b (M), 1161a (P). — 866c (N), 1444b (PM), 1445a (M), 1446a (M), 1447a (M), 1461a (PM). —

347b (T), [573b (P)], 712c (TP), 713a (T[P]), 866c (P), 868c (P), 1166b (P), 1168c (P). — 289c (T). — *Wortlaut* 646c (P).

*Aktenstück* 491b (W).

*anpassen* o. ä. 644a (T).

*einschreiben, sich dienstbar machen* 311a (W), 512a (W). — 311a (T), 512d (T 2 mal). — 315b (T).

*Festbedarf* 1961b (N).

*zählen* 409b (WT).

*Speise, Opfer* 133c (N), 508b (W), 2068b (N). — (*ḥtp*) 133c (WTM), 1158b (P), 1775a (N). — (*ḥtp.t*) 34d (W), 517a (W), 1769b (N). — 34c.d (W 5 mal), 399c (WT), 698c (P), 814a (PM), 914a (PN), 1158b (N), 1220c (PMN), 1487c (P), 1554b (P), 2039 (N), 2040c (N).

*Zauber* 397b (T), 403c (WT), 410c (T), 411b (WT), 924b (P 2 mal N), 1318c (P), 1324b.c (P), 2029c (N), 2030a (N 2 mal).

Bedeutung? 267a (W).

*verherrlichen* 925a (P).

*überantworten* 380a (W), 1191c (PMN), 1192b (MN). — 380a (P). — 380a (M), 1471b (P).

*Zurüstung*? 1961b (N).

*Bestallung, Ernennung*(?) 1780c (N).

*Futterwesen, Futterliste* o. ä. 120c (W). — 123b (T).

*Schrift(stück), Urkunde* 467b (WN), 475b.c (WN). — 1519 (P).

*anpassen*(?), *schminken*(?) 55c (N).

*erretten*(?) 514d (W).

*Annalen* 1160a (PN).

*Wesen, Art* 296b (T).

*zählen, Zahl* 179c (W), 601a (TPN), 1109c (P), 1726c (M).

*bunt sein* 702b (T).

Das Determinativ findet sich also in den Pyramidentexten 274 (bzw. 271) mal und zwar bei 34 Wörtern: bei W 40, bei T 51, bei P 73 (bzw. 71), bei M 35 (bzw. 34), bei N 75 mal. Es bezeichnet ursprünglich „Schriftstück“, „Buch“; so findet es sich bei ꜥ, *mḏꜣ.t, sẖ, gn.t.* Daran schließen sich Ausdrücke, die regelmäßig oder häufig als schriftlich abgefaßt gedacht werden, wie *ỉp.t, wḏ* (Subst.), *wḏ.t, mdw, ḥkꜣ, šmnw*; ferner Kanzleiausdrücke wie *ỉbs, ỉp, wḫꜣ, wḏ* (Verbum), *wḏꜥ, ḥsb, šip, ṯnw*, wozu vielleicht auch *ꜣw.t, ỉrw, ỉr.t, nḥb, ḥbj.t, ḥtp, ḥtp.t* gehören. In *ṯmś* ist das Determinativ durch beeinflußt worden. Bei einigen Wörtern wie *śꜣ, šiš, śmś* entzieht sich das Determinativ vielleicht deswegen einer Erklärung, weil uns ihre Bedeutung völlig unbekannt ist; bei anderen wie *ꜣḫ, mdd, śꜣḫ, śdm(j), śḏꜣ, ḳd* wohl deshalb, weil wir deren genauen Sinn an den betreffenden Stellen nicht erfassen. Auffallend ist bei *mꜣw.t*.

---

# Kurznamen auf *j*.

Von Kurt Sethe.

---

Zu den Kurznamen des NR auf , die ich Ä. Z. 44, 89 besprochen habe und die Erman ebenda S. 107 durch den Nachweis des aus „Herrin der Sykomore“ abgekürzten Frauennamens vermehrt hat, kann ich jetzt eine Reihe entsprechend gebildeter Namensabkürzungen aus dem AR fügen, bei denen die Endung *j* regelmäßig nach älterer Weise geschrieben ist. Auch hier ist es meist ein Gottesname oder etwas dem Gleichartiges (Königsname, *kꜣ* „Schutzgeist“), was bei der Abkürzung unterdrückt wird, und dieses unterdrückte Element kann ebensogut am Anfang wie am Ende des Vollnamens stehen.

Inhaber des bekannten Grabes bei Sakkara.

Brit. Mus. Eg. Stelae I 54.

Ann. du Serv. 16, 209.

Lacau, Sarc. ant. au Nouv. emp. I 26.

Petrie, Dendereh 2.

(*Kꜣ-j-pw-n-św.t* „mein Schutzgeist ist der König“), genannt auch , Mastaba bei Gise, von Junker ausgegraben (nach Phot.).

(*Irj-n-ꜣḫ.tj* „vom Horizontbewohner geschaffen“), genannt auch , Mastaba bei Gise, von Steindorff ausgegraben (nach Phot. Leipzig 1945).

[Hieroglyphen] Ann. du Serv. 15, 214; var. [Hieroglyphen] ib. 222. 227. 238. 257.

[Hieroglyphen] Ann. du Serv. 15, 225.

[Hieroglyphen], genannt auch [Hieroglyphen] LEPS. Denkm. II 111 c. d; beide Namen zusammen als [Hieroglyphen] neben dem Staatsnamen [Hieroglyphen] ib. 111 i.

[Hieroglyphen] LEPS. Denkm. II 110 k, berichtigt nach Abklatsch. Zum Namen *Kꜣ-wḥm* vgl. ib. 105 a. 110 h.

[Hieroglyphen] MAR. Mast. D. 65 (vgl. dazu Ä. Z. 46, 109).

Aus diesen Beispielen ist zugleich ersichtlich, daß diese auf Abkürzung beruhenden Namen für den Ägypter unter die Bezeichnung „der schöne Name" fielen im Gegensatz zu dem „großen Namen", wie man den Vollnamen bezeichnete. Das stimmt dazu, daß auch die rein lautlich, ohne jede Etymologie gebildeten Kosenamen der Form [Hieroglyphen], [Hieroglyphen], [Hieroglyphen] im AR als „schöner Name" bezeichnet zu werden pflegen.

Eine jüngere Form eines solchen Kurznamens, die sich hinsichtlich der Schreibung der Endung *j* den eingangs erwähnten Namensformen des NR an die Seite stellt, hat man wohl in dem auf Särgen des MR aus Siut begegnenden Frauennamen [Hieroglyphen] CHASSINAT-PALANQUE, Fouilles d'Assiout 176 zu erkennen, den man auch ohne die Variante [Hieroglyphen] Ann. du Serv. 16, 82 mit dem Namen des Ortsgottes *Wp-wꜣw.t* zusammenbringen würde. Es ist offenbar ein Kurzname wie [Hieroglyphen], [Hieroglyphen], d. h. ein Name, bei dem nicht der Gottesname, sondern die mit diesem verbundenen anderen Elemente des Vollnamens unterdrückt sind. Wie [Hieroglyphen] für [Hieroglyphen] steht (z. B. von König Amenemmes II.), so könnte auch dieses *Wpꜣj* für [Hieroglyphen] (vgl. CHASSINAT-PALANQUE a. a. O. 232) o. ä. stehen.

# Ein Kultbild des Hermes-Thot.

Von F. W. von Bissing.

Die Frage nach der Wirkung des Griechentums auf die religiösen Vorstellungen der Ägypter ist noch recht strittig. Otto (Priester und Tempel im hellenistischen Ägypten I, 15 f., II, 220 f.) äußert sich schwankend, neigt aber zur Ablehnung griechischen Einflusses in der Stärke, wie sie Reitzenstein in seinen Arbeiten voraussetzt. Schubart in seiner feinen Skizze in der Einführung in die Papyruskunde S. 338 spricht von einem Sieg der ägyptischen Götter. Weber hat im Katalog der graeco-ägyptischen Terrakotten des Berliner Museums ein reiches Material für den Einfluß der griechischen Kunst auf die Darstellung ägyptischer Gottheiten beigebracht. Man gewinnt den Eindruck, als habe Guimet Recht, wenn er in seinen Aufsätzen über die „Isis Romaine" und den „Dieu aux bourgerons" in den Comptes rendus de l'Académie des Inscr. 1896 auf den römischen Charakter der Typen nachdrücklich hinweist. Die äußere Erscheinung dem Bilde gleich zu machen, das seine Verehrer sich von dem Gotte geschaffen haben, mithin dies Bild lebendig zu machen, zeitgemäß, wie es griechischer Brauch immer gewesen ist (man denke nur an den Gegensatz von Pheidias und Praxiteles) lag dem alten Ägypter durchaus fern. Sein Amon oder Osiris, seine Isis oder Hathor blieben, von Unwesentlichem abgesehen, immer dieselben. Jetzt greift Isis zum Ruder als Herrin der Seefahrt, schwingt Anubis-Hermes als Psychopompos den Caduceus.

Ich glaube nun, für diese Belebung in einer aus Ägypten stammenden kleinen Gruppe einen neuen Beleg aufzeigen zu können.

Das Denkmal ist aus gelblichem, feinkörnigem Marmor, wohl von den griechischen Inseln, gearbeitet, mißt 0,34 m Höhe einschließlich der 0,025 m hohen Plinthe. Die Ausführung ist flott, wenn auch nicht besonders fein. Die Plinthe ist rauh behauen, verbreitet sich nach rechts, so zwar daß der vordere Rand dem Rand des auf ihr stehenden Pfeilers parallel läuft, während der hintere Rand schräg ausweicht. Links (wie stets vom Beschauer gemeint) ist die Plinthe vollständig, obwohl der Rand des Pfeilers etwas über sie vorspringt, rechts ist sie abgebrochen. Die Plinthe war offenbar eingelassen und nicht sichtbar.

Der Pfeiler erhebt sich am äußersten Rand der Plinthe, weist eine profilierte Basis und ein ebensolches Kapitell auf. Er verjüngt sich leise nach oben, das Kapitell erscheint etwas nach rechts gedreht. Die vier nur unbedeutend beschädigten Seiten des Pfeilers sind mit gleicher Sorgfalt geglättet. Auf der Vorderseite zwängt sich in die Fläche in ziemlich starkem Hochrelief die Figur eines nach rechts ausschreitenden Ibis. Auf dem Kapitell sitzt ein Mantelpavian; auch er ist deutlich nach rechts gewandt, am stärksten der Kopf, bei dem die Drehung allerdings durch das Wiederaufsetzen etwas verstärkt sein mag: die Zotteln des Kragens scheinen sich nicht ganz genau über den Bruch weg fortzusetzen und im Rücken schließt der Bruch nicht völlig. Der Affe stützt die Arme auf die hochgezogenen Kniee und hält in den Pfoten eine Buchrolle, auf deren geöffneter Fläche Buchstaben jedoch nicht sichtbar werden[1]. Auf dem Kopf des Affen sitzt eine Scheibe, an deren Vorderseite ein mächtiger Uräus sich aufrichtet mit einer kleinen Scheibe zwischen zwei Hörnern, nach ägyptischer Symbolik dem Schmuck der Isis-Hathor, die ja auch als Schlange in der Spätzeit erscheint[2].

Auf der Rückseite der Scheibe des Affen ruht eine verhältnismäßig große, menschliche rechte Hand. Sie berührt die Scheibe ohne sie zu fassen. Die Person, zu der sie gehörte, muß etwas rückwärts neben dem Pfeiler gestanden haben. Der Armansatz ist erhalten, ferner an der rechten hinteren Ecke des Kapitells ein schräg nach rückwärts gehender Ansatz, dessen vordere Kante ebenso wie die obere und untere gut erhalten sind. Die oberste Spitze steht ein wenig höher als der Rand des Pfeilerkapitells. Man wird darin eher einen Puntello als einen Gewandzipfel zu erkennen haben. Die rechte Seite des Affen war teilweise verdeckt, denn während links die Mantelmähne völlig ausgearbeitet ist, ist rechts eine rauhe Fläche hergestellt, die nur vorn Angabe der Zotteln aufweist. Auf der Plinthe ist leider keine Spur erhalten, die über die Standart der verlorenen Figur Aufschluß gäbe. Der allgemeine Befund läßt annehmen, daß sie aufrecht, seitlich, etwas nach rückwärts geschoben stand. Wen stellte diese Figur dar? Sie muß in unmittelbarer Beziehung zu dem Affen, wie zu dem Ibis sich befunden haben. Beides sind die Verkörperungen oder heiligen Tiere des Gottes Thot. Und zwar vor allem des Thot von Hermupolis-Aschmunein. Münzen dieses Gaues aus römischer Zeit zeigen einen stehenden Mann mit ägyptischem Götterdiadem und Caduceus, einmal auch wohl (unter Trajan) mit der Börse, auf der Hand einen hockenden Pavian mit Scheibe, vor dem Mann (in dem Hermes-Thot zu erkennen ist) auf einer Basis einen Ibis. Auf anderen Gaumünzen erscheint der Ibis neben einem bärtigen Kopf mit ägyptischem Götterdiadem, auf anderen wieder der hockende Pavian allein mit der Scheibe[3]. Nach Herodot II 67 wurden die Ibisse in Hermupolis begraben, die Nekropole der heiligen Affen hat man bei Tuna unweit Hermupolis gefunden[4]. Freilich erscheinen Ibisse in später

1) Natürlich besteht die Möglichkeit, daß die Buchstaben aufgemalt waren. Anzeichen für eine Bemalung sind aber nirgends vorhanden. — 2) Vgl. Roschers Lexicon s. v. Isis S. 447. Weber, Terrakotten S. 46. Erman, Ägypt. Religion² S. 246. — 3) de Rougé, Monnaies des nomes de l'Egypte S. 25 ff., Taf. I, 15. — 4) Annales du service des antiquités I, 74 f. Für weitere Affennekropolen bei Theben aus später Zeit s. Lortet-Gaillard, La faune momifiés I, S. III f.; II, S. 239 ff. Lehrreicher Weise gehört die Affennekropole zu einem Heiligtum, in dem Thot ausdrücklich als der Ibis benannt wird — so verwischt waren die ursprünglichen Unterschiede in hellenistischer Zeit.

Zeit auch in Heiligtümern, die nicht unmittelbar zu Thot in Beziehung stehen[1], aber die Vereinigung von Ibis und Affe weist doch deutlich auf diese eine Gottheit hin.

Etliche Jahre vor dem Kriege tauchten im ägyptischen Kunsthandel kleine Bronzen auf, die einen Mann darstellten, der einen Affen auf der flachen Hand trug, also die gleiche Haltung einnahm, wie der Gott selbst auf den hermopolitanischen Münzen. Da jedes Abzeichen fehlt, kann es sich nur um Darstellung eines ein Affenbild Weihenden oder, wahrscheinlicher, um die eines Priesters mit dem Bild des Gottes handeln[2]. . Die Vermutung liegt nahe, auch die Hand unseres Denkmals für die solch eines Weihenden oder Priesters zu halten. Ich glaube nicht, daß sie das Richtige trifft. In so vertrauliche Verbindung mit dem heiligen Tier pflegt auf ägyptischen oder aus ägyptischen Vorstellungen hervorgegangenen Darstellungen der Priesterdiener oder gar der Gläubige zu dem heiligen Tier nicht zu treten. Vielmehr wird man den Gott selbst hier dargestellt glauben, wie auf den Münzen. Ein gleichfalls aus Ägypten stammendes Täfelchen, das wohl der Klasse der Bildhauermodelle zuzuzählen ist und nach dem Stil der Figuren römischer Zeit angehört, hilft weiter. Es ist aus gelblichem Kalkstein gearbeitet, 0,145 m hoch, 0,105 m breit; zu oberst im oben abgerundeten Feld sieht man die vierfach geflügelte Sonnenscheibe mit seitwärts herabhängenden Uräen. Im hohen Feld darunter sitzt in der Mitte über einem Altar ein Hundskopfaffe mit hörnerartiger Mondsichel und runder Scheibe, die rechte Pfote erhoben. In der Linken hält er ein Blatt oder einen Wedel, auf dessen Spitze ein kleiner Ibis mit den Krallen zu voltigieren scheint. Neben oder hinter dem Altar wächst ein heiliger Baum. Am Rand, rechts und links, einander gegenüber, stehen Thot mit der Lebensbinde in der Rechten, dem Götterszepter in der Linken, auf dem Ibiskopf die Götterkrone, und Harpokrates mit der Jugendlocke, der Sonnenscheibe mit Uraeus, dem Lebenszeichen in der linken Hand, die rechte zum Munde geführt. Zu unterst dehnt sich ein dreigeteiltes Feld aus. Rechts und links hocken zwei nackte Gestalten, die eine Hand gegen das Gesicht erhoben. In der anderen Hand führt die zur Rechten eine Papyrosdolde, während die Hand der linken Figur leer scheint. Im Mittelfeld liegt, an Armen und Beinen gefesselt, mit dem Kopf nach abwärts, ein vollbekleideter bärtiger Mann.

1) z. B. auf dem bekannten Bild aus dem Isistempel zu Pompei (Erman, Ägypt. Religion² S. 273, Guimet, Isis Romaine Taf. VIII, IV, dies ein Bild aus Herculaneum, das den tanzenden Bes zeigt. — 2) Arundale-Bonomi, Gallery of antiquities Taf. 55 = Sharpe, Egyptian antiquities in the British Museum S. 99, 504 = Sharpe, Egyptian Inscriptions Taf. 112 veröffentlichen eine aus der Zeit des Apries und eines Psammetichos stammende Figur eines Priesters, der einen Affen hält; die Glyptothek Nykarlsberg (F. 154) verwahrt die Statuette eines Priesters der XXVI. Dynastie, der mit beiden Händen einen Pfeiler hält, auf dem ein Affe sitzt. Andrerseits ist im Grab Sethos I (Lefébure, Tombeau de Séthos I, IV. partie Taf. 39) ein affenkopfiger sitzender Mann dargestellt, eine Form des Thot, der auf der Hand einen Ibis trägt. Die von Höpfner, Der Tierkult der alten Ägypter, erwähnte Gruppe aus Leiden kann ich in den Katalogen nicht finden.

Hier stehen also die drei Erscheinungsformen des Thot nebeneinander; aus Gründen der Komposition ist Harpokrates, die beliebte römisch-ägyptische Modegottheit, hinzugefügt, der gerade zu Thot-Hermes engere Beziehungen nicht nachzuweisen sind.

Sollen wir nun die Hand des Marmordenkmals zu einem solchen Hermes-Thot mit Ibiskopf ergänzen? Ich glaube kaum. Nichts spricht dafür, Hermes-Thot anders als rein menschlich, wie ihn auch die Münzen zeigen, sich zu denken. Vermutlich doch jugendlich, vielleicht mit dem Kerykeion in der linken Hand. So stand er, schützend und zugleich liebkosend die Hand auf das heilige Tier gelegt, nicht viel anders als sich etwa in der bekannten Neapeler Gruppe Aphrodite auf ihr altes Kultbild stützt[1]. Eine Leidener Bronze soll nach Höpfner der Tierkult der alten Ägypter S. 27 Thot in Begleitung seines Pavians darstellen. Tonfiguren bei Petrie, Roman Ehnasya Taf. XLVIII, 66 und XLV, 2 zeigen eine jugendlich athletische, leider beidemal kopflose Figur, mit dem Kerykeion in der Linken, im einen Fall sitzt der Hundskopfaffe auf niedriger Basis neben seinem Herrn. In dieser, dem Münzbild aufs nächste verwandten Gestalt, wird man sich den Gott denken können, rein griechisch. Die heiligen, ihm beigegebenen Tiere[2] genügen, um ihn als Hermes-Thot kenntlich zu machen. Wohl möglich, daß das Kultbild des großen Thottempels zu Aschmunein in römischer Zeit Hermes-Thot so vorstellte.

Unsere Gruppe ist kaum älter als die Kaiserzeit, aber auch für das Original

---

1) Abbildung u. a. bei Baumfister, Denkmäler Taf. XLVII. — 2) Über diese vergleiche außer Höpfners eben angeführter Arbeit Sourdilles, Hérodote et la religion égyptienne S. 203, 222. Das ursprüngliche Tier des Thot scheint der Ibis zu sein, seinen Kopf trägt auch fast ausschließlich der sonst menschlich dargestellte Gott. Der Affe, dessen Bild man leicht im Vollmond erkennen mochte, ist offenbar das Tier des Mondgottes. Daher waren Affenbilder auch im thebanischen Chonstempel rechts und links vom Eingang aufgestellt (Champollion, Notices descriptives II, 210, Budge, Guide to the Egyptian galleries of the British Museum, Sculpture, S. 204, wo die Affen abgebildet sind). Sichel und Scheibe, in alter Zeit sicher die Scheibe des Vollmondes, trägt der als Thot bezeichnete Affe bei Petrie, Memphis II, Taf. XV und der ähnliche bei Bonomi, Gallery of antiquities Taf. 25, Fig. 91, wo er ausdrücklich als Thot von Hermupolis beschriftet ist. Von der Sonnenscheibe ist auf die Mondscheibe wohl der Uraeus übertragen, den auch der Affe der Eremitage (Golénischeff, Inventaire Schrank IV, S. 69, N. 606) an der Scheibe trägt. Daß der Affe Thot sei, sagt noch der Pariser griechisch-koptische Zauberpapyros aus dem II. Jahrhundert nach Chr. (mein Vater, der Affe Thot, Ägypt. Zeitschr. 1883, S. 101, 1900, S. 90). Er wird die Verbindung mit Thot eben in Hermupolis eingegangen sein, wo die acht Affen heimisch sind (die Zahl schwankt übrigens), über die Brugsch, Religion und Mythologie, S. 144 ff. gehandelt hat. Sie sind ursprünglich wohl Gefolge des Gottes, dazu Sonnenanbeter, und tragen als solche, wie die Zusammenstellungen bei Leemans, Hypocéphale égyptien 070, S. 105 f. lehren, in der Regel keine Scheiben auf dem Kopf (vgl. auch Sayce, Religion of ancient Egypt, S. 133). Aber schon im neuen Reich, unter dem Einfluß des alles überwuchernden Sonnenkultes, werden diese Affen mit der Scheibe oder Sichel und Scheibe ausgerüstet, in denen man wohl die Mondscheiben erkennen muß (Leemans a. a. O., Proc. Bibl. arch. Soc. 1884, Febr. 5, Jahrb. der Kgl. Preuß. Kunstsammlg. 1916, S. 51). Das Verhältnis dieses Affenvereins zu den sogen. Göttern der vier Elemeute scheint mir ein ganz äußerliches zu sein. Die Namen der Affen haben mit diesen vier Paaren gar nichts zu tun. Auch Maspero (Études de mythologie etc. H, 259 ff.) hat hier nicht genügend geschieden. Im übrigen dürfte es irreführend sein, jedes Affenbild oder jeden affenköpfigen Gott für Thot zu halten oder ihn zum Kreis des Thot zu zählen: weder die archaischen Affenbilder, die in Abydos, Hierakonpolis, am Sinai zutage gekommen sind, noch das Bild des sitzenden affenköpfigen Gottes bei Petrie, Royal tombs I, Taf. XVII, 26 geben irgend Anlaß, an Thot zu denken. Royal tombs I, Taf. XIV, 12 erscheint Thot wahrscheinlich als Ibis, der Affe des Soris im Louvre (Benédite, Fondation Piot, 1911, S. 31) wird ausdrücklich als Hapi bezeichnet, womit wohl nicht der Nil, sondern der affenköpfige Horussohn gemeint ist, der in alter Zeit wohl eine wichtigere Rolle als später gespielt haben muß.

halte ich frühere Entstehung unwahrscheinlich. Man hat wiederholt bemerkt, daß der Kult der griechisch-ägyptischen Gottheiten in der Kaiserzeit einen besonderen Aufschwung nahm. Die uns erhaltenen Darstellungen scheinen zumeist auf Vorbilder dieser späteren Zeit zurückzugehen, an den Wänden der hellenistischen Tempel finden sich keine Spuren. Vielleicht weist aber in unserem besonderen Fall die Darstellung des Affen unmittelbar auf späte Entstehung hin.

Während der Ibis Bemerkenswertes nicht bietet, fällt beim Affen die Tätigkeit des Lesens oder richtiger des Buchhaltens auf. Denn die Augen des Pavians gleiten über die Blätter hinweg. So überraschend es sein mag, Darstellungen lesender oder schreibender Affen gehören zu den größten Seltenheiten. Als Pietschmann vor mehr als einem Menschenalter das Material über Hermes Trismegistos in seiner Dissertation sammelte, meinte er zwar (S. 16) „Zahlreich sind die Darstellungen ehrwürdiger Hundkopfaffen, welche entweder in die Lektüre eines Buches oder in die Ausübung der heiligen Schreibkunst ganz versunken sind". Allein entgegen seiner sonstigen Gewohnheit bringt er für diese Behauptung keinen Beleg. Er weist nur auf Darstellungen in Dendere und Philae hin, wo über den Tempelarchiven das Bild des Kynoskephalos angebracht sei. Ich weiß nicht recht, wo man diese Darstellung in Dendere suchen soll. In keiner der mir vorliegenden Beschreibungen wird sie erwähnt oder abgebildet, ja Dümichen betont ausdrücklich (Baugeschichte des Denderetempels S. 10), daß in Dendere ein besonderer abgeschlossener Raum für Bibliotheks- oder Archivzwecke nicht angelegt war. Keiner werde so bezeichnet, vermutlich seien die Tempelarchive in den Krypten untergebracht gewesen. Ein schreibender oder lesender Affe scheint dort nirgends vorzukommen. Ebensowenig in Edfu nach den leidlich ausführlichen Beschreibungen, die für die dortige Bibliothek vorliegen[1]. Anders in Philae: „hier sieht man unter der Nische, die die heiligen Rollen barg, das lebensvolle Bild eines eine Papyrosrolle beschreibenden Hundsaffen" (Ebers, Baedeker für Oberägypten 1891, S. 32). Nach Champollion, Notices descriptives I, S. 194 war neben dem Affen auch der Ibis dargestellt. Die Ausschmückung des Raumes stammt aus der Zeit des Augustus und Tiberius.

In römische Zeit führen nun auch die wenigen literarischen Zeugnisse über lesende Affen: Horapollo I, 14 erzählt, es gäbe eine ägyptische Art der Hundskopfaffen, die die Buchstabenschrift verstehe. Werde ein Pavian in ein Heiligtum gebracht, so lege der Priester ihm eine Tafel nebst Rohr und schwarzer Tinte vor und erprobe, ob er von dieser Art sei und sich aufs Schreiben verstehe. Ähnlich berichtet Aelian, Hist. anim. VI, 10, man habe in Ägypten unter den Ptolemäern Affen zum Zither- und Flötenspiel[2], Tanzen, Buchstabieren abgerichtet. Aelian schöpfte seine Angaben über Ägypten in erster Linie aus dem unter Kaiser Tiberius lebenden alexandrinischen Grammatiker Apion, der allerdings selber wieder ältere Quellen benutzte. Daß an dieser Stelle das Abrichten der Affen ausdrücklich der ptolemäischen Zeit zugeschrieben wird, ist immerhin beachtenswert.

Die Kommentatoren zu Horapollo, Leemans und Cory, geben ein Bild wieder, das einen sitzenden Pavian zeigt, der in der rechten Hand einen Griffel hält, in der linken eine Papyrosrolle oder Schreibtafel. Das Alter des Bildchens ist mangels jeder genaueren Angabe (a common Symbol of Thot) nicht bestimmbar und das von

1) Außer den gangbaren Reisebüchern von Baedeker, Joanne, Murray vgl. auch Weigall, A guide to the antiquities of Upper Egypt und die verschiedenen Aufsätze Dümichens. Rochemonteix's Edfou ist bekanntlich stecken geblieben. — 2) Vgl. dazu die späten Fayencen, wie sie aus Saqqara etwa Hilton Price Catalogue of Egyptian antiquities S. 321, zu 2702 abgebildet sind. Über gezähmte Affen als Haustiere — übrigens fast ausschließlich Meerkatzen — s. Klebs, Die Reliefs des alten Reichs S. 33 ff. und 55.

Leemans zitierte „Musée Charles X, S. 145, 5“ Champollions ist mir nicht zur Hand. Anscheinend gehen die Bilder bei Leemans und Cory beide auf dies eine Bildchen zurück, daß dem Stile nach der Spätzeit zuzuweisen sein dürfte. Undatierbar ist auch eine weitere Darstellung, die nach Champollion, Panthéon Egyptien bei Lanzone, Dizionario di mitologia Egiziana 404, 1 abgebildet ist. Da betet eine Frau in der Tracht des neuen Reichs zu Thot, dem Herrn der Hieroglyphen. Der Gott ist als Affe dargestellt, der auf einem Altar sitzt, die rechte Hand wie sprechend erhoben, in der linken das Schreibzeug. In dem mir zugänglichen Exemplar von Champollions Panthéon ist die Tafel unauffindbar — die Tafeln sind nicht numeriert, eine Übersicht gibt es nicht — nach dem Stil würde man auf einen Sarg oder Papyros frühestens des späteren neuen Reichs, spätestens der Ptolemäerzeit raten, für eine genauere Bestimmung reicht die Abbildung nicht aus.

Nun bestätigt mir Erman gütigst, daß in den Sammlungen des Berliner Wörterbuchs kein Hinweis auf lesende oder schreibende Affen zu finden ist und auch die Herren des Museums sich keiner Belege erinnern. Die Gruppen zu Berlin und Paris, über die Erman und Bénédite[1] zuletzt gehandelt haben (welch letzterer übrigens schon hervorhebt, wie selten der Pavian in unmittelbare Beziehung zu Schreibzeug und Schrift gesetzt werde), zeigen wohl Schreiber, im Schutze des Affen-Thot ihrem Beruf nachgehend, aber der Affe nimmt an der Beschäftigung keinen Teil. Und so weiß auch der weise Affe in dem bekannten Leidener Papyros, dessen richtige Deutung wir Spiegelberg (der ägyptische Mythos vom Sonnenauge) verdanken, nichts von Schreib- und Lesekunst. Wenn in der Stelle Kol. VII, 18 wirklich von der Kenntnis der sogen. änigmatischen Schrift die Rede ist, dann hat diese Kenntnis nicht Thot, der Affe, sondern Thot, der Herr des Wissens (a. a. O. IX, 23); der Affe hantiert mit dem Bogen (a. a. O. IX, 6), wie das in zahlreichen kleinen Holzfigürchen und in Stundenbildern (Brugsch, Thesaurus S. 57) dargestellt ist, nicht mit Schreibzeug oder Schreibrolle. Er klettert in den Pausen seiner moralisch-philosophischen Vorträge auf Bäume und frißt die süßen Früchte (a. a. O. XIX). Den Titel „Herr der Hieroglyphen“ führt er nirgends, wie man nach Spierelberg S. 5 annehmen könnte, der kleine Hundskopfaffe benimmt sich wie ein rechter Affe, jubelt, springt, nichts findet sich, was uns den Affen als Tier besonders weise erscheinen läßt, abgesehen von seiner Beredsamkeit und dem Inhalt der Reden, die ihm sein Vater(?) Thot eingegeben hat. Sollte die im Leidener Papyros in der römischen Kaiserzeit aufgezeichnete Sage, die, wie Spiegelberg überzeugend dartut, in der vorliegenden Gestalt frühestens hellenistisch sein kann, wirklich irgendwie im neuen Reich bekannt gewesen sein, so wäre das für unsere Frage bedeutungslos. Man hat nämlich darauf hingewiesen, daß auf einem Ostrakon des neuen Reichs, das bei Spiegelberg a. a. O. S. 7 nach Schaefer, Jahrbuch d. Kgl. Preuß. Kunstsammlungen 1916, S. 51 abgebildet ist, eine dem Leidener Papyros sehr verwandte Situation dargestellt sei. Nur frei-

1) Bénédite, Fondation Piot 1911, S. 5 ff.; Erman, Amtliche Berichte aus den Kgl. Preußischen Kunstsammlungen XXXIII, 1911, S. 14. Man darf gegen die hier vertretene Auffassung, daß die Vorstellung vom lesenden und schreibenden Affen spät, vielleicht erst hellenistisch sei und jedenfalls nicht vor der Römerzeit volkstümlich geworden sei, nicht Denkmäler anführen, wie die anscheinend saitische Bronze bei Caylus, Sammlung von Altertümern (Winterthur 1766), Taf. XVI, die einen mit Mond-Sichel und -Scheibe geschmückten Affen darstellt, der sitzend eine Tafel mit Königsnamen vor sich hält, ähnlich wie zwei Affen des Berliner Museums aus Dynastie 21 ein Königsbild (Berliner Museum 9941—42), Tafel und Bild sind dadurch einfach in den Schutz des Thot gestellt. Übrigens zeigen auch die von Erman mitgeteilten Inschriften, daß der Ägypter des neuen Reichs von „gelehrten“ Affen noch nichts wußte. Eine Abbildung der Pariser Figur auch bei Bonnet, Ägyptisches Schrifttum, S. 22.

lich ist der auf dem Ostrakon gezeichnete Affe eine Meerkatze, kein Pavian, hat also zu Thot keine Beziehung. Ob irgend der wissende Affe schon zu den Vorstellungen des neuen Reichs gehörte, ob er auch nur vor der Äthiopenzeit bekannt war, bleibt dahingestellt, volkstümlich scheint er erst in hellenistisch-römischer Zeit geworden zu sein. Noch im gnostischen Kreis war er bekannt; wenigstens zitiert PIERRET, Panthéon Egyptien S. 13 folgendes aus MATTER, Hist. du gnosticisme 1, 99: „Un préjugé vulgaire, qui a laissé des traces chez les chrétiens des premiers siècles, attribuait aux cynocéphales cet art de lire et d'écrire qu'avait enseigné Hermes“[1].

Natürlich haben aber die Ägypter frühe die Fähigkeit der Affen, menschliche Handlungen nachzuahmen, bemerkt. Aus dieser Wurzel ist die Vorstellung vom lesenden und schreibenden Affen entstanden, sie bot die Möglichkeit, auf die tierische Form des Gottes zu übertragen, was der menschlichen zukam. Wenn man die Affen bei der Feigenernte verwenden konnte (ERMAN, Ägypten 279), wenn er beim Totengericht das böse Tier vertreibt (z. B. WILKINSON Birch, Manners and customs III, Taf. LXX) oder Thot, Anubis und der Maet bei der Wage beisteht (BUDGE, Book of the dead 1909, 1 S. 22, 31, 32 und sonst in Totenbüchern), so sind das Handlungen, die ein Affe wirklich vollzog oder doch leicht vollziehen konnte. Auch die Szene auf einem leider heute an der entscheidenden Stelle zerstörten Relief von Deir el Bahri (DÜMICHEN, Flotte einer ägyptischen Königin, Taf. III) ist sicher dem Leben abgelauscht: in der Takelage eines der Pyenefahrer sitzt ein Pavian und macht genau die Bewegung eines der Bemannung nach. Weiter von der Wirklichkeit entfernte man sich schon, wenn ein bei BISSING, Kultur des alten Ägyptens (Fig. 22) wiedergegebenes Ostrakon einen Affen vorführt, der einen Neger tanzen läßt, ja in einem zweiten Exemplar der Neger durch einen echten Ägypter ersetzt wird[2]. Endlich ist auch die Rolle, die die Affen eben aus Hermupolis in der ägyptischen Mythologie spielen, der Sonne bei ihrem Auf- und Untergang zuzujauchzen, der Natur abgelauscht.

## Anhang. Zur Deutung und Zeitbestimmung des Reliefs.

Trotz seiner nicht besonders guten Ausführung verdient das von uns oben als Bildhauermodell vermutungsweise bezeichnete Relief auch vom künstlerischen Standpunkt aus einige Aufmerksamkeit. Die Komposition ist nicht ungeschickt, Ibis wie heiliger Baum füllen gefällig den Raum, die friesartige Anordnung der Figuren am Sockel wirkt gut. Die Dreiteilung der Darstellung kehrt wieder auf der römischen Stele bei MILNE, Egypt under Roman rule S. 45. Ohne allzugroßen Wert auf solche äußerliche Merkmale zu legen, für die es Vorstufen natürlich auch in älterer Zeit gibt, sei doch angeführt, daß die Dreiteilung unter Ausbildung eines ausgesprochenen Sockelstreifens sich findet bei EDGAR, Greek sculpture Taf. XXV, 27573 (wo auch die Raumfüllung an unsere Stele erinnert), AHMED BEY KAMAL, Stèles hiéroglyphiques d'époque Ptolémaiques usw. 22200 (einem freilich etwas verdächtigen Stück) und 22201, 22202 — sämtlich auf Taf. LXX, 22194 (Taf. LXVII), wo der Sockelstreifen

1) Auf gnostischen sogen. Abraxasgemmen finden sich öfters Affenfiguren mit Inschriften wie IAC, Abraxas. Einmal trägt der Affe eine Scheibe auf dem Kopf und streckt die Arme anbetend einer Mondsichel und einem Stern, wohl der Sothis, entgegen — daneben steht Osiris als Mumie. Man könnte an den Jahresanfang bei Erscheinen der Sothis und des jungen Mondes denken (ERMAN, Ägypt. Religion, Abb. 150. Verzeichnis Berlin ägypt. Abteil. 1899, S. 379, vgl. DIETRICH, Abraxas, S. 17, Z. 21 f., S. 32 f.). Bilder wie dieses mögen Horapollo zu der Ansicht verleitet haben, die Paviane begrüßten den Mond. Aber die Inschriften bei BRUGSCH, Religion S. 148 und WIEDEMANN-POERTNER, Ägyptische Grabsteine III, S. 22 lehren, daß es sich nur um die Anbetung der Sonne in älterer Zeit handeln kann. — 2) Irgendwie hängt damit wohl die merkwürdige Hieroglyphe bei GRIFFITH, Beni Hassan III, Taf. VI, 32 zusammen.

nur aus Papyros besteht, 22170 (Taf. LI). Einen ausgebildeten Sockel weisen ferner noch auf: a. a. O. 22175 (Taf. LI), 22055 (Taf. XIX), 22160 (Taf. XLIX), 22060 (Taf. XX), ferner Breccia, Inscrizioni Greche e latini, Musée d'Alexandrie, Taf. XXXIII. Alle diese Beispiele gehören der hellenistischen, zumeist sicher der römischen Zeit an. Ungewöhnlich ist die Gestalt der geflügelten Sonnenscheibe, die sich nicht wie üblich, mit gesenkten Flügeln der Rundung des Stelenkopfes anpaßt, sondern ihr entgegenstrebt, wie das sonst nur bei oben gerade abgeschnittenen Steinen vorkommt. Ich kenne dafür eigentlich nur das sehr späte Beispiel bei Edgar, Greek sculpture Cairo 27575 (Taf. XXVIII). In der Anordnung vergleicht sich sonst am besten Ahmed bey Kamal, Stèles, Taf. LXVIII. Insbesondere muß darauf geachtet werden, daß auf unserer Stele die Schlangen herabhängen, nicht wie z. B. auch bei der Stele Spiegelberg, Demotische Inschriften Taf. IX, 31111, sich aufrichten. Einen weiteren Anhalt für die Datierung in römische Zeit bietet der zwischen den Beinen des Thot erscheinende Schurz und die eigentümliche Gewandführung bei Harpokrates. Ich habe darüber bei Schreiber, Die Nekropole von Kom esch Schukafa S. 158, Anm. 75 gehandelt. In dem Tempel von Dendur wird man manche verwandte Züge finden; für die Deutung des von den Affen in der linken Hand gehaltenen Gegenstandes ist man versucht, auf äthiopische Denkmäler zu verweisen: Lepsius, Denkm. V, 33, wo Federn oder Halme gemeint scheinen oder Lepsius, a. a. O. V, 71, wo Messer oder Dolche zu erkennen sind. Für die erstere Bestimmung spricht ein bei Ahmed bey Kamal, Stèles Taf. L, 22166 abgebildetes, allerdings wohl dem Ausgang des NR angehöriges Relief, das einen auf dem Altar ganz ähnlich wie auf unserer Stele hockenden Affen vorführt, der in den Händen eine Feder der Wahrheit hält — eins der Symbole Thots.

Am seltsamsten mutet der Gefangene in der Mitte des Sockelstreifens an; auch bei ihm werden wir auf äthiopische Parallelen geführt: Lepsius, Denkm. V, 15 d, wo die Gefangenen kurzes Lockenhaar und Bart tragen. Die Haltung des Gefesselten kehrt wieder in Komombo, de Morgan, Kom Ombo II, 201[1]. Der Typus selbst ist uralt, er findet sich schon auf der Tafel des Atothis (Bissing, Denkm. 2), erscheint in Edfu unter den Bildern, die den Mythus vom Sieg des Horus begleiten, als Vertreter des Bösen (Naville, Mythe d'Horus Taf. XIII zu Füßen der Astarte). Man wird auch auf unserem Relief kaum etwas anderes in der Figur sehen können, die rechts und links von je einem hockenden Kind (Harpokrates?) bewacht zu werden scheint, während über ihr Thot in dreifacher Gestalt und Harpokrates thronen.

1) Vgl. auch Gauthier, Kalabchah Pl. E, 3, am Sockel eines Götterthrones in einem Feld wie auf dem Relief. Als Bestätigung für die späte Datierung unseres Stückes darf man wohl auch auf die Ähnlichkeit des Affen mit dem Thot von Pnubs bei Roeder, Dakke II, Taf. 143 a hinweisen.

# Ein altägyptischer Boxkampf.

Von MARIA MOGENSEN.

In der ägyptischen Sammlung der Ny Carlsberg Glyptothek[1] befindet sich eine kleine Terrakottafigur (H. 0,12) von großer Seltenheit. Man muß das Stück eigentlich als ein Relief betrachten, da nur die Vorderseite künstlerisch ausgeführt ist; die Rückseite ist glatt und ohne Modellierung. Beifolgende Abbildung zeigt das Stück, auf dem drei Tiere dargestellt sind: zu oberst ein Vogel und darunter zwei Tiere, die mit erhobenen Vorderpfoten gegeneinander gewandt sind. — Was haben diese Tiere vor? Steht das Ganze in einem Zusammenhang? Will die hier dargestellte Szene etwas erzählen? Viele Jahre hindurch ist die Bedeutung des Stückes ein Rätsel gewesen, nicht bloß für die Kenner und Gelehrten Dänemarks, sondern auch des Auslandes. — Prof. Dr. V. SCHMIDT vermutet in seinem Katalog der ägyptischen Abteilung der Glyptothek, daß die Szene vielleicht eine gelehrte Diskussion zwischen einer Katze und einem Schakal darstelle, gleichsam die Illustration eines Papyrus der römischen Kaiserzeit. — Prof. Dr. SPIEGELBERG hat aber darauf hingewiesen, daß sich eine solche Szene nicht in dem in Rede stehenden Papyrus findet, und nimmt eher an, daß man in dem Stück die Illustration einer bisher unbekannten Tierfabel sehen müsse. —

Das Stück stellt indessen keine gelehrte Unterredung oder Disputation irgendwelcher Art dar; die Kräfte, die hier erprobt werden, gehören nicht der geschmeidigen Zunge, sondern dem geschmeidigen Körper an. Wir stehen nämlich vor einem richtigen Boxkampf. — Eine Katze und eine Maus stehen einander gegenüber. Der Kampf soll gerade beginnen: die Katze steht auf dem Sprung, um auf ihren Gegner loszufahren. Ihr Hinterbein ist bereits in die Höhe gehoben, und man fühlt unwillkürlich, daß sie in dem nächsten Augenblick einen Ausfall auf die Maus machen wird. Diese scheint sich bereit zu halten, den Angriff abzuwehren; es liegt eine ruhige Bedächtigkeit über dem ganzen Tier, die deutlich erkennen läßt, daß es sich in der Defensive befindet. — „Einen solchen kleinen Tierkampf kann man aber doch wirklich nicht einen Boxkampf nennen“, wird vielleicht mancher hier einwenden. Vor einer solchen Behauptung bitte ich nur, die Pfoten der Tiere zu betrachten.

1) V. SCHMIDT, Katalog over den aegyptiske Samling paa Ny Carlsberg Glyptothek, Kopenhagen 1908. E. 782; S. 606 f. V. SCHMIDT, De Graesk-aegyptiske Terrakotter i Ny Carlsberg Glyptothek, Kopenhagen 1911. Taf. LXIII, Fig. 188; S. 88 f.

Beider Vorderpfoten sind nämlich mit Boxerhandschuhen bedeckt, während die unbedeckten Hinterpfoten stark ausgespreizte Krallen zeigen; jede Sehne ist bis aufs äußerste angespannt, und man fühlt sehr deutlich, daß auch die Hinterpfoten ihren starken Anteil am Kampf haben. Und damit nichts zu dem Wettstreit fehle, sehen wir auch den Richter, der dem siegenden Teil den Kampfpreis zuerteilen soll. Hoch über den anderen thront er in der Gestalt eines Adlers. Leider ist der Kopf des Vogels im Laufe der Zeiten abgeschlagen, aber trotz dieses großen Schadens ist nichts von der Würde verloren gegangen, die ihn in allem charakterisiert. In seiner starken Klaue hält er die Siegespalme, und man zweifelt nicht daran, daß er dem Kampf mit Argusaugen folgt, um schließlich dem Sieger das Ehrenzeichen zu überreichen. Die ausgespannten Flügel des Vogels tun auch das ihre, seine Majestät ins Licht zu setzen: sie scheinen fast einen Königsthron zu bilden. Rein dekorativ betrachtet ist die Stellung der Flügel von großer Wirkung, indem sie das Stück nach oben reizvoll abschließen.

Das Stück ist sehr gut ausgeführt und wirkt schon dadurch stark auf den Beschauer; das Interesse wird aber vielleicht noch etwas größer, wenn man erfährt, was hier eigentlich vor sich geht.

Das Stück ist wahrscheinlich im 1.—2. Jahrh. n. Chr. gearbeitet. Es ist in Ägypten, möglicherweise in der Nähe von Memphis gefunden.

---

# Der Stratege Pamenches
## (mit einem Anhang über die bisher aus ägyptischen Texten bekannt gewordenen Strategen).

Von WILHELM SPIEGELBERG.

In den Annales du Service des Antiquités de l'Égypte XVIII (1918) S. 186 hat DARESSY eine in Dendera gefundene Statue veröffentlicht, die einen Beamten in griechischem Gewand[1] mit einem Kranz im Haare[2] darstellt. Sein Name und sein Titel ergibt sich aus den hieroglyphischen Texten des Rückenpfeilers und der demotischen Inschrift des Sockels, deren Lesung und Übersetzung[3] ich zunächst folgen lasse:

1) „Le personnage porte le costume grec, un chiton à manches courtes et un grand manteau à franges maintenu par la main gauche devant le corps, tandis que le bras droit est pendant. Sa tête est ceinte d'une couronne de fleurs". Ähnliche Statuen bei DARESSY: Recueil XV (1893) S. 157 ff. — 2) Vergleiche dazu die Stelle in der Inschrift eines Beamten (Annales du Serv. XVII, S. 91—2), dessen Name zerstört ist, der aber wohl Stratege (von Dendera?) war, „dem ein Goldkranz auf seine Stirn gegeben war". — 3) DARESSY, dem das Demotische offenbar nicht vertraut ist, hat sie zwar gut veröffentlicht, aber großenteils unrichtig gelesen. Vor allem sind die Eigennamen verkannt worden. Wie ich nachträglich sehe, hat bereits GRIFFITH (Journ. Egypt. Arch. IV, S. 278) die richtige Lesung der Namen gegeben.

[1]*Pn-mnḫ s3 Hirgs p3 srtikus p3 sn n*
[2]*Pr-ʿ3 p3 ḥm-ntr Ḥr p3 ḥm-ntr Ḥt-Ḥr p3 ḥm-ntr Ḥr-sm3-t3wj*

„Pa-mench (Pamenches), der Sohn des Hierax, der Stratege, der Bruder des Pharao, der Prophet des Horus, der Prophet der Hathor, der Prophet des Harsemtheus".

In der hieroglyphischen Inschrift des Rückenpfeilers heißt der Mann [1] *Pn-mnḫ*, Sohn des *P3-ʿšm*. Der erste Name entspricht genau dem demotischen, der Vatersname ist aber der ägyptische Name *p3 ʿšm* (*ʿḫm*) „der Falke"[2], den die demotische Inschrift in der griechischen Übersetzung Ἱέραξ gibt. Also beide Inschriften gelten bei richtiger Lesung des demotischen Textes derselben Person und damit fallen Daressys Kombinationen über einen nicht zugehörigen Sockel in sich zusammen. Es ist nun von großem Interesse, wie die Stellung und Tätigkeit dieses Strategen in der zugehörigen hieroglyphischen Inschrift geschildert wird, die ich bis auf den in ein Gebet ausklingenden Schluß in extenso übersetze:

„Der Erbfürst und königliche Schatzmeister, der einzige Freund, vom König geliebt, der große Fürst an der Spitze der Großen, groß an Gunst im Palaste des Horus (d. i. des Königs), der große Truppenführer (*mr mšʿ wr*) von Edfu (Apollonopolis magna), von Dendera (Tentyra), von dem nubischen Gau[3], von Philae, von El-Kab (Eileithyiaspolis) (und) von Kom-el-Aḥmar (Hierakonpolis), der Syngenes[4], fromm gegen die Götter und Göttinnen, der Denkmäler der Schönheiten machte für das Haus des Horus von Edfu, des großen Gottes, des Herrn des Himmels, und der Hathor, der an Süssigkeit Großen [*wr.t bnr*(?)] in Dendera, des Chnum des Großen, des Herrn von Elephantine (*Ḫnmw ʿ3 nb 3bw*), der Isis, die Leben gibt, der Herrin von Philae, des Osiris, des Herrn des Abaton, der Nechbet von El-Kab, des Horus in Kom-el-Aḥmar, des Schu, Sohnes des Rê, der diesen Göttern auf seinen Armen (*tp rmnwj.fj*) spendet(?) nebst dem Osiris, dem Ersten des Westens, dem Herrn von Abydos, *Pen-mench*, Sohn des gleichbetitelten *P-achom*, der erste Prophet des Horus von Edfu, des großen Gottes, des Herrn des Himmels, (und) der Hathor, der Großen, der Herrin von Dendera, des Auges des Rê, der Herrin des Himmels, der Beherrscherin aller Sterne, (und) Isis, der Großen, der Gottesmutter, der erste Prophet des Harpokrates, des Sohnes des Isis(?), der große Musikant der Hathor, der Vorsteher (? *mr*) des Silberhauses des Horus, des großen Gottes, des Herrn des Himmels, Prophet des Chnum, des Herrn von Elephantine, (und) der Isis, der Herrin von Philae, (und) des Osiris, des Herrn des Abaton, und ihres Götterkreises, der Prophet der Nechbet von El-Kab (und) des Horus in Kom-el-Aḥmar (und) des Schu, des Sohnes des Rê, und ihres Götterkreises."

Nach dieser Inschrift war Pamenches „großer Truppenführer" = στρατηγός im äußersten Süden Ägyptens und zwar in dem Gebiet, dessen Nord- und Südgrenze durch die Orte Dendera und Philae bezeichnet ist. Wenn das dazwischen liegende thebanische Gebiet nicht genannt ist, so wird das daran liegen, daß dieses einen eigenen Strategen hatte.

1) Verbessere so statt . — 2) Bekanntlich griechisch als Παχώμιος (mit vielen Varianten) wiedergegeben. — 3) D. h. des ersten oberägyptischen Gaues, in dem Assuan und Elephantine lagen. — 4) Zu *Snjns* = συγγενής, vgl. meine Bemerkungen Ä. Z. 51 (1913), S. 70 (11) und 53 (1917) S. 129. In der demotischen Sockelinschrift ist dieser Rangtitel wie auch sonst durch „Bruder des Königs" wiedergegeben, eine Bezeichnung, die sich, wie mir Preisigke zeigte, auch griechisch als ἀδελφός nachweisen läßt (Ditt. Or. no 137 Seite 219 Anm. 8).

Pamenches war nun nicht nur militärischer Beamter in den Distrikten von Edfu, Dendera, Elephantine (= erster nubischer Gau), Philae, El-Kab und Kom-el-Ahmar, sondern er war auch Priester (meist Oberpriester) an den von ihm wohl vor allem finanziell verwalteten Tempeln der hier verehrten Gottheiten Horus, Hathor, Chnum, Osiris, Isis, Nechbet, Horus von Hierakonpolis und noch anderer ägyptischer Götter.

Was die Datierung der Statue anlangt, so kommt nach der demotischen Inschrift sowohl das erste vorchristliche wie das erste nachchristliche Jahrhundert paläographisch in Frage. Nun ist unser Stratege noch aus einer anderen Inschrift in den Steinbrüchen von Silsile (Nr. 240) bekannt. Da diese Inschriften, soweit ich sehe, sämtlich aus der Zeit des Augustus und Tiberius stammen[1], so wird Pamenches dieser Zeit angehören, und zwar der Regierung des Augustus. Denn der aus der Ptolemäerzeit übernommene Titel συγγενής hat sich, wie es scheint, nur noch im Anfang der römischen Kaiserzeit erhalten[2]. Dazu stimmt auch, daß der Vater des Pamenches Hierax, wie ich unten (Strategenliste Nr. 3) wahrscheinlich gemacht habe, auf einem Ostrakon des Jahres 5 v. Chr. erwähnt wird.

Es ist wohl kein Zufall, daß in der Silsileinschrift ein „Hathor-Haus" (vielleicht Name eines Steinbruchs) genannt wird, das den Namen des Strategen mit der Göttin zusammenbringt, deren Priester er war.

Trotz seiner griechischen Tracht war Pamenches sicherlich ein Nationalägypter. Das zeigen die Priestertümer, die er an ägyptischen Tempeln bekleidete. Ja durch seinen Namen erscheint er noch ägyptischer als sein Vater, da er nicht wie dieser einen griechischen Beinamen[3] führte. Nach der Ausdehnung seines Amtsbereichs scheint er — und ich schließe mich dabei Preisigkes Ansicht an — Stratege der Thebais gewesen zu sein. Weshalb in der hieroglyphischen Inschrift nur eine kleine Zahl der ihm unterstehenden Gaue genannt ist (es fehlt unter anderem gerade der thebanische Gau), bleibt mir unklar. Vielleicht daß nur die Tempel genannt sind, denen er als Stratege Wohltaten erwiesen hat.

## Anhang.

Liste der bisher aus ägyptischen[4] Texten bekannt gewordenen Strategen.

1. **Apollonides** ([hieroglyphs] *ꜣpllunis*) [Ptol.]. Ostr. Straßburg[5] 129. 851. 1861 „Speicher (*rꜣ*) des Strategen Apollonides"; 477 (wenn ich richtig ergänze) „Speicher des Strategen Apoll[onides], Sohnes des Apollonides". Auch ohne den Zusatz des Titels 472. 490. 1578. 1591. Die Ostraka stammen sämtlich aus Theben.

1) Siehe Preisigke-Spiegelberg: Silsile-Inschriften S. 4. — 2) Siehe dazu Möller: Pap. Rhind S. 24*, Anm. 1 zu Nr. 156 und meine Bemerkung Ä. Z. 50 (1912) S. 38 Anm. 3. — 3) Es ist beachtenswert, daß der hieroglyphische Text den ägyptischen, der demotische den griechischen Namen gibt. — 4) Für die aus griechischen Quellen bekannten verweise ich auf V. Martin: Les épistratèges S. 178 ff. — 5) Die von mir in diesem Aufsatz mehrfach zitierten demotischen Ostraka der in der Landesbibliothek zu Straßburg aufbewahrten großen Ostrakasammlung sind mit Ausnahme der wenigen von mir gelegentlich veröffentlichten Stücke noch unpubliziert. Ein von mir verfaßter Katalog sämtlicher demotischer Ostraka (2034 Nummern) befindet sich übrigens in der genannten Bibliothek, und von allen gut erhaltenen Stücken besitze ich Abschriften. Die Vorarbeiten zu einer Herausgabe der Sammlung waren abgeschlossen, als sie mir durch die politischen Ereignisse für immer verschlossen wurde, so daß ich nicht mehr an eine Publikation denken kann.

Mit ihm mag der Stratege Ἀπολλωνίδης identisch sein, der im 1. vor- oder nachchristlichen Jahrhundert in Hermonthis und Latopolis amtierte[1].

2. **Georgios** ( , ), Sohn des Ptolemaios cogn. *Pꜣ-šrj-n-ḳꜣj* (*P-šen-ḳai*) [Ptol.] ( ) Annales XVI (1916) S. 268. Sein Haupttitel war *mr mšʿ* „Truppenführer" = Stratege. Auch wird er einmal var. „Bruder der Königs" d. i. συγγενής genannt. Daneben bekleidete er eine Reihe von Priesterämtern an dem Tempel von Dendera, woher die seinen Namen tragende Statue stammt. Auch sein Vater war Stratege und mag mit Nr. 12 identisch sein.

3. **Hierax** cogn. Pachom (*Pꜣ-ʿšm*), Vater des Pamenches [Zeit des Augustus] in der oben besprochenen Inschrift aus Dendera, deren hieroglyphischer Text zeigt, daß Hierax ebenso wie sein Sohn und Amtsnachfolger Stratege war. Er ist wohl mit dem Strategen Ἱέραξ identisch, der nach dem Ostrakon Berlin P. 4424 (5 v. Chr.)[2] unter Augustus lebte.

4. **Lysimachos** ( *Lsimḳus*) [Ptol.]. Stele Cairo 31137 aus Karnak (Demot. Inschriften S. 53) mit dem Titel *pꜣ sn nꜣ Pr-ʿꜣ.w* „der Bruder der Könige" (= συγγενής).

5. **Monkores** ( *Mn-kꜣ-Rʿ*) [Ptolem. bis Röm. Kaiserzeit]. Siehe Ä. Z. 53 (1917) S. 128—9[3], wo auch die sonstige Literatur angegeben ist. Er führt auch den Hoftitel συγγενής.

6. **Nechutes** ( *Nꜣ-nḫt-f*) [Ende der Ptolemäerzeit, vielleicht 94/3 v. Chr.]. Rylands Pap. XXXV (aus Gebelên).

7. **Pachom** ( *Pꜣ-ʿšm*). Ägyptischer Name des Strategen Hierax. Siehe Nr. 3.

8. **Pakybis** (Pakebkis) ( *Pn-Gbk*) [Ptol.]. Ostr. Straßburg 1517 (aus Theben). Sein Vater hieß Herieus ( *Hrj*).

9. **Pamenches** (*Pn-mnḫ*), Sohn des Hierax. Siehe diesen Aufsatz [Zeit des Augustus].

10. **Panas** ( *Pn-nꜣ*), Sohn des Psenobastis ( ) [Ptol.]. Er ist auf einem in Dendera gefundenen Maßstab genannt (Annales du Serv. Antiq. XVI [1916] S. 150). Sein Titel ist gewiß in *pꜣ srti⟨ḳ⟩us* „der Stratege" zu verbessern. NB. Die ganze Inschrift ist zu übersetzen: „vor Hathor, der Herrin von Dendera, durch die Hand (*n d-.t*) des Panas, des Sohnes des Psenobastis, des Strategen und des Peteharsemteus, des Sohnes des Panas, des Sohnes des *Lbrn*, seines Verwalters (*rd*)".

11. **Psais** ( *Pꜣ-ši*), Sohn des Pelilis (*Pꜣ-ʿlʿl*). Inschrift vom Gebel Schech el-Ḥarîdi (Ä. Z. 51 [1913] S. 65ff.) aus der Zeit des Ptol. XIII, wo auch die ganze Familie genannt ist. Er führte den Hoftitel συγγενής. Sein Beamtentitel war „Stratege des Distrikts von Panopolis und des Gaues von Hibis und der Oasenstadt". Siehe dazu a. a. O. S. 71.

12. **Ptolemaios**, Sohn des Panas (hierogl.[4] *Pturmis*, Sohn des *Pn-Nʿw.t*) [Zeit des Augustus]. Stele Cairo 31083. 31092. 31093. 31130.

1) Leps. XII 91 (= C. I. G. III 4727), 300 (= 4911), 304 (4900). Ich verdanke den Hinweis Fr. Preisigke. — 2) = Preisigke: S. B. 2078. — 3) Die sämtlichen Dokumente stammen aus Theben. — 4) Siehe demotische Inschriften des Cairiner Museums, Nachtrag S. 94.

und Ä. Z. 50 (1912) S. 36ff. Zu dem Amtsbereich dieses Strategen gehörte Dendera, woher die seinen Namen tragenden Denkmäler stammen. Vielleicht war er mit dem Vater des Strategen Georgios (Nr. 2) identisch und würde dann den Beinamen *P3-šrj-n-k3j* geführt haben. Ob er auch als „Stratege *Ptulmis*“ auf einem aus Gebelên stammenden, nicht inventarisierten Ostrakon des Cairiner Museums erwähnt ist, lasse ich dahingestellt.

13. **Sokrates** (*Sgrts*) [Ptol.]. Pap. Heidelberg 779 aus Gebelên.

14. . . .]**ltn** ([. . .] [. . .] *ltn*) [Ptol.]. Pap. Heidelberg 732 aus Gebelên.

Damit ist die Liste der Strategen keineswegs erschöpft, denn es werden sich unter den zahlreichen *mr mš*ʿ „Soldatenobersten“ der ptolemäisch-römischen Epoche noch manche „Strategen“ verbergen. Dabei kommen insbesondere solche „Soldatenoberste“ in Frage, die sich in griechischer Tracht haben darstellen lassen, z. B. die Eigentümer der von Daressy (Recueil XV [1893] S. 157ff.) besprochenen Statuen. So mag auch Petosiris ebenso wie sein Vater Harasychis (*Ḥr-ʿš3-ʾḫ*) (Daressy: No. 7) Stratege gewesen sein.

---

# Ein alter Götterhymnus als Begleittext zur Opfertafel.

Von Hermann Kees.

Naville hat vor einigen Jahren auf einen merkwürdigen, mit einer Vignette versehenen religiösen Text aufmerksam gemacht, der sich auf einer beiderseitig dekorierten Steinplatte aus Horbeit im östlichen Delta, vielleicht dem Bruchstück eines Sarkophags, findet[1]. Neuerdings hat er seine Bemerkungen ergänzt durch Feststellung mehrerer Paralleltexte, darunter eines unpublizierten aus dem thebanischen Grabe des der 18. Dynastie, den er nach einer Abschrift von Golénischeff mitteilt[2], ohne auf eine genauere Behandlung des Textes einzugehen. Der Text ist in mehr als einer Beziehung besonders wertvoll. Einmal enthält er religionsgeschichtlich sehr wichtige Anspielungen auf alte Göttermythen, dann haben wir auch einen klaren Fall vor uns, wo der Gebrauch beim Opferritual sich genau feststellen läßt. Da er außerdem ein interessantes Beispiel für die Art der Überlieferung derartiger Texte bietet, möchte ich hier den Versuch einer Übersetzung und Erklärung des schwierigen Textes vorlegen.

Hierbei verdanke ich der Freundlichkeit von Sethe manche wertvollen Hinweise zur Übersetzung, für die ihm auch an dieser Stelle herzlichst gedankt sei.

## I. Die Texte.

Folgende Paralleltexte sind mir bekannt:

Mittleres Reich: Sarkophag des Sesenb-nef bei Gautier und Jéquier, Fouilles de Licht, pl. XXIII, Z. 2ff.; bez.: L.

1) Annales du Serv. X, S. 191 (mit 2 Taf.). — 2) Annales XVI, S. 187.

Neues Reich: 18. Dynastie:

a) Deir el-Bahari zwei Paralleltexte an der Nord- und Südwand der sogen. südlichen Opferhalle NAVILLE, Deir el-Bahari IV, pl. 112/13 und 110, eingefügt in eine große Opferliste; bez.: Da, Db.

b) Theben Grab des [hieroglyphs] (Nr. 39 Datierung vgl. SETHE, Urk. IV 522f.) NAVILLE, Annales du Serv. XVI, S. 187; vollständiger bei DAVIES, Tomb of Puyemrê, pl. 50.; bez.: P. — Dem Entgegenkommen von N. DE GARIS DAVIES, der mir freundlichst vor Erscheinen die betreffende Tafel seiner Veröffentlichung des Grabes zur Benutzung überließ, verdanke ich neben der Möglichkeit einer Kollation des Textes die Kenntnis, daß er dort in genau der gleichen Weise wie Da und Db in die große Opferliste eingeschaltet ist.

Spätzeit:

a) Grab des Aba in Theben (Nr. 36) nach Mémoires de la Mission Française V, pl. VIII auf der Wand R' des Hofes C auf dem Plane S. 624, ebenfalls eingefügt in die Opferliste; bez.: A.

b) Bruchstück aus Horbeit in Kairo. NAVILLE, Annal. du Serv. X, pl. II mit einer Vignette; bez.: H.

Von diesen Texten scheidet zunächst der aus dem Abagrab als selbständige Überlieferung aus; er ist offensichtlich in genau der gleichen Anordnung samt der Opferliste und den weiteren an diese anschließenden Sprüchen der Pyramidentexte aus dem Tempel von Deir el-Bahari kopiert[1]. Er bildet somit ein weiteres Glied zu den von ERMAN besprochenen saitischen Kopien dorther[2]. Dabei sind freilich noch einige Fehler- (in 19, 28, 30), auch Entgleisungen in jüngere Orthographie ([hieroglyphs] für [hieroglyphs] in 24 und 29) hineingebracht.

Der einzige Text des Mittleren Reiches aus Lischt ist leider nur in mangelhaftem Zustand erhalten. Er zeigt, so wie er in der Veröffentlichung der Mission vorliegt, eine beträchtliche Anzahl Fehler, die wohl zum größeren Teil auf ungenaue Abschrift zurückzuführen sind[3]; doch scheinen einige auch dem alten Schreiber zur Last zu fallen. Trotzdem bietet er eine Reihe wertvoller Varianten. Er zeigt eine Reihe orthographischer Eigentümlichkeiten, die seine Benutzung ohne Paralleltexte stark erschweren würden.

Die Lischter Sargtexte gehören zu jener Textgruppe, die aus religiösen Gründen mit Rücksicht auf ihre Bestimmung für das Grab alle figürlichen Wortzeichen und Determinative unterdrücken, dafür rein phonetische Schreibungen einführen und Ersatz durch nichtfigürliche Determinative schaffen[4].

Götternamen: [hieroglyphs] für [hieroglyphs] (3) [hieroglyphs] für [hieroglyphs] (4) [hieroglyphs] für [hieroglyphs] (10) [hieroglyphs] für [hieroglyphs] (15) [hieroglyphs] für [hieroglyphs] (18 u. a.)[5].

Auslassung figürlicher Wortzeichen: [hieroglyphs] für [hieroglyphs] (6) [hieroglyphs] für [hieroglyphs] (7) [hieroglyphs] ohne [hieroglyphs] (13) [hieroglyphs] für [hieroglyphs] (16) [hieroglyphs] für [hieroglyphs] (30).

Das Zeichen des Fisches [hieroglyphs] ist in [hieroglyphs] (26) für [hieroglyphs] unterdrückt[6].

1) Besonders deutlich z. B. Abschn. 7, wo ein Fehler genau abgeschrieben ist. — 2) Ä. Z. 52, S. 90. — 3) Der Text ist im folgenden genau nach der Publikation wiedergegeben. Die Fehler sind, soweit möglich, in den Noten richtiggestellt. — 4) LACAU, Ä. Z. 51, S. 50f. — 5) Vgl. auch Kommentar zu 9 und 12. — 6) LACAU, a. a. O., S. 42f.

Rein phonetische Schreibungen ohne Bilder von Menschen oder Tieren (selbst Vögeln!) werden auch sonst nach Möglichkeit bevorzugt z. B. für (21) für (22) für (27) für *bn* (30).

Sämtliche verwendeten Vögel , , , , (ohne Unterteil), ebenso die Schlange (ohne Schwanz) und der Löwe (ohne Kopf) werden verstümmelt.

Die Texte der 18. Dynastie und der späte Text aus Horbeit sind im allgemeinen in gutem Textzustand erhalten und zeigen nur in der Orthographie Abweichungen. Die Abschrift P enthält eine größere Reihe Flüchtigkeiten (Auslassungen in 13 und 26/27. Fehler: 12, 16, 19, 21, 22, 23). Dabei steht sie trotz völlig übereinstimmender Anordnung dem fast gleichaltrigen Text in Deir el-Bahari selbständig gegenüber, sie zeigt in der Orthographie nicht selten nähere Beziehungen zu der späten Abschrift H (vgl. 9, 15, 16, 17, 20, 21, 22, 28, 30). Der späte Kopist von H muß also als Vorlage einen Text gleicher Orthographie verwendet haben, wie der Abschreiber von P. Dabei ist die Abschrift H die bei weitem zuverlässigere.

Die Orthographie des Textes sowohl in den thebanischen Abschriften, wie in H ist durchweg sehr altertümlich, und nur gelegentlich und oberflächlich modernisiert; am auffälligsten aber ungleichmäßig in P, konsequenter in Da und Db, H ist am bewußtesten bestrebt, die alte Orthographie zu bewahren. Aus den folgenden Beispielen geht klar hervor, daß die Orthographie des Stammtextes der der Pyramidentexte, vielfach sogar deren älteren Teilen entsprach; H und P haben solche Altertümlichkeiten in erster Linie bewahrt.

Der Stammtext verwandte fast keine Determinative.

Das Götterdeterminativ ist z. B., wie ein Vergleich der Texte zeigt, deutlich Zusatz des Abschreibers. In Abschnitt 1 und 2 fehlt es bei , und in allen Texten, es steht bei (3) nur in H, (3), (17), (21) nur in D, in allen Texten nur bei *Nbd* (21) (25), (25), während es bei dort wieder überall (außer in A) fehlt.

„Ostland“ (8, 10, 12) ohne (Da, Db, P, H).

(Da, Db, H) (P) 29, 30, nur 31 überall mit . Ferner (P 1, 2), (Da, Db, P, H 25), *šn* „trennen“ (1), (H 19), (H 22). Der Gebrauch der Buchrolle ist nicht nachweisbar, vgl. (P, H 6). (P, H 14), ebenso *nḏ* (P, H 16), (14), Da, hier dagegen H .

Pluralschreibung: Im Stammtext zweifellos überall ohne Pluralstriche. Diese finden sich nur an wenigen Stellen in allen Texten: bei *mśw* „Kinder“ (13) am altertümlichsten H [1], (14) und gelegentlich beim pron. suffix. (26). Daneben zahlreiche altertümliche Pluralschreibungen (5) P, H (13) Da, Db, H, (13) Da, Db, wofür L und H das ältere zeigen[2], (31).

1) ooo beim Plural zur Abkürzung dreifacher Personendeterminative auch schon in jüngeren Schreibungen der Pyramiden, vgl. Sethe, Ä. Z. 45, S. 54; Lacau, Ä. Z. 51, S. 29 Anm. 3. — 2) Burchardt, Ä. Z. 48, S. 24; vgl. bes. Pyr. 394 b.

Dagegen sieht die seltsame Schreibung der 1. plur. [Hieroglyphen] H 17, [Hieroglyphen] P 17 für [Hieroglyphen] „uns" wie eine jener spielerischen Schreibungen aus, die wir in den religiösen Texten des Mittleren Reiches gelegentlich antreffen.

Das Suffix 1. sing. ist unbezeichnet [Hieroglyphen] *rdjn-j* (29); [Hieroglyphen] (Db 28), einmal hat sich hier in Da die Schreibung der Pyramiden [Hieroglyphen] erhalten, was P und H durch [Hieroglyphen] ersetzen (vgl. Kommentar zu 16).

Der Strich war im Stammtext auf den Gebrauch der Pyramidentexte beschränkt, also [Hieroglyphen] *gś* (11), [Hieroglyphen] „Arm" (26), weitergehende Verwendung wie bei [Hieroglyphen] (Da 6, P 5, 14, 28, H 6; mit Suffix aber überall alt [Hieroglyphen]), [Hieroglyphen] (Da 30), [Hieroglyphen] (H 26) nur gelegentlich als Zutat des späteren Abschreibers.

Selbst neben [Hieroglyphen] „Auge" steht eine altertümliche Schreibung [Hieroglyphen] (H 16, 24[1]) und neben [Hieroglyphen] (Da, Db 18).

Spezielle altertümliche Wortzeichen begegnen in [Hieroglyphen] (6) *rwj* „ausziehen" vgl. Pyr. 852c. [Hieroglyphen] (13) *fdj* „abreißen" vgl. Pyr. 1223d. [Hieroglyphen] (30) *bn*, wobei der besondere Vogel, mit dem in den Pyr. die Worte des Stammes *bn* geschrieben werden (Pyr. 207d, 376 a/b, 608c, 1652b), gemeint ist[2]. Daneben steht eine Reihe ideographischer Schreibungen z. B. außer derartigen Schreibungen von Götternamen, die auch später üblich bleiben, [Hieroglyphen] *rd* „Fuß" (Da, Db 20; P fehlerhaft [Hieroglyphen] für [Hieroglyphen] H), [Hieroglyphen] *ṯbw.t* „Sohle" (Da, Db 20; in L, P, H phonetisch) und später ungebräuchlicher Schreibungen mit nur einem Zeichen ohne Komplement, wie [Hieroglyphen] *ʿḳ* (P, H 27), [Hieroglyphen] *mj* (Da, Db, H 14), [Hieroglyphen] „groß" (P, H 3).

Sehr altertümlich (Pyr.-Texte) ist die Schreibung des anlautenden Konsonanten bei [Hieroglyphen] *intjfj* (Da, Db 18; Da, Db, H 19), auch die Schreibung des Stammes *gm* [Hieroglyphen] ohne phonetisches Komplement in P, H 21 und [Hieroglyphen] (Db, A 22) entspricht den ältesten Schreibungen der Pyramidentexte.

Die Verbalformen zeigen noch alle Unterscheidungen der alten Sprache. Das *i* prosthet. wird richtig gesetzt [Hieroglyphen] imp. „wisse" (17), [Hieroglyphen] (26) im *śḏm-f* der 2 rad., [Hieroglyphen] (16) in der *n*-Form der III. inf.[3] In den verschiedenen Partizipien wird die Endung noch gern ausgeschrieben [Hieroglyphen] (L, Da 3), [Hieroglyphen] (L, H 5) part. perf. pass. III. inf.; die imp. und perf. Form unterschieden [Hieroglyphen] (16) part. perf. act. Zu [Hieroglyphen] (H 10) wahrscheinlich part. imp. act. und [Hieroglyphen] (13) part. perf. pass., vgl. Kommentar.

Die Lautwerte der Konsonanten entsprachen im Stammtext durchaus der alten Sprache. Wo Verschiebungen auftreten, sind sie meist auf einzelne Abschriften beschränkt, also Modernisierungen des Schreibers, wie [Hieroglyphen] (Db 21) für alt

1) Vgl. Pyr. 38c, 40b, 48a und oft in den älteren Teilen. — 2) Die Erklärung verdanke ich Sethe. — 3) [Hieroglyphen] nur bei L (16); ebenso [Hieroglyphen] L 16.

(P, H), oder (Da, Db 26) für (L, H), vielleicht auch (Da, Db 26 vgl. Kommentar).

Lassen sich somit viele Beispiele anführen, die mit der älteren Orthographie der Pyramidentexte zusammengehen, so sind in allen Texten durchgehende und somit vermutlich bereits dem Stammtext zukommende jüngere Schreibungen verhältnismäßig selten: (Da 15) für (L, P, H) „sagte er" gehört schon der Orthographie des A. R. an[1], dagegen ist jüngerer Einfluß in der durchgehenden Schreibung des *i* prosthet. als in 16 und für (Da, Db, P, H 15) unverkennbar. (26) tritt schon in den Pyr.-Texten neben die Schreibung [2]; auch die ständige „Determinierung" des Stammes *nḏ* mit (16 alle Texte) beginnt früh[3], ist aber in den Pyr. noch ungebräuchlich.

Jüngere Einflüsse, also vermutlich der Überlieferung im M.R., scheinen in Schreibungen wie „Nun" (1) (Pyr. oder ), (Da 5) oder (H 5) modernisiert aus , ferner in der namentlich im M. R. beliebten in den Pyr. ungebräuchlichen Zufügung des anlautenden vor (20, 30), in bzw. „siehe" (14) für älteres erkennbar zu sein.

Die Altertümlichkeit des Wortschatzes[4] und der Fassung der erhaltenen Göttermythen wird im Kommentar im einzelnen durch Verweise belegt werden.

Schon nach diesen allgemeinen Beobachtungen können wir voraussetzen, daß die Vorlage für die Abschrift einerseits in Deir el-Bahari, andererseits für die Texte P und H schon nach ihrer äußeren Gestaltung zum mindesten ein Text des Mittleren Reiches war, der seinerseits nur geringfügig überarbeitet, unmittelbar auf das Alte Reich zurückgreift, also ein Zeitgenosse der Pyramidentexte, ja sogar ihrer älteren Fassungen ist und sich in merkwürdig reiner Gestalt erhalten hat[5].

## 2. Übersetzung und Kommentar.

Abschnitt 1—5:

L 1[a] … [a] … 2 … [b] … 3 … 3 … [c]

Da 1 … 2 … 3 …

Db 1 … 2 … 3 …

P 1 … [h] … 2 … 3 … [i] …

1) LACAU, Ä. Z. 51, S 23 zur Abkürzung der Pyr.-Texte. — 2) Vgl. Pyr. 132b (T—N) u. oft. — 3) SETHE, Ä. Z. 45, S. 54. — 4) Als vielleicht jüngeres Element machte mich SETHE auf den pleonastischen Ausdruck „alles ganz vollkommen" noch verstärkt durch das folgende (14) aufmerksam. — 5) Mit Unrecht hat sich NAVILLE durch die altertümliche Orthographie von H verleiten lassen, seine frühere Datierung des Bruchstückes umzustoßen und es in die XI. oder XII. Dyn. hinaufzusetzen (Annal. du Serv. XVI, S. 187). Davon hätte ihn ein Blick auf die für die Spätzeit typische Darstellungsart der Gestalten der Verstorbenen und ihre Namen (z. B. u. ä.) Annal. X, pl. I abhalten müssen.

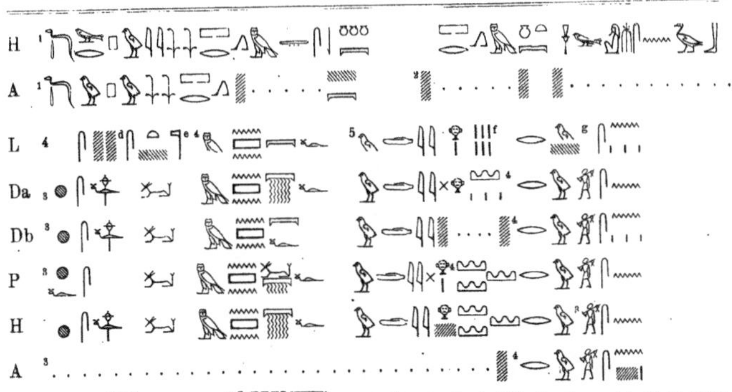

a) Lies . — b) . — c) Sicher Kopierfehler für die sonst in Lischt übliche Schreibung vgl. GARDINER, Ä. Z. 43, S. 148. — d) Also mit Metathese des geschrieben? — e) . — f) Lies . — g) . — h) DAVIES . — i) so DAVIES, GOLÉNISCHEFF .

Übersetzung: Ein Großer ist dieser, der aus der Erde hervorgegangen ist, der sich aus dem Urgewässer löste, der aus der Nut hervorgegangen ist, große Macht, der dem Geb geboren ist, der Seth in seinem Stürmen abgewehrt hat, der auf die Fremdländer gesetzt ist, damit sie entweichen.

Den ganzen ersten Teil des Textes bilden aneinandergereihte Appositionen zur Charakterisierung des Gottes bis Abschnitt 13, wo der Sprecher dann mit der direkten Anrede „siehe usw." anknüpft. Diese Kompositionsform entspricht genau den älteren Götterhymnen.

1. Grammatisch wohl sicher ursprünglich als Identitätssatz zu fassen, wie aus dem Gebrauch der Pyr. (vgl. namentlich 2047 c/d und 1872 a, auf die mich SETHE hinweist) hervorgeht, auch gerade mit folgendem Relativsatz, auf den hinweist. Vielleicht hat aber diese gleichsam den Gott vorstellende Satzform „dies hier ist der Große, der usw." dem Sinne nach die Bedeutung einer Anrede, die man zur Einführung unbedingt erwartet, da ja nach ERMAN, Grammatik[3] § 488 gerade die Zufügung des Demonstrativums bei der Anrede beliebt ist. Darauf weist auch die jüngere Schreibung von H, eine Form, die nach den von JUNKER, Stundenwachen i. d. Osirismysterien S. 27 aus archaistischen Texten aus Edfu zusammengestellten Beispielen mitunter nur die Bedeutung eines stärkeren Demonstrativums hat (namentlich Edfu XIII 39 und XIII 112, vgl. die Anrede a. a. O. I 43).

Zu s. u. S. 116.

zur Bedeutung vgl. *šnw* „sich trennen von" cc. *r* Pyr. 94 a „lösen" cc. *mꜥ* Pyr. 1100 d[1], hier anscheinend transitiv „trennen" o. ä. Zur Erklärung vgl. die verwandte Stelle Pyr. 264 b/c[2].

1) SETHE, Ä. Z. 47, S. 36 Anm. 3. *šn* „Bruder" kommt wegen der Schreibung nicht in Betracht. — 2) Der Wortlaut ist leider nicht ganz klar. Nach dem späteren Paralleltext Tb. Nav. Kap. 174

3. enthält keinen ausschließlichen Hinweis auf einen bestimmten Gott, wird aber in erster Linie vom Himmelsgott gesagt[1].

(L, Da) part. perf. pass. in P und H durch die formelhafte Schreibung ersetzt.

5. (L, H) Det. × in Da, P jüngere Zutat. *wdj* wird gern vom „einsetzen“ der Pflanzen gebraucht, daher auch die Konstruktion mit *ḥr*.

*rwj* vielleicht älter *rww*, dasselbe Wortzeichen Pyr. 852 c, sonst auch Pyr. 743 d oder Pyr. 2014 a heißt allgemein „sich bewegen“ (daraus die spez. Bedeutung „tanzen“ und die Schreibung mit [2] Ableitung Pyr. 884 a, Pyr. 863 a *rwtj* „Tänzer“, vgl. „Tänzerin“ Naville, Festival hall pl. XIV); es hat dann aber besonders die Bedeutung „(sich) entfernen, fliehen“ (daher die Schreibung Pyr. 2014 a) cc. *ḥr* „von etwas“ z. B. Quibell, Excavat. at Saqqarah II p. 35 Text nr. XV 15 „oh du, um dessentwillen die Götter von ihren Sitzen entwichen“ oder Chassinat-Palanque, Fouilles d'Assiout p. 64 (= Lacau, Text. rel. 19) „für mich flüchten die großen (Schlangen) aus ihren Höhlen“. In diesem Sinne wird es auch nach Ausweis der Sammlungen des Berl. Wb. transitiv „(etwas) entfernen, vertreiben“ (z. B. die Finsternis) verwendet. Das Wortzeichen, in genauer Wiedergabe ein gebückt schreitender Mann, der ein Bündel am Stabe trägt, hängt zweifellos mit „Einwanderer“[3] d. h. richtiger „Emigrant“ zusammen. Der Gott tritt hier also bereits als Schrecken der Fremdländer auf[4].

Abschnitt 6—11.

L 6 …

Da. …

Db …

P …

H …

A …

(Af 12) scheint auch hier „(hervorgegangen) aus reiner Erde“ zusammenzufassen zu sein.

1) Pyr. 265 a, 407 a, 408 c, 1319 a, 1725 b vgl. Ä. Z. 38, S. 24 u. a. Ebenso ist Amon-Rê als oberster Gott ein göttliches Am. Rit. XVIII 1. — 2) Kees, Opfertanz d. ägypt. Königs, S. 115. — 3) Sethe bei Borchardt, Grabdenkmal des Sahurê II S. 77. — 4) s. u. S. 117.

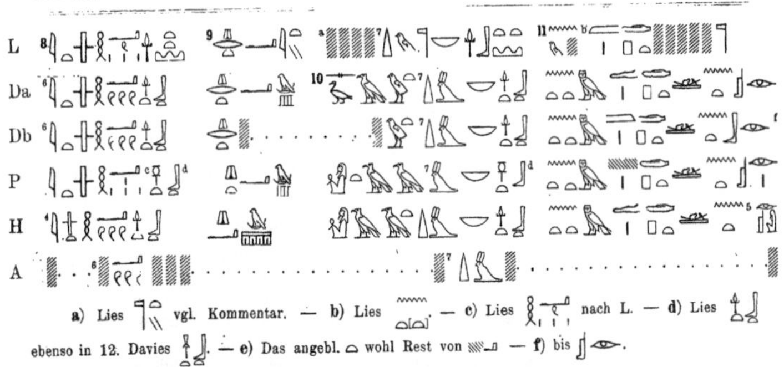

a) Lies vgl. Kommentar. — b) Lies . — c) Lies nach L. — d) Lies ebenso in 12. Davies . — e) Das angebl. wohl Rest von — f) bis .

Übersetzung: Beim Erfahren dessen Namens die Götterneunheit (erschreckt) aufgeschrieen hatte, erwachsen aus dem Leib jener ehrwürdigen Feld(göttin), die der Leib des Ostlandes ist, der Gehilfin des *'ntj*, die Sopdu, den Herrn des Ostlandes behütet, die an Bord des Schiffes des Osiris ist.

6 und 7 sind weitere Appositionen zum Namen des Gottes, 8—11 sind wieder unter sich gleichgeordnete Appositionen zur Erklärung des in 7 genannten „ehrwürdigen Feldes" als Gottheit.

6. (Da) ähnlich in allen Texten außer L, wo das wohl einfacher Fehler ist. Es kann nur ein seltenes Verbum III. inf. *k(j)j* (oder *kjw*?) „schreien" gemeint sein, das z. B. Quibell, Excavat. at Saqqarah II, S. 35 Text nr. XV, 18 „oh du, den der einzige Herr ausgesandt hat, oh du, um dessentwillen die Götter erschreckt aufschrieen (als sie hörten, daß usw.)" oder Tb. Kap. 112 (M.R. nach Chassinat-Palanque, Fouilles d'Assiout S. 86) (vor Schmerzen) vorliegt. Sethe weist mich ferner auf Pyr. 197c (parallel zu *šnḏ* „Furcht") und Pyr. 737d (Var. T.) und cc. *n* Pyr. 139a (W) hin.

7. Da, Db, A der sichere Beweis, daß A aus Deir el-Bahari kopiert ist. Das unsinnige ist aus verderbt und umgestellt. L, P, H zeigen die richtige Fassung.

„jenes ehrwürdige Feld", hier persönlich gedacht als Gottheit, überall ohne Gottesdeterminativ. H fehlerhaft archaisierende Schreibung, wie auch in Totenbuchhandschriften der früheren 18. Dyn. häufig zu finden.

8. Der Sinn verlangt Auffassung nach Erman, Grammatik[3] § 445f (Identität). Der „Leib des Ostlandes" muß wie in 7 ein poetischer Ausdruck für die fruchttragende Erdoberfläche sein. Die Beziehung des Textes auf eine Pflanze wird hier auch durch den Gebrauch des Verbum „entsprossen" sehr deutlich.

9. Da „Gehilfin des *ʿntj*“. Das Ideogramm des Gottes weicht namentlich in H stark ab, es zeigt dort die übliche jüngere Gestalt, wo die alte Form, Untersatz mit Barke darauf, nicht mehr verstanden wird. Die Lesung *ʿntj* „der Bekrallte“ ist durch Sethe eingeführt[1].

Das auffällige in L ist nicht etwa eine phonetische Umschrift, sondern in eine durch das Hieratische beeinflußte Entstellung für die gewöhnliche Namensform, wobei das Ideogramm ebenso wie das alte Gottesdeterminativ durch das unfigürliche ersetzt wurde, zu verbessern[2]. Als Heimat des Gottes kennen wir den 12. oberägyptischen Gau, dürfen aber wohl die Verbreitung seines Kultes auch noch auf die östlichen Teile des Hasen- und Antilopengaues ausdehnen[3]. Für eine gewisse Verbreitung spricht die große Beliebtheit der mit ihm gebildeten Personennamen des Mittleren Reiches. Hier erscheint er deutlich (vgl. 12) als Gott des Ostlandes zusammen mit Sopdu, der direkt „Herr des Ostlandes“ heißt und nicht etwa nur im östlichen Delta, sondern gerade in alter Zeit auch mit Vorliebe an der ägyptischen Küste des Roten Meeres lokalisiert wird[4]. Die Verbindung des Gottes *ʿntj* mit dem Ostlande ist ohne weiteres dadurch erklärlich, daß in seinem Heimatgebiet mehrere wichtige Karawanenstraßen nach dem Osten abzweigten[5].

Die einzige alte Darstellung, die ich kenne, stammt gerade vom Sinai aus der Zeit Amenemhets IV. und zeigt den in Gestalt des Seth, der in einer Barke steht[6]. Das ist für die Entwicklung dieser Göttergestalt, vor allem auch des Doppelgottes von Antaeopolis, der später als Horus/Seth gilt, recht interessant: Die selbständige Stellung, die er in unserem Text als Schutzgott des Ostens gegenüber Horus, Sohn der Isis und dem verfolgenden Seth einnimmt, zeigt deutlich, daß die Darstellung des Lokalgottes in Sethgestalt ebenso sekundär ist, wie die später übliche als Horusform.

Für ist eine aktivische Übersetzung gewählt, da die Feldgottheit weiterhin (11) deutlich mehr als Schutzgottheit, denn als Schutzbedürftige auftritt. Das paßt auch besser zu dem Isischarakter, der ihr im folgenden beigelegt wird. Aus dem gleichen Grunde möchte ich auch

10. Da, Db , P, H als part. imp. act. „die den Sopdu behütet“ auffassen, während grammatisch „die Sopdu behütet“ ebenso möglich wäre. In beiden Fällen ist die geminierende Form von P, H die korrektere.

11. „die an Bord des Schiffes des Osiris ist“ ein von der Schiffahrt (vom Piloten) entlehnter Ausdruck[7], der in religiösen Texten besonders gern von Isis in ihrer Anwesenheit zum Schutze des Schiffes gebraucht wird[8].

1) Sethe, Ä. Z. 47, S. 48 f. — 2) Freundlicher Hinweis von Sethe vgl. auch Schäfer, Ä. Z. 40, S. 121. — 3) Sethe a. a. O. S. 51. — 4) Sethe bei Borchardt, Grabdenkmal des Sahurê II, S. 82 als „Herr der Fremdländer“, Gardiner, Journal egypt. archaeol. V 222. — 5) Auf diese Weise ist auch Thot von Hermopolis zum „Herrn der Fremdländer“ geworden vgl. Sahurê II S. 83. — 6) Gardiner, Sinai Inscriptions I no. 119 = Petrie, Researches in Sinai Fig. 116. — 7) *gś* „Bord“ des Schiffes vgl. Tb. Kap. 1. Urk. I 130, 8. ebenso „an Bord des Sonnenschiffes“ Lacau, T. R. 81, 40. — 8) Junker, Götterdekret über das Abaton S. 28. Naville, Mythe d'Horus pl. II. VII.

Ptol. hat , daher direkt Bedeutung „schützen"[1]. Ein alter Beleg aus verwandtem Vorstellungskreis in einem allerdings sehr bunt zusammengesetzten Text der Kairenser Sarkophage 28028 und 29[2]: „zu dir kommt dein *gś-dp.t*, dein Sohn Sopdu, mit spitzem Horn, daß er in Gewahrsam halte den, der gegen dich gehandelt hat (= Seth vgl. Abschnitt 16), in der Wüste des Ostlandes".

Die plötzliche Einführung des Osiris ist dadurch veranlaßt, daß die Muttergottheit des im Ostlande als Pflanze aufgewachsenen Gottes bereits mit Isis gleichgesetzt wird[3]. Ihr Sohn wird dann auch im folgenden von seiner Mutter als Horus angeredet (15, 18, 25).

Abschnitt 12—13:

L 12 … 13 …

Da …

Db …

P …

H …

A …

L …

Da … 10 …

Db … 10 …

P …

H 6 …

A … 10 …

a) Lies. — b) Vielleicht nur vgl. P. — c) Lies nach H. — d) Die Stelle scheint fehlerhaft gewesen zu sein; Horus; im folgenden lies [ ]? — e) Lies.

1) Piehl, Sphinx VI, S. 123. Junker, Grammatik der Denderahtexte S. 87, 90 [keine Ableitung von einem Worte *gśdb* „Wahrheit". Auch die S. 90 angeführte Schreibung Mariette, Denderah I 56a ist *ỉr gś-dp.(t)* zu lesen]. — 2) Herkunft zweifelhaft angeblich aus Gurna (XII. Dyn.), veröffentlicht Daressy, Rec. de trav. XIV S. 35, Berichtigungen bei Lacau, Sarcophages I S. 75 f. Ein Paralleltext dazu auf Sarkophagfragmenten etwa der 13./17. Dyn. Peet, Cemeteries of Abydos II pl. 36. — 3) Zur späteren Gleichsetzung der Isis mit der Feldgöttin vgl. Brugsch, Religion und Mythol. S. 649. Erman, Ägypt. Rel.[2] S. 38.

Übersetzung: Über den die beiden Herren des Ostlandes ihre Arme verschlungen hatten, bei dessen Ausreißen aus dem Felde die Hände der Kinder ihrer Väter abgeschnitten worden sind.

Fortsetzung der Charakterisierung des Gottes durch Appositionen im Anschluß an 7. Abschnitt 12 zeigt die beiden Herren des Ostlandes, also die vorher genannten Götter *ʿntj* und Sopdu als Schützer des jungen Gottes, der sich übrigens in 13 gegen etwaige Übergriffe der Menschheit trotz seiner Pflanzennatur sehr drastisch und wirksam schützt.

12. *ṯs ʿwj* „über jem. die Arme verknüpfen" wird dem Sinne nach unserer Redensart „die Hände über etwas halten" entsprechen.

*ṯs* braucht übrigens nicht N-Form zu sein, trotzdem es die Texte, wie aus P hervorgeht und auch die Zeilenteilung von Da, Db, P zeigt, so auffassen, sondern es könnte auch *nbwj* mit der altertümlichen Schreibung des Anlauts im Stammtext gestanden haben.

13. *šʿʿ* bisher nicht belegte geminierende Form des sonst schon in den Pyr. als 2 rad.[1] auftretenden Verbum *šʿ*. Es liegt nach dem Hinweis von Sethe auf Bildungen wie Sethe, Verbum II § 927 am ersten auch hier ein part. perf. pass. vor, also eine passivische Konstruktion nach Erman, Grammatik[3] § 395. Demnach wäre auch *šʿ* als vermutlich ursprünglich III. inf. nachgewiesen.

H „Kinder ihrer Väter", nicht seltener Ausdruck für allgemeines „irgendwer" oder Menschen ohne besonderen Rang und Stand Pyr. 141b, 1563a. Tb. Kap. 152, 3. 153, 2.

P hat den größten Teil von 13 infolge Homöoteleuton in ausgelassen.

Abschnitt 14:

L 14 … a … 10

Da … 11

Db … 11

P … 10

H … 7

A … 11 … b

a) Lies die folgende Lücke scheint für zu groß; war vielleicht ausgeschrieben, da fehlt? vgl. ähnl. 23. — b) Lies .

Übersetzung: Siehe, dir wird alles ganz vollständig zusammengebracht aus den Landschaften.

Der einzige Passus des Textes, der auf eine Verwendung als Opfertext hinweisen könnte (s. u. S. 119) und der mit seiner Überweisung aller Gaben an den

1) Sethe, Verbum I 367.

nunmehr in der 2. Person angeredeten Gott einigermaßen aus den mythologischen Schilderungen herausfällt.

kann, da das Suffix 1. sing. nicht geschrieben wird, auch „ich bringe dir“ heißen.

Mit sind hier deutlich allgemein die einzelnen bewohnten und bebauten Landesteile gemeint.

Abschnitt 15—16:

L 15 16

Da 12

Db 12

P 11

H b sic

A 12 c

a) Sicher fehlerhaft und nach den Angaben der Lücken nicht zu ergänzen. — b) So gestellt — c) Lies [ ] die Lücke am Zeilenschluß von Z. 11 ist in der Publ. zu groß angegeben.

Übersetzung: „Oh König“, sprach deine Mutter Isis, „ich hatte gewünscht, daß du dein Auge von dem, der gegen dich gehandelt hat, befreiest“.

Der Text wird wieder durch mythologisches Beiwerk unterbrochen, die Anspielungen gehen nun immer deutlicher in den Sagenkreis von Isis und Horus, der sein Auge im Kampf mit Seth („der gegen dich gehandelt hat“ vgl. 22) verloren hat, über und der angeredete Gott ist nunmehr deutlich Horus.

15. L enthält die alte Fassung, die in den Pyr. übliche Anrede „König“[1]. in allen übrigen Texten ist ein verhältnismäßig früh (Fassung des M. R.) eingetretenes Mißverständnis (vgl. 16). Zu und siehe oben S. 96.

16. Die Fassung von L weicht ab, ist aber nach den bisherigen Erfahrungen kaum die bessere. Die einfachste Lösung, zu der mir auch Sethe rät, ist in dem (dafür P, H ) eine nach dem Gebrauch der Pyr. korrekt mit *i* prosthet. geschriebene N-Form zu sehen, wobei allerdings die nur hier in den Text eingedrungene jüngere Orthographie für altes auffallend bleibt, was indessen gerade auch an dem in 15 eine gewisse Stütze findet. L wäre dann unkorrekt und deshalb wohl nicht alt. Demgegenüber erscheint der andere Ausweg, in dem die Interjektion mit folgendem Imperativ zu sehen, un-

1) Besonders deutlich Pyr. 912 a von der Mutter zu ihrem königlichen Sohn gesagt.

wahrscheinlich, zumal er zwingt, die Einsetzung des Suffix 1. sing. in P und H für fehlerhaft zu erklären.

Abschnitt 17—21:

L

Da

Db

P

H

A

L

Da

Db

P

H

A

L

Da

Db

P

H

A

a) Lies . — b) Lies [⌂]?. — c) Lies die folgende kleine Lücke kann ich nicht ergänzen. — d) Lies . Die Schreibung von Nut läßt sich nicht mit Sicherheit herstellen; das letzte ist wohl wieder wie in 19. — e) So Davies. Golénischeff — f) g) Die Publikation gibt fälschlich Lücken am Zeilenende an.

Übersetzung: Erforsche uns doch eine lebende Macht, die denjenigen dem Horus für dieses Jahr bringen könnte, der ihm den Himmel als Wolke bringen soll und die Erde als Nebel, mit ruhigem Schritt und leiser Sohle, damit der Schädling, der Sohn der Nut, nicht den Weg zu ihm finden kann.

Alles nun folgende scheint noch als Rede der Isis aufgefaßt zu sein. Doch verliert sich der Text in echt ägyptischer Weise immer mehr in eine Schilderung mythischer Vorgänge und vergißt dabei, wie in 18, 19 und 21 (Anrede an Horus in 3. Person), zuweilen selbst die angenommene Situation als Rede der Isis an Horus, die der Sprecher als Opfergebet rezitiert.

17. [hieroglyphs] imp. mit nachgestellter Bekräftigungspartikel *m*ʿ nach ERMAN, Gr.[3] § 462 vgl. Tb. Kap. 112 (M.R. nach CHASSINAT-PALANQUE, Fouilles d'Assiout p. 85) mehrfach [hieroglyphs] geschrieben wie in H.

[hieroglyphs] wohl dat. ethicus; *rḫ* kann nicht „wissen" heißen, sondern muß etwa „zu erfahren suchen, erforschen" bedeuten.

[hieroglyphs] kann ich als Gottesbeinamen nicht belegen. Vielleich ist auch kein bestimmter Gott gemeint, denn „die lebende Macht" soll wohl erst als Bringer des Naturgottes auftreten, der am Himmel Wolken und Winde regiert, um das Horuskind vor den Nachstellungen des Seth zu verbergen.

18. [hieroglyphs] entweder allgemein neutr. und auf das folgende (19) zu beziehen, ähnlich wie in den Pyr. die Form [hieroglyphs] verwendet wird (z. B. recht deutlich Pyr. 946b/c) oder wie in Abschnitt 1 als „derjenige" mit folgendem Relativsatz. Der Sinn der folgenden Zeitbestimmung ist mir nicht recht klar, soll es soviel heißen wie „das ganze Jahr hindurch"?

19. [hieroglyphs] „der ihm (d. h. dem Horus) den Himmel bringen soll" so alle Texte außer L, der vielleicht in Angleichung an 17 [hieroglyphs] „uns" gibt, aber auch [hieroglyphs] scheinbar ausgelassen hat. Vielleicht liegt hier eine ziemlich frühe Textredaktion vor (vgl. 21 Ende L [hieroglyphs] gegen [hieroglyphs] der übrigen Texte).

[hieroglyphs] „Wolke" aus den Pyr. bekannt, dagegen ist [hieroglyphs] sonst nicht belegt[1]. Da es sich um entsprechende Verhüllung der Erde handelt, erscheint Bedeutung „Nebel" gesichert.

20. Die Übersetzung dieses als Zustandssatz eingeschobenen Teiles schließt sich an die Auffassung an, die mir SETHE nahelegte, nämlich Beziehung auf den Wettergott und zu seiner näheren Charakterisierung bestimmt, also ähnlich Abschnitt 8—11. Damit wird es notwendig, im folgenden Abschnitt 21 eine durch das negative Verbum [hieroglyphs] eingeleitete Satzform zu sehen, die nach dem Zusammenhang finale Bedeutung haben muß. Wenn eine solche Konstruktion (Verbalsatz mit nominalem Subjekt) auch ungewöhnlich ist, so hat sie SETHE doch durch das Verbum II § 1014 angeführte Beispiel P. 496/9 (= Pyr. 1267/69) für die alte Sprache belegen können. Demgegenüber hatte ich zunächst in 20 einen Relativsatz in Form des Zustandssatzes, angeschlossen an die indeterminierten Worte „Wolke" und „Nebel", sehen und deshalb

1) Das von BRUGSCH, Wb. 1228 angeführte [hieroglyphs] „Schatten, Dunkelheit" gehört wohl ebenso wie das dort genannte [hieroglyphs] eher mit dem bekannten [hieroglyphs] (Tb. Kap. 21 [Nu]. Ä. Z. 38, S. 27 u. a.) zusammen.

auch das zu diesem ziehen und vom folgenden trennen wollen. Insbesondere glaubte ich eigentlich „Fuß" nach der von Gardiner, Tomb of Amenemhet S. 93 scharfsinnig erschlossenen übertragenen Bedeutung ( „Verwischen der Fußspur") auch hier als „Fährte" und entsprechend *ṯbw.t* „Sohle" als „Spur" auffassen zu können[1], so daß sich als Absicht des schützenden Wettergottes die Verwischung und Verhüllung der Spur vor dem nachspürenden feindlichen Gott ergeben würde.

Dieser inhaltlich am meisten befriedigenden Erklärung steht aber die Schreibung , bei L sogar entgegen, das so, wie es dasteht, nur *ḳb(b)*, nicht aber *ḳbḥ* sein kann[2]. Und wohl nur bei *ḳbḥ* könnte man an eine Bedeutung „(durch das Regenwasser) verwaschen" denken. Dagegen erhalten wir mit der Charakterisierung des Gottes „mit kühlem (d. h. ruhigem) Schritt und verhüllter (d. h. leiser) Sohle" ein poetisches Bild des Wirkens dieses den Horusgott behütenden gütigen Naturgottes.

21. Die Auslassung des in P ist wohl einfacher Fehler; dieser Text enthält solche Flüchtigkeiten mehrfach, auch die ungewöhnliche Schreibung in 20 ist nach H nichts anderes.

21. P, H *nbḏ*, dies die ältere korrekte Form gegenüber der später üblichen Schreibung (Db, A; auch schon L?), wo es mit *nbd* kopt. ⲛⲟⲩⲃⲧ „flechten" (daher das Det. L, Db und die Etymologie „der Gebundene") zusammengebracht wird[3].

Appellativische Bezeichnung des Seth[4], daher „Sohn der Nut", von einem alten Worte *nbḏ*, das etwa „böse, schädlich" bedeutet, vgl. Sethe, Urk. I 70, 16. Weill, Decrets royaux pl. IV 1. Tb. Kap. 39, 15 (Ca) (Seth) .

Der *Nbḏ* erscheint in den religiösen Texten häufig als Feind des Rê oder des Osiris, der abgewehrt wird, auch als Gegner des Horus[5]. In älteren Texten heißt er „Herr der Schlange"[6] und „Zerbrecher der Ka"[7] und wird auch mit den dem Toten feindlichen Torhütern in Verbindung gebracht, dabei erscheint er auch ge-

1) Vgl. auch den häufigen alten Ausdruck Pyr. 917 c, der doch sicherlich nicht „den mit großer Sohle", sondern wie die Parallele „weit an Schritt" zeigt, jemand kennzeichnen soll, der weit ausschreitend auch eine weite Spur hinterläßt. Übertragungen wie Fuß — Spur, Sohle — Fährte sind im Ägyptischen recht gebräuchlich; vgl. *nmt.t* „Schritt, Schreiten" auch = der durchmessene Raum etwa „Bahn" (Pyr. 889 c/e u. a.). Ähnlich „die Stufen (Treppe)" Pyr. 1325 a (vgl. 1322 a, 1749 u. a. auch Gardiner, Rec. de trav. 34, S. 204) und oder „Stelle, wo der Fuß steht" vgl. Griffith, Hieroglyphs S. 12; Sethe, Ursprung des Alphabets S. 152. In der deutschen Sprache ein ähnlicher Vorgang in der Doppelbedeutung von „Gang". — 2) Pyr. regelmäßig ; = *ḳbḥ* nur fehlerhaft Pyr. 756 b (N) und 1180 a (N). Sonst nur einmal M. R Kairo 20337 (Wb). — 3) Naville, Deir el-Bahari IV Taf. 115 (l. Hälfte); Tb. N. R. passim siehe Anm. 5; und schon Brit. Mus. Stelae III pl. 25 Z. 10 (XIII. Dyn.?). — 4) Brugsch, Dict. géogr. 1353 . — 5) Tb. Kap. 15 B (Af); 130, 40; 131, 5 (Nu); 136 A, 17 (Nu); 138, 6; 152, 3. Naville, Deir el-Bahari IV pl. 115 (l. Hälfte). — 6) Lacau, T. R. nr. 74. — 7) Harhotep Mém. Miss. I 159 Z. 366/67 in einem Schlangenzauber.

legentlich in der Mehrzahl[1]. Namentlich im M.R. beliebte Schreibungen wie … scheinen darauf hinzudeuten, daß es ursprünglich ein bösartiges Tier ist[3], das dann früh dem Seth gleichgesetzt wurde.

Das dem Naturleben gut abgelauschte Bild eines der Fährte nachspürenden Raubtieres paßt vortrefflich in den altertümlichen rustikalen Vorstellungskreis, der für unseren Text so bezeichnend ist.

… „zu ihm (Horus)“ wie in 19. L … neutrisch „dahin“.

Abschnitt 22—23.

L 22 … 18 … 23 …

Da … 18 …

Db … 18 …

P … 17 … sic … a …

H … 11 …

A … 18 …

a) so Davies; G nur …

Übersetzung: Der gegen deinen Vater in der Erstarrung gehandelt hatte, er ist feindlich gegen dich, oh Horusauge, und du bist feindlich gegen ihn, oh Horusauge.

Von den Freveltaten des Seth (zu seiner Bezeichnung vgl. oben 16), der sich auch an dem toten Osiris („in der Erstarrung“) vergangen hat, indem er seinen Körper zerstückelte und seine Glieder verstreute, kommt die Rede der Isis im Anschluß an 16 auf das Horusauge zurück, von dem nun alles folgende handelt.

Horus und seine beiden Augen sollen nun durch die Hilfe der schützenden Götter vor den Nachstellungen des Seth gesichert werden.

22. Eine ebenfalls grammatisch mögliche Auffassung des … als vorausgestellter Konditionalsatz in der emphatischen Form „wenn dein Vater in der Erstarrung ist, dann ist usw.“ gibt im Zusammenhang keinen Sinn. auch die Verwendung der Präp. … *m ḫnw* wäre dann noch auffallender als so. Möglich wäre es indessen, daß der erste Teil von Abschnitt 22 als Apposition zu *Nbd* noch inhaltlich näher an 21 angeschlossen wäre und mit den Worten „er ist feindlich gegen dich“ ein neuer Satz beginnt.

… bezieht sich auf Osiris „in der Erstarrung“, d. h. als er tot war. Ein entsprechender Gebrauch von *m ḫnw* … „in Zu-

1) Lacau, Sarcophages I 191 (28083) Z. 26; I 213 (28085) Z. 7; I 236 (28086) Z. 49/54 als Hüter des aus Tb. Kap. 17 bekannten „Götterkampfplatzes“. — 2) Vielleicht auch Lacau, T. R. nr. 24 … Var. (fem.) … also pseudopart. *nbd.kwj* „nicht komme ich zu euch als Bösewicht“. — 3) Diese Vermutung hat auch Naville, Annales XVI S. 190 ausgesprochen.

friedenheit" Prisse 6, 10. *gmw.t* „Erstarrung, Trauer" öfters in Beinamen des Osiris Lacau, T. R. nr. 22 [hieroglyphs]; Buch v. d. Toren (Grab Seti I.) Lefébure IV 10 [hieroglyphs][1]; sonst Gardiner, Rec. de trav. 32, S. 10 zu Sinuhe R 9.

23. L allein schreibt die Stelle aus; die Abkürzung [hieroglyph] wird aber schon in den Pyr. gelegentlich verwendet.

Abschnitt 24—25:

L [hieroglyphs]
Da [hieroglyphs]
Db [hieroglyphs]
P [hieroglyphs]
H [hieroglyphs]
A [hieroglyphs]

L [hieroglyphs]
Da [hieroglyphs]
Db [hieroglyphs]
P [hieroglyphs]
H [hieroglyphs]
A [hieroglyphs]

a) [hieroglyphs]. — b) So Davies. Der Text schreibt das Zeichen überall ähnlich, vgl. Abschnitt 6—11, Note c.

Übersetzung: Dein rechtes Auge ist die Abendbarke, dein linkes Auge die Morgenbarke, deine beiden Augen, oh Horus, die aus Atum hervorgegangen sind, das sind Schu und Tefnut.

Die Gleichsetzung der beiden Augen des Himmelsgottes, die in dieser Vorstellung weniger stark als Sonne und Mond, denn als aufsteigende und sinkende Sonne erscheinen, mit den beiden Barken ist schon alt, vgl. Pyr. 1981c 1982b (= Lacau, T. R. nr. 34) „(Isis und Nephthys), die erstrahlen lassen deine beiden Augen an deinem Kopfe, die Abend- und Morgenbarke, die dir Atum gegeben hatte", vgl. Tb. Kap. 151 und eine M. R.-Version desselben auf dem Kairenser Sarkophage 2073 aus

1) Ich verdanke die Stelle der Freundlichkeit des Herrn A. de Buck.

Meïr DARESSY, Rec. de trav. XIV, S. 165[1]. Auch durch die Benennung *Mꜥtj* Pyr. 1785 b für die Sonnenbarken[2] war eine Verbindung mit dem Auge, das der Göttin *Mꜥ.t* gleichgesetzt wird, gegeben.

Horus ist also einerseits noch Himmelsgott, dessen Gestirnaugen aber schon mit dem Horusauge, das er im Kampfe mit Seth verloren hat (16) vermischt werden. Das wird dann für den Gebrauch als Opfertext ausgenutzt (s. u. S. 119).

Auch die Verbindung des Götterpaares Schu und Tefnut mit den Augen des Himmelsgottes reicht weit hinauf, sie knüpft an ihre Stellung als „Zwillingskinderpaar des Königs von Unterägypten", das sich nach den Pyramidentexten am Haupte des „Herrn der unterägyptischen Krone (*wr.t*)" befunden haben soll[3]. Sie werden dann als Augenkinder des Rê Sinnbilder der vereinigten Krone von Ober- und Unterägypten[4]. Einige Anzeichen sprechen dafür, daß ihr Kult in Verbindung mit dem [Hieroglyphen] in der Nähe von Letopolis lokalisiert war[5], wahrscheinlich veranlaßt durch die Gestalt des dortigen Lokalgottes [Hieroglyphen], auf den die Augensage auch in unserem Text hinzielt (29—31). Ihre alten Kultsymbole waren zwei eigentümliche barkenähnliche Gebilde, deren Gestalt wir aus Schreibungen der Pyramidentexte und des Palermosteines[6] kennen, und die genauer noch auf einem Bruchstück aus dem Sonnenheiligtum des Ne-user-Rê[7] dargestellt sind, das ich hier mit freundlicher Erlaubnis VON BISSINGs als Abb. 1 veröffentliche. Der seltsame Behang am Vorderteil kehrt hier wieder, als Insasse erscheinen vorn ein Falke in der Form des ältesten Götterdeterminativs, in der Mitte ein Vogel der Gestalt [Hieroglyphe] (vgl. Pyr. 804a [P. M.], 1017a, 1719a [M.]), dahinter auf einem rechtwinklig gebogenen Stab, eigentlich einem Pflanzenstengel, das Tier der Göttin *Mȝfd.t* (vgl. Pyr. 804a [M]). Damit ist der Zusammenhang mit den Sonnenbarken unverkennbar und somit ein neuer Weg für die Gleichsetzung mit ihnen gegeben[8]. Vielleicht hängt mit diesem Symbol auch das bisher unerklärte [Hieroglyphen] Palermostein V 2 Nr. 4 zusammen.

210.

Abb. 1.

24. [Hieroglyphen] und [Hieroglyphen] (Da, Db, A) ebenso in 28/29 die altübliche Schreibung mit Metathese. In L, P und H (bei letzterem nur im Namen der Abendbarke vgl. H 29, P 29) ist die Präp. *m* mit dem anlautenden [Hieroglyphe], ebenso in 29, zusammengezogen, vgl. ERMAN, Ä. Z. 56, S. 63.

1) Herr A. DE BUCK verweist mich auch auf die Schreibung [Hieroglyphen] „der im Gottesauge (der Barke) ist" Pyr. 124 Var. (W.) [Hieroglyphen]. — 2) Ursprünglich anscheinend die Barke des Sokar vgl. Pyr. 1429, ferner den Titel des A. R. [Hieroglyphen] LACAU, Rec. de trav. 24 S. 200 und die Angabe der Götterliste MARIETTE, Abydos I 48a [Hieroglyphen]. — 3) Pyr. 804a, vgl. 1017c, 1719a (hier in [Hieroglyphen] verändert). — 4) ERMAN, Hymnen an das Diadem der Pharaonen S. 42. JUNKER, Onurislegende S. 132. BRUGSCH, Geogr. Inschr. I 75 nr. 381 (vgl. Thes. 436) [Hieroglyphen] vielleicht im Zusammenhang mit dem „Feste des Schu und der Tefnut, dem Tag des Füllens des *Wḏȝ.t*-Auges" am 19. Thot nach dem Kalender von Edfu. — 5) SETHE bei BORCHARDT, Grabdenkmal des Sahurê II 94. — 6) Palermostein V 2 Nr. 5. — 7) Z. 210 (aus der „großen" Festdarstellung). — 8) In den Pyramidentexten (z. B. 1985a) wird gelegentlich auch darauf angespielt, daß Schu und Tefnut „die beiden großen Götter von Heliopolis" den Sonnengott fahren.

Abschnitt 26—27:

L 26 ... a ... b ... c 15 ... d ...
Da ... 21 ... e 22 ...
Db ... 21 ... 22 ...
P ... 20 ... — — — — — — — — — — — —
H ... 13 ...
A ... 21 ... 22 ...

L 27 ... f ...
Da ...
Db ...
P ... sic g ...
H ... 14 ...
A ...

a) Sicher nicht ... s. o. S. 93. — b) Lies ... Pluralstriche bei ... auch in 6. — c) Vielleicht ... nach H. — d) ... — e) Es fehlt nichts. — f) Wohl ... die Negation ... scheint ausgelassen. — g) So Davies G. ...

Übersetzung: Ihr Abscheu ist, wenn der Arm des Gottes auf sie fällt, und der Gottesschatten sie geschlechtlich mißbraucht. Nicht tritt sein Samen in (sie) ein.

Wieder eine mythologische Abschweifung, veranlaßt durch die Nennung von Schu und Tefnut. Der Gott, vor dem sie sich hier verwahren, kann nur ihr Vater, der ithyphallische Schöpfungsgott sein. Darauf weist deutlich der Name ... „Gottesschatten", den ich sonst alt nicht belegen kann, der aber später von Amon-Min gebraucht wird und als Name eines speziellen Kultsymbols des Min vorkommt[1]. Eine ähnliche Verwahrung gegen geschlechtlichen Mißbrauch findet sich in Tb. Kap. 7.

26. ... muß auch etwa „vergewaltigen" bedeuten. Die praepos. Verbindung *ḥr ḥt*, die hier zweimal gebraucht wird, ist selten vgl. Pyr. 1032b, 1067b Erman, Denkmal memphit. Theologie Z. 60 ... (Hinweis von Sethe[2]); dann Osirishymnen Louvre 3079 col. 110, Z. 48/49 ...[3]

1) Kees, Opfertanz des ägypt. Königs, S. 128. — 2) Erman: „Allerlei wuchs auf seinen Bäumen". — 3) Nach Pierret, Étud. égyptol. I, p. 29.

Louvre C 218 [hieroglyphs], wobei es annähernd synonym mit dem gewöhnlichen *m ḫt* steht.

P hat wieder beträchtliche Auslassung, der Abschreiber ist anscheinend in die folgende Zeile übergesprungen; ganz unsinnig ist das [hieroglyphs] für *ʿḳ*.

[hieroglyphs] Da, Db, A [hieroglyphs] H. Die Herstellung von L in [hieroglyphs] ist leider nicht ganz sicher, jedoch [hieroglyph] zweifellos. Danach liegen zwei verschiedene Etymologieen *nmš3* und *mns3* vor, deren Richtigkeit mangels anderweitiger Belege für das Wort nicht zu entscheiden ist. Ist die Auffassung von H und L korrekt, wäre vielleicht an eine Zusammensetzung mit *š3w* „Befriedigung" zu denken (vgl. den Ausdruck des Selbstbegatters Pyr. 1248a [hieroglyphs]). Die Schreibung von H soll wohl einen Lautwechsel *nm* ∾ *mn* andeuten. Auch an den Krugnamen *nmš.t* wäre zu erinnern.

Demgegenüber steht die Schreibung [hieroglyphs], die, worauf mich Sethe hinweist, wegen der später ungebräuchlichen Verwendung des phonetischen Schriftzeichens [hieroglyph] alt aussieht und für die der Krugname [hieroglyphs] Pyr. 32b (später auch [hieroglyphs] Am. Rit. II 5) eine passende Etymologie bildet. Möglich ist natürlich, daß die Schreibung durch falsche Etymologie entstanden ist, und zwar in einer Zeit, wo *s* bereits in *š* übergegangen, und der Lautwechsel *nm* ∾ *mn* vollzogen war.

27. Die Variante L [hieroglyphs] macht die Beziehung auf die beiden Götter deutlicher.

Abschnitt 28—29:

L [hieroglyphs]

Da [hieroglyphs]

Db [hieroglyphs]

P [hieroglyphs]

H [hieroglyphs]

A [hieroglyphs]

L [hieroglyphs]

Da [hieroglyphs]

Db [hieroglyphs]

P [hieroglyphs]

H [hieroglyphs]

A [hieroglyphs]

a) Lies . — b) d. h. vgl. 24. — c) Lies nach D. — d) So Davies. G. . — e) Lies ebenso in 30.

Übersetzung: Ich habe die Morgenbarke entfernt wegen deiner beiden Augen, oh Horus, ich habe dieselben als Abendbarke gegeben und ich habe sie als Morgenbarke dem Horus von *M3nw* gegeben.

Hier beginnen die Hauptschwierigkeiten für das Verständnis. Den Horus von *M3nw* kenne ich aus der älteren religiösen Literatur sonst nicht, selbst *M3nw*, in jüngeren Texten das Land des Sonnenuntergangs im Gegensatz zu *b3ḫw*, ist dort selten genannt. Den besten Anhalt zur Erklärung bieten die von Junker zur Sage vom Sonnenauge gesammelten Texte über den Haroëris von Letopolis aus dem Tempel von Kom-Ombo, in denen dieser mit Vorliebe als „Rê an der Spitze von *M3nw*“ bezeichnet wird[1]. Da dieser nach Ausweis seines alten Namens (Pyr. 2086 vgl. 771 a, 810 u. a.) besonders als Himmelsgott mit den zwei Augen betrachtet wurde, paßt die hier überlieferte Version der Augensage besonders gut zu ihm. Die Abweichung, daß es hier beide Sonnenaugen sind, klingt aber besonders, was die Rolle der Isis betrifft, eng an die schon oben herangezogene Stelle Pyr. 1981 b/c an, nur daß die Handlung dort auf Osiris d. h. den verstorbenen König übertragen ist.

Die Bezeichnung des Gottes von Letopolis als Horus von *M3nw* paßt infolge der Lage von Letopolis am Rande der westlichen Wüstenberge gut als Gegenstück zu dem im Anfang des Textes behandelten im Ostland entsprossenen Horusgott. Als Horus wird der Falkengott von Letopolis schon in den Pyramiden gelegentlich bezeichnet (Pyr. 810 b, 2078 sogar als Vater der vier Horuskinder). Von Atum, der in jüngeren Texten, namentlich den Sonnenhymnen, vorzugsweise als Gott der Abendsonne erscheint[2], ist er hier deutlich unterschieden (25). Die Handlung der Isis, auf der das Verständnis der Stelle wesentlich beruht, soll wohl in Übereinstimmung mit dem Vorausgegangenen eine Schutzmaßregel gegen die Nachstellungen des Seth sein: gegen die alles beherrschenden Gestirnaugen, in die Isis die Augen ihres Kindes Horus hier verwandelt, soll er nichts mehr ausrichten dürfen. Horus von *M3nw*, der Himmelsgott von Letopolis, ist, um dies richtig zu verstehen, natürlich vom angeredeten Horus, dem Sohne der Isis, streng zu scheiden.

28. *nfʿ* seltenes nur Pyr. 500 (die Abschrift im Grabe des *Ḥʿ-m-ḥ3.t* Miss. I 127 gibt als einzige die gleiche Schreibung mit dem Det. ), Sinuhe R 27 (Gardiner, Rec. de trav. 32 p. 14) und nach dem Berl. Wb. Naville, Mythe d'Horus, Taf. IV in (deiner Widersacher), belegtes Verbum des Sinnes „entfernen, vertreiben, herausschneiden“ wegen des Det. wohl auch „loslösen“ o. ä.

A ist verfehlte Archaisierung; für !

H Mißverständnis der alten Metathese unter Angleichung an 24 und 29.

1) Junker, Onurislegende S. 26. 41. Von sonstigen mit den westlichen („libyschen“) Landstrichen in Verbindung stehenden Horusgöttern kenne ich alt nur den Pyr. 1013 d und den im Alten Reich vielgenannten „libyschen“ Horus , der Borchardt, Grabdenkmal des Ne-user-Rê S. 93 dargestellt war und auch beim alten Sedfest des Königs eine besondere Rolle spielte. — 2) z. B. Tb. Kap. 15 B 12. Naville, Deir-el-Bahari IV pl. 115 (l. Hälfte); Am. Rit. XXV 2 u. ä.

Abschnitt 30—31:

L 30 [hieroglyphs]

Da [hieroglyphs]

Db [hieroglyphs]

P [hieroglyphs]

H [hieroglyphs]

A [hieroglyphs]

L 17 [hieroglyphs] 31 [hieroglyphs]

Da [hieroglyphs]

Db [hieroglyphs]

P [hieroglyphs]

H [hieroglyphs] 17 sic [hieroglyphs]

A [hieroglyphs]

a) Sicher unrichtig. — b) Lies [hieroglyphs]. — c) Lies [hieroglyphs]. — d) [hieroglyphs]. — e) So nach den von Davies angegebenen Zeichenresten sicher; G. zerstört. — f) [hieroglyphs].

Übersetzung: Der Blinde, reich an Ausfluß (?), und der mit getrübtem Augenlicht, arm an Sehkraft, vor dem Horus von *Mꜣnw*, nicht kommen sie heraus, nicht kommen sie davon unter den Fingern des Horus von *Mꜣnw*.

An diesem höchst eigenartigen Schluß bleibt manches unklar. Die Erwähnung der Blinden muß irgendwie mit der vorhergehenden Erzählung von der Übergabe der Augen des Horus an den Gott von *Mꜣnw* zusammenhängen. Es scheint hier bereits ein bemerkenswertes Zeugnis für eine Art Aburteilung des Toten vorzuliegen, allerdings noch in der allerprimitivsten Vorstellung, die jedes Gebrechen als etwas Strafwürdiges und dem Gotte Verhaßtes voraussetzt. Auch die Rolle des westlichen Himmelsgottes als Herr des Totenlandes (eine Anspielung darauf scheinbar auch Pyr. 2086) ist hier interessant, ein Totenreich des Osiris kennt der Text demnach nicht. Eine gleichartige gewalttätige Auffassung vom Gott von Letopolis spiegelt sich auch in dem T. R. Nr 55 (Rec. de trav. 31, p. 13) wieder.

30. [hieroglyphs] *ḥwd* „reich" vgl. Vogelsang, Klagen des Bauern S. 86, 222; Gardiner, Admonitions p. 61; wegen der beabsichtigten Gegenüberstellung *ḥwd-ḥwꜥ* ist [hieroglyphs] H wohl als Metathese und nicht als *wḫd* „ertragen, erdulden", das an sich hier auch einen Sinn gäbe, aufzufassen.

L Db H (daraus bei P fehlerhaft modernisiert; bei A in unter Angleichung an 31 entstellt) muß nach dem Zusammenhang, vor allem dem folgenden parallelen Ausdruck *ḥw* ͑ *m*ꜣꜣ ein Nomen oder nominale Form enthalten, die ein Kennzeichen der Blindheit bildet. Ist die Determinierung mit in H gut, könnte man also an eine krankhafte Absonderung der entzündeten Augenhöhle denken, wobei ich, da das Wort sonst nicht belegbar, unter allem Vorbehalt auf den Stamm als Verbum „ausspritzen" Pyr. 1628c, als Nomen „Quelle" o. ä. Pyr. 1200b, 1788a; später „Ausfluß" (Krankheit des Phallus) Wreszinski, Lond. med. Pap. 13, 4. 5 vgl. Apophisbuch 28, 27 und Pap. Berl. 3049 V 1 „Ausfluß" (= Samen) hinweisen möchte. Die Variante unserer sämtlich in Vertikalzeilen geschriebenen Texte müßte dann aus einer Zeichenzusammenschiebung für entstanden sein.

*ḥ*ꜣ bezeichnet nach den bisher sonst allein bezeugten Ableitungen sicher einen, dessen Augenlicht getrübt ist; vielleicht ist auch das alte III. inf. Verbum *ḥ*ꜣ*j* der Pyr. „klagen, beklagen" desselben Stammes. Am häufigsten belegbar die Ableitung *ḥ*ꜣ*tj* in der Bedeutung „Trübung, Bewölkung" namentlich in Verbindung *ḫśr ḥ*ꜣ*tj* „die Bewölkung (des Himmels) vertreiben", so am frühesten Pyr. 1449b (das Wortzeichen wegen *ḥ*ꜣ*tj* „Gewand"), ähnlich Lacau, T. R. nr. 61, 8 Berl. Pap. 3048 VII 2. Wegen ihrer Orthographie recht deutlich sind die Stellen Lacau, Sarcophages I 214 "der Glanz geht hervor, er dringt in den Himmel ein, er ist der die Trübung des Angesichts vertreibt", und Lacau, Sarcophages I 212 „N. ist derjenige, der das helle *wḏ*ꜣ.*t*-Auge brachte, N. ist derjenige, der vertrieb (sic) (Var. II 29 ) die Trübung aus dem verletzten Auge, so daß es (wieder) hell (*b*ꜣ*ḳ*) ist". Ähnlich a. a. O. I 216 (vgl. Lepsius, Tb. Kap. 135) und Abydos Rituale Kap. 24 nach Mariette, Abydos I tabl. 15 (Wb.) Var.

Sonst ist im N. R. die Determinierung mit üblicher vgl. Tb. Nav. Kap. 130, 14 (Wb) (Lc. Var. Pb. ) und 130, 29 (Var. Pb. ); ebenso Kairo Wb. 243 (Denkstein des nach Sethe 23, 59) oder Br. Mus. Pap. 10188; 16, 12 (Wb.) [1]. Daher kommt auch die medizinische Bezeichnung für das entsprechende Augenleiden das IV. inf. Verbum (Ebers 60, 19—20; 62, 19; 95, 12) vgl. Wreszinski, Lond. med. Pap. 11, 8—9.

1) Im Pap. Leiden I 350, II 3 (Ä. Z. 42, S. 19) „those that are in darkness(?) he shineth forthem" ist wohl auch herzustellen.

*ḥw'* geschrieben mit dem Bilde eines Zwerges[1], also „verkümmert, arm". Die Beispiele hat jetzt Gunn, Rec. de trav. 39 p. 101 gesammelt, der als Grundbedeutung „kurz" bestimmt und an unserer Stelle vielleicht zu speziell „kurzsichtig" übersetzen will.

L zur Schreibung s. o. S. 94. Es liegt, wie aus dem Parallelismus mit , der nach einigen Parallelstellen, die ich dem Berl. Wb. verdanke, eine feste Redensart war, hervorgeht, nicht das häufige *(w)bn* „aufgehen" vor, sondern ein Verbum, das zwar desselben Stammes sein wird, aber immer mit Verlust des anlautenden *w* erscheint und mit „Kugel" und einer Reihe anderer Worte zusammenhängen wird.

Am klarsten wegen der völligen Übereinstimmung mit unserer Stelle ist ein Text aus dem Grabe Ramses VI., Mém. Miss. III 1, pl. 31, den mir Herr A. de Buck freundlichst nachweist: Da wird eine Klasse Götter mit einem -Symbol angeredet: „Oh ihr Götter im Gefolge der , und im Gefolge des Geb, greift die Feinde, bewacht die Feinde, ". Sodann mit vereinigt im Großen Amduat 11. Stunde nach Sethos II 23: (Ihr Feinde sollt zerschnitten werden) und in ähnlichem Zusammenhang in dem Apophisspruch Tb. Kap. 39, 11 (Ca) , oh Apophis, Feind des Rê (Var. Pb. ). Hier müssen also beide Worte ganz klar eine Lebensäußerung durch Bewegung bezeichnen, wozu auch paßt, daß die Schreibvariante es zu der reduplizierten Form *bnn* Tb. Kap 17 (N. R.) Z. 102 und Pap. Berl. 3050 V 8 stellt, die dort „erzeugen, zur Welt bringen" bedeutet und in voller Reduplikation als coïre neben im Apophisbuch passim vorkommt. Dazu tritt ptol. *bnbn* „überfließen" Junker, Grammatik der Denderahtexte S. 85, mit dem das intransitive im Grabe des *Imn-m-ḥb* Mission V 235 und auch wohl das in einem Ritualtext Mariette, Abydos I 37b „ in seinem (Horusauge) Namen " zusammengehört.

Das Simplex scheint nach dem ältesten Beleg in intransitiver Bedeutung, den ich kenne, Urk. I 36 Z. 13 „jeder Totenpriester . . . der in Abgang kommen und der für einen anderen Stundendienst genommen werden sollte" III. inf. zu sein. Von ihm sind dann „Mühlstein" Prisse 5, 10 vgl. Pap. Leiden 343 Vs. 2, 8, Harris I 65a (Wb) und als Bezeichnung einer bestimmten Steinsorte Urk. IV 831 A, C abgeleitet. Auch die medizinischen Ausdrücke für eine Kinderkrankheit Zaubersprüche für Mutter und Kind Berl. 3027 E III 4—5 und für eine Art Entzündung Ebers 72, 10; 70, 23—71, 1 gehören hierher.

1) So schon von Brugsch, Wb. 939 erkannt.

31. Andererseits wird das Wort oder mit dem ebenfalls seltenen Ebers 48, 3 (vgl. 103, 6) bzw. Ebers 48, 3 zusammenhängen, das etwa „wackeln, zittern" bedeuten muß, und demnach das Simplex zu dem bekannten *šd3* „zittern" zu sein scheint. Das Det. in den D-Texten ist also berechtigt. Auch hier erscheint eine reduplizierte Form (nur Apophisbuch „coïre"), zu der sich dann *šd3d3* ϭⲧⲱⲧ stellen würde. Mit dem trans. 3 rad. Worte Pyr. 271 a, Urk. I 8, jünger „bezwingen" ist es vielleicht stammverwandt, da dieses z. B. Annal. du Serv. XVII 228 (11. Dyn.) auch geschrieben wird.

*bn* und *d3* werden also etwa mit „herauskommen, davonkommen" an unserer Stelle wiederzugeben sein. Weniger deutlich ist eine Stelle Tb. Kap. 45 in dem „Spruche nicht zu verfaulen" (Ca), wo es vom Gliede des Toten heißt „es ruht nicht, es fault nicht also etwa „es läuft nicht fort, es geht nicht dahin".

Die Schreibung der Negation als in P und H findet sich auch in H 27, muß also auf die gemeinsame Vorlage von P und H zurückgehen.

## 3. Der Gott des Hymnus.

Die Bedeutung des Gottes, an den der Text gerichtet ist, wurde bereits im Kommentar mehrfach gestreift. Sein Name wird nirgends direkt genannt, aber seine Charakterisierung erfolgt namentlich im Anfangsteil ungewöhnlich eingehend. Zwei Punkte treten klar hervor: er ist einmal eine Pflanze, die im Ostland unter dem Schutze seiner Götter aus dem Felde aufsproßt (5, 7—13), andererseits wird er weiterhin Horus genannt und Isis ist seine Mutter. Hier muß aber bereits eine sekundäre Angleichung stattgefunden haben, denn daß diese Horusform mit dem Sohne des Osiris und der Isis ursprünglich nichts zu tun hat, geht aus den Eingangsworten (1—3), wo der Gott aus Nut hervorgegangen und dem Geb geboren ist und deutlich auf einen Gott des Uranfangs verwiesen wird, hervor. Nur auf einen solchen paßt die Entstehung, indem er sich aus dem Urgewässer absonderte (1), wie sie in ähnlichen Wendungen z. B. von Atum berichtet wird[1], und deshalb heißt er gleich am Anfang einfach „der Große", das kann nach ägyptischem Sprachgebrauch aber auch „der Größte" = der Uralte, Uranfängliche bedeuten[2].

Nun ist dem Text H eine Vignette beigefügt, die trotz der eigenartigen Wurzelknolle, die sie z. B. von der dem Tb. Kap. 81 im Neuen Reich beigegebenen Vignette unterscheidet, nur die Blume des Nefertem mit der typischen Doppelfeder darauf sein kann. Für eine Deutung auf Nefertem hat sich jetzt auch Naville ausgesprochen[3], während er früher in der Pflanze einen lokalen Fetisch von Horbeit sehen wollte.

Auf Nefertem paßt das pflanzliche Aufsprossen aus der Erde[4], als auch das gleichzeitige Hervortreten aus dem Urgewässer, denn nach dem ägyptischen Mythus ist der Sonnengott auf einer Lotosblüte sitzend aus dem Nun aufgetaucht[5], ja er wird

1) z. B. Tb. Kap. 79, 3. Am. Rit. XVIII 3. — 2) Kees, Opfertanz S. 258 f. bes. Anm. 98. Sethe, Ä. Z. 55, S. 65. — 3) Annal. du Serv. XVI, p. 188, seine weiteren Ausführungen über die Pflanzenart beruhen allerdings auf einem Mißverständnis des Textes. — 4) Pyr. 264 b vgl. 266 a, ähnlich auf einer magischen Stele Rec. de trav. I 135, wo eine -Pflanze als angerufen wird. — 5) Brugsch, Thesaurus S. 11. Erman, Aeg. Rel.[2] S. 33; Sonnenhymnus Ä. Z. 38, S. 24, wo der

sogar selbst als diese Lotosblüte bezeichnet. Auch Himmel (Nut) und Erde (Geb) passen zur Bezeichnung seines Ursprungs. Vor allem heißt auch Nefertem im Tb. Kap. 81 (Nu) in Übereinstimmung mit den Angaben hier in 7—8. Die nahe Verbindung mit dem Sonnengott ist alt, denn Nefertem ist die „Lotosblume an der Nase des Rê“[1]. Daher wird die Blume des Nefertem ein häufiges Begleitzeichen der Barke des Sonnengottes oder des memphitischen Sokar[2].

Nefertem wird anscheinend schon ziemlich früh einer Horusform gleichgesetzt und zwar mit dem besonderen Namen , der speziell in Bubastis verehrt erscheint[3]. Auch bei diesem wird sein Ursprung aus dem „Gottesfeld“, das in Bubastis lokalisiert erscheint, genannt[4], und diese Horusform begegnet namentlich in jüngeren Texten wieder in besonders naher Verbindung mit der Sonnenbarke, sogar als Form des Sonnengottes selbst. Dementsprechend werden auch seine beiden Augen öfters erwähnt. Ob die Gleichsetzung des Nefertem mit dem *Ḥr-ḥknw* etwa damit zusammenhängt, daß beide ursprünglich eine Rolle als Gottheiten des angenehmen Wohlgeruchs — ist ja eins der sieben heiligen Öle — gespielt haben[5], bleibe dahingestellt, wichtiger für die Beurteilung ihres Charakters ist die Tatsache, daß von beiden Göttern sich auch eine Auffassung entwickelt hat, die sie, vielleicht infolge Angleichung an das Bild des siegreichen Königs[6], als gewalttätige Götter, die die Feinde vernichten, gerade mit den Gottheiten des östlichen Deltas in Beziehung bringen. Da ist es denn besonders wichtig, daß auch unser Pflanzengott hier schon als Schrecken der Fremdländer gilt, der sie zur Flucht bringt (5). Nefertem und auch *Ḥr-ḥknw* erscheinen so in der gleichen Rolle, wie der Horus von Sele oder Sopdu[7], dann auch mit Vorliebe in Löwengestalt[8]. Dabei hat natürlich bei Nefertem seine konstruierte Rolle als Sohn der memphitischen Sechmet, von der unser Text nichts weiß, und die daraus folgende Übertragung nach Bubastis mitgewirkt. Immerhin lassen sich aber für eine gewalttätige Rolle des Nefertem auch sonst Anzeichen nachweisen,

Sonnengott dann direkt heißt; Tb. Kap. 15 A IV 3. Berl. Pap. 3049 IV 3 u. a.

1) Pyr. 266a (= Tb. Kap. 174) Tb. Kap. 81. 178 (Aa), Z. 36. Erman, Denkmal memphit. Theologie Z. 52b. — 2) z. B. Quibell, Ramesseum pl. 14. Das Symbol des Nefertem in der Sonnenbarke kommt schon im Sonnenheiligtum des Ne-user-Rê in der Schreibnng des Festtages der Ausfahrt des Rê *ḫn.t-Rꜥ* vor; vgl. dazu späte Darstellungen wie Brugsch, Thesaurus S. 13 (Rê-somtus), Lanzone, Diz. di mit. Taf. 239 (Ḥorsomtus), oder den bei Naville, Shrine of Saft el-Henneh pl. II Reihe 4 = Brugsch, Thesaurus 791. — 3) Mariette, Abydos I 38a; verehrt im „Haus des Nefertem“ Götterliste a. a. O. I 44/45 nr. 8, auch Brugsch, Religion S. 335, 523, 525 u. a. — 4) Brugsch, Religion S. 386/7; Dict. géogr. S. 1389 XVIII. — 5) vgl. besonders den Hymnus Mariette, Abydos I 39b, wo Nefertem Z. 9 „angenehm an der Nase der Götter, erfüllt mit Salbe“ genannt wird. — 6) vgl. Pyr. 483b als Gebieter über die Menschen zur Zeit, als Rê über die Neunheiten herrscht, daher der alte Titel des Nefertem z. B. Mariette, Abydos I 37a/b; 39b. Brugsch, Religion S. 523. — 7) Naville, Shrine of Saft el-Henneh pl. V Reihe 2 als Greif. — 8) Naville, a. a. O. pl. VII als . Für die Ausgestaltung als grimmer Wächter an der Ostgrenze gegen die Barbaren sind auch solche Anspielungen wie Abschnitt 4 unseres Textes „der Seth in seinem Stürmen abwehrte“, oder die vom Abschneiden der Hände, die sich an ihm vergreifen wollen, (13) sicherlich von Bedeutung gewesen.

vor allem einige Stellen, die ihn seltsamerweise mit dem Totengericht in Verbindung bringen, so die Glosse des N. R. zu Tb. Kap. 17 Z. 65, wo es sich um einen Gott handelt „der die Sünder an seiner Richtstätte in Fesseln legt und die Seelen verwundet"; dazu paßt, daß Tb. Kap. 125, 34 der memphitische Nefertem unter den Totenrichtern erscheint.

Das klingt wieder merkwürdig zusammen mit der Rolle, die in unserem Text der im Grunde als Gott des Westlandes gänzlich verschiedene Horus von *M3nw*, in dem wir den Gott von Letopolis zu erkennen glaubten, als Mißhandler Verstorbener spielt. Letzterer tritt in dem schon erwähnten religiösen Text Nr. 55 Z. 15 ebenfalls deutlich als blutdürstiger Schläger der östlichen Beduinenstämme auf.

Zur Einflechtung der Augensage in unseren Text sei darauf verwiesen, daß Nefertem im Neuen Reich und später dabei häufig löwenköpfig als Bringer des Horusauges dargestellt wird; auch die Wohlgerüche, die er ebenso wie der *Ḥr-ḥknw* ursprünglich wahrscheinlich versinnbildlichte, sind ja im Opferritual wieder das Horusauge[1]. Damit erscheint der Vorstellungskreis geschlossen!

Soviel Uneinheitliches und Widersprechendes in dieser Auffassung liegt, die Beziehung unseres Textes auf Nefertem scheint mir unbestreitbar. Demnach müssen wir voraussetzen, daß die Verbindung des Nefertem mit dem Ostland und seinen Göttern vor allem dem Sopdu recht alt ist. Sie mag in die Zeiten des memphitischen Reiches zurückgehen, wo etwa von Zoser an die Frage des Schutzes des Deltas durch Anlage starker Festungen besondere Aufmerksamkeit der Herrscher erforderte. Ist das richtig, dann wird die Entstehung des Textes in die gleiche Zeit fallen und seine Schöpfer sind dann memphitische Priester gewesen. Dazu paßt die Wiedergabe der Augensage anscheinend in der Lokaltradition des nahen Letopolis untermischt mit Einflüssen aus dem heliopolitischen Religionskreis (Schu und Tefnut). Bei einer in der Residenzstadt Memphis hochverehrten Gottheit ist auch die weitergreifende Beziehung zu dem anderen Gott des Ostlandes, dem in Oberägypten heimischen *ʿntj* verständlicher, als wenn es sich etwa um einen Lokalgott des östlichen Deltas handelte.

Jedenfalls stimmt dieser Ansatz auch mit den Folgerungen aus Sprache und Orthographie des Textes aufs beste überein.

Religionsgeschichtlich interessant ist das Nebenhergehen der Mythen des Osiriskreises zu beobachten: Die Muttergöttin, die Feldgöttin des Ostlandes wird zwar bereits mit Isis gleichgesetzt (15), die den Osiris beschützte (11), ihr Sohn von Seth verfolgt (19—21), der schon seinem Vater Übles angetan (22), sein Auge ihm geraubt, das er wieder befreien soll (16) und er hat den Seth besiegt (4), daneben steht aber noch sehr eindringlich der andere ältere Mythenkreis, der den jugendlichen Gott von den alten Elementargottheiten Geb und Nut abstammen läßt (2—3), wie später Osiris, und als uranfänglich entstandene Naturgottheit hinstellt (1).

Daher ist auch der Kern des Textes, die Nachstellung des Seth mehr als Feindschaft gegen den Natur- und Lichtgott zu beurteilen, als im Sinne der späteren Gestaltung der Osirissage.

Die Beziehung des Horusgottes zu „seinem Vater Osiris" (22) tritt demgegenüber ganz zurück, Osiris selbst spielt keine Rolle.

1) Nebenbei sei darauf hingewiesen, daß auch der Salbgott *Šsmw* als Schutzgottheit (z. B. L. D. Text II 187 aus Dendera) oder der mit dem Hathorkult verknüpfte *Wḫ* von Kusä (Chassinat, Bullet. de l'inst. fr. IV. p. 104) später löwenköpfig dargestellt werden.

## 4. Die Verwendung des Textes im Opferritual.

Wie schon erwähnt, steht der Text im Tempel von Deir el-Bahari ebenso im Grab des , wo die Einteilung der Opfertafel und daher auch die Zeileneinteilung des Textes[1] trotz starker orthographischer Abweichungen die gleiche ist, inmitten der Opferliste und zwar hinter der Weihung von und [2]. Nach dem Text setzt sich die Liste mit einem neuen Hauptteil, den heiligen Ölen, fort; nach dem alten Muster würde also ein Stück fehlen[3], warum wissen wir nicht.

Schon der Lischter Text des Mittleren Reiches ist aber mit den gleichen Zeremonien der Opferliste verbunden, wie die dem Texte vorgesetzte einfache Vignette beweist: dort tragen die standartenförmigen Zeichen des Ostens (links) und des Westens (rechts) je eine Opfergabe, bezeichnet links als , rechts als , dazu ist gleichlautend auf beiden Hälften die übliche Opferformel (Pyr. 31) beigeschrieben . Ferner findet sich an der Seite als Zeile 1 dieser Sarkophagseite unmittelbar vorangestellt die Opferformel für die . Weiter steht nun und zwar deutlich auf die beiden Opfergaben bezogen, bei der Gabe des Ostens die Bezeichnung „Morgenbarke", bei der des Westens „Abendbarke". Hierin liegt eine klare Anknüpfung an den Inhalt unseres Kapitels: die beiden Opfergaben, d. h. nach der üblichen Symbolik jedesmal das Horusauge, sind auch die beiden Barken, da diese auch die Augen des Horusgottes sein sollen (24/25). Auf diese Weise verwebt sich die Augensage mit der Wendung des Textes, die direkt auf die Opfer sich bezieht, daß dem angeredeten Gotte „alles ganz vollständig zusammengebracht werden soll aus den Landschaften" (14)[4]. Daß später die beiden Augen dem Horus streng gefaßt weggenommen und einem anderen Gott gegeben werden, stört für ägyptische Denkungsart nicht.

Die Verbindung dieses eigenartigen mythologischen Textes mit der Opfertafel ist also mindestens seit dem Mittleren Reich gesichert, aber wir sehen auch, er gehört nicht zu den eigentlichen Ritualformeln, die bei der Überweisung rezitiert wurden. Ich möchte ihn als hymnenartigen Text bezeichnen, der vielleicht zu den gehörte, die sicher auch an bestimmten Stellen rezitiert werden mußten[5].

Für diese Ritualform haben wir an derselben Stelle eine lehrreiche Parallele für gleichartige Verwendung eines Abschnittes aus den Pyramidentexten. Dem Schluß der Opferliste in Deir el-Bahari und ebenso in dem gleichzeitigen Grabe des *Pw-ỉm-Rᶜ* ist nämlich ein Text angefügt, der aus Pyr. 118—133f (Unas Z. 166—205) besteht und wie lange erkannt ist, auch zur Bildung des Tb. Kap. 178 (Aa) Z. 1—25 unter Beifügung eines sekundären Titels benutzt ist.

---

1) Trotz der Auslassungen, die der Schreiber von P anscheinend gegen Ende bemerkt, erreicht er durch Auseinanderziehen der letzten Zeilen, daß er mit Z. 27 wieder mit seiner Vorlage und der Abschrift in Deir el-Bahari übereinstimmt. — 2) Pyr. 31a/c vgl. MASPERO, Table d'Offrandes Étud. de Mythol. VI, S. 336; BUDGE, Liturgy of funerary offerings p. 67/68. — 3) Pyr. 50; BUDGE, a. a. O. p. 88. — 4) Die Verbindung der Sonnenbarke mit den Opfern findet sich z. B. auch Tb. Kap. 53, 8—9 „die Abend- und die Morgenbarke bringen es (das Brot) mir aus dem Hause des großen Gottes in Heliopolis". — 5) NAVILLE, Deir el-Bahari IV, pl. 112; ältere Beispiele bei v. BISSING, Mastaba des Gemnikai II, S. 25.

Tatsächlich folgt er nun bereits in der Anordnung der Pyramiden unmittelbar den eigentlichen Opferformeln und ist selbst als Begleittext zum Opfer durch eingestreute Ritualbemerkungen (Pyr. 124 d) und die ständige Erwähnung von Nahrungsopfern gekennzeichnet. Hier besteht also die Verbindung mit der Opferliste seit dem Alten Reich, und vermutlich handelt es sich auch hier um Begleithymnen, die dem eigentlichen Rezitativ des Opferrituals nebenhergehen, vielleicht auch nur für besondere festliche Gelegenheiten bestimmt waren. Hier wissen wir leider von der eigentlichen Kultübung noch zu wenig. Einen Hinweis enthält auch das Vorkommen derselben Sprüche auf der Stele eines *Nḥj* aus Abydos (XIII. Dyn.) vereinigt unter dem Titel [hieroglyphs][1]. Auch in dem Grabe eines Fürsten *Nḥ3* des Mittleren Reiches finden sich dieselben Sprüche im freien Raum der letzten Felder der großen Opferliste, wobei allerdings noch ein anderer Spruch aus den Pyramiden (Pyr. 214—217 = Unas Z. 295—97), ebenfalls offensichtlich ein Opfertext, vorausgeht[2].

Während also die Mehrzahl dieser Sprüche aus den Pyramiden, die in ihrer Verwendung mit unserem Nefertemtext zusammengehen, inhaltlich recht gut als Opferbegleittexte passen, zeigt dieser selbst im Grunde anderen Charakter. Wir haben es mit einem alten Götterhymnus zu tun, der nur mittelbar mit Opfern in Zusammenhang gebracht werden kann. Aber, wie bekannt, stehen auch in den Pyramidentexten solche ursprünglich ungleichartigen Elemente nebeneinander oder werden schon ineinander verwoben, und es wird eine lohnende Aufgabe künftiger kritischer Untersuchungen sein, Ursprung, Bestimmung und Schicksale der einzelnen Sprüche aufzuklären.

# Die Schlangensteine und ihre Beziehungen zu den Reichsheiligtümern.

Von Hermann Kees.

In alten Schreibungen der Pyramidentexte findet sich bei dem Namen der Königspaläste bzw. der Reichsheiligtümer beider Landeshälften *itrtj* abgesehen von den eigentlichen Wortzeichen [hieroglyph] und [hieroglyph] gelegentlich noch ein anderes Begleitzeichen, ein stelenartiger oben abgerundeter unten etwas eingezogener Stein [hieroglyph].

Dadurch ergeben sich solche seltsame Schreibungen wie Pyr. 731 c [hieroglyphs] Var. N [hieroglyphs] (ebenso Pyr. 896 c [N], Pyr. 1182 c [P u. N]) oder Pyr. 2172 b [N] [hieroglyphs]. Das Zeichen [hieroglyph] findet sich andererseits ständig im Worte [hieroglyphs] Pyr 577 c, 645 b (Var. TM [hieroglyphs] P. [hieroglyphs]) ebenso

1) Mariette, Catalogue d'Abydos Nr. 878; Piehl, Inscr. hiérogl. III 99—100; Schäfer-Lange, Grab- und Denksteine II 118 (Kairo 22520). — 2) Chassinat, Fouilles de Qattah. (Mém. de l'inst. fr. XIV) Ostwand Z. 27—72, weiterhin folgt noch Unas 300—333.

Palermostein V 5 Nr. 9 und nach freundlicher Mitteilung Sethes noch zweimal auf den neuen Annalenfragmenten in Kairo:

(Zeit des Snefru) und (Zeit des Dedefrê)[1].

Die beiden bilden demnach das eigentliche Wortzeichen für *śnw.t*; dagegen sind sie Pyr. 1998a (N) durch die Zeichen der *itrtj* ersetzt.

Beide Bezeichnungen *itrtj* und *śnw.t* müssen deshalb eng zusammengehören, sogar bis zu gewissem Grade synonym sein. Diesen Schluß legt auch die an einigen Stellen der Pyramiden stark betonte inhaltliche Verbindung beider besonders nahe, so wenn es in einem öfters wiederkehrenden Spruch heißt[2]: „Horus hat veranlaßt, daß sich die Götter mit dir vereinigen, damit sie sich zu dir gesellen () in deinem Namen *śnw.t*, nicht aber, damit sie dich abweisen in deinem Namen *itrtj*". Hier sind beide als Osirisnamen unmittelbar nebeneinandergestellt. Da die Erklärung für die *itrtj* als die ursprünglichen alten Paläste bzw. die Reichsheiligtümer der ehemals getrennten ober- und unterägyptischen Landeshälften durch Sethe sichergestellt ist[3], so lag es zunächst nahe, in dem *śnw.t*, das ja nach der Determinierung auch ein Gebäude sein mußte, einfach einen anderen Namen, etwa „das Doppelhaus" nach der von Sethe wahrscheinlich gemachten Ableitung von *śn* „Bruder"[4] zu sehen[5]. Die seltsamen -Steine blieben damit unerklärt. Hier weiterzukommen ermöglicht eine weitere treffende Beobachtung Sethes, der in einer leider unvollständig erhaltenen Darstellung aus dem Totentempel des Sahurê bei einem unkenntlichen Gotte das gemischte Wortzeichen der Pyramidentexte wiedererkannte und gleichzeitig auf eine in Kairo erhaltene einst in den Tempel des Horus Chent-echtaj von Athribis durch Amenophis III. geweihte Stele dieser Form mit Darstellung einer Schlange darauf benannt „gute *ʿḥʿ*-Schlange des Hauses des Har-chent-echtaj" verwies[6].

Hiermit ist der Schlüssel zur Lösung gegeben. Man braucht nur die Schreibung der Pyramidentexte rein bildlich aufzufassen, dann ist *śnw.t* ein Gebäude, vor dem zwei Stelen der Form stehen, die wir uns nach dem erhaltenen Vorbild in der Regel mit einer Schlange darauf zweifellos als Schutzgottheit des Einganges zu denken haben. Der Stein von Athribis[7] zeigt dieselbe schmale birnenartige Form mit der Einziehung am unteren Ende, wie die genaueren Zeichen der Pyramiden, während sie in den eingeritzten Annaleninschriften etwas zu eckig ausgefallen sind. Der Kopf der Schlange fehlt, da das obere Ende der Schlange beschädigt ist, er war wohl wie auf unserer Abb. 1 nach oben gekehrt. Die Form des Zeichens mit der Schlange ist in jüngerer Zeit namentlich den ptolemäischen Inschriften die ständige Schreibung für

1) Die zuletzt aufgeführten Schreibungen erklären sich aus Zusammenschiebung zur Raumersparnis aus . — 2) Pyr. 577c/d vgl. 1830. — 3) Ä. Z. 44, S. 17. Sage vom Sonnenauge S. 11, Anm. 2. Grabdenkmal des Sahurê II S. 94, 96 u. a. — 4) Ä. Z. 47, S. 96 Anm. 1. — 5) So von mir Opfertanz des ägyptischen Königs S. 262 erklärt. — 6) Bei Borchardt, Grabdenkmal des Sahurê II S. 98 zu Bl. 19 obere Reihe. — 7) Abbildung bei Mariette, Mon. div. 63b, eine Beschreibung auch in Masperos Cairo Museum Guide (1908) S. 146 nr. 294 (Gallery J).

*ỉtrtj* geworden, sie findet sich aber bereits seit dem alten Reich bei genauerer Wiedergabe des Zeichens, so beim Namen der *ỉtrtj* auf dem Bruchstück 67 aus dem Totentempel des Sahure[1], bei *šnw.t* auf einem Fragment aus dem Totentempel des Teti (Kairo) [2] als Beischrift vor einer Kapelle des Typus der oberägyptischen *ỉtr.t* , vor der das Symbol des *ỉmj-wtj* aufgerichtet ist[3]; ferner in dem Beischriftrest der Titulatur des Min auf dem bekannten Ruderlaufrelief Sesostris I. aus Koptos[4] oder im Tb. Kap. 18 (Aa Z. 14) .

Hierzu kommen dann noch verschiedene Tempeldarstellungen vom Reichsheiligtum mit seinen drei Bestandteilen, die schon das Kairoer Annalenstück aus der Zeit des Snefru aufführte, aus dem Neuen Reich. Die ältere unpublizierte befindet sich im Festtempel Thutmosis III. in Karnak und stellte den Zug des Königs in der Sänfte zum Reichsheiligtum beim Sedfest dar. Die zweite, leider ebenfalls nur teilweise erhalten, stammt aus dem Ptahtempel von Memphis aus ramessidischer Zeit[5] und zeigt die Seelen von Pe, wie sie den König zum Reichsheiligtum geleiteten, das beischriftlich durch wiedergegeben wird[6], während die abkürzende Beischrift zur Handlung nur einen Hinweis auf das oberägyptische Reichsheiligtum enthält.

Danach können wir ohne weiteres die Form mit Schlange als die eigentlich vollständige Darstellung der Steine auffassen. Die Bezeichnung als *ʿḥʿ*-Schlange, wie sie vom Athribisstein überliefert ist, findet sich namentlich in späten Texten sehr häufig als Name der heiligen Schlange, des Schutzgenius eines Ortes[7]. Sicher hängt der Name mit „Stele" zusammen d. h. dem aufgestellten Stein, so wie die Schlange auf der Stele aufgerichtet ist, daher auf dem Stein aus Athribis. Durch die enge Verbindung mit den Reichsheiligtümern werden solche Wendungen wie die Bezeichnung des Königs als „gute *ʿḥʿ*-Schlange an der Spitze der *ỉtrtj*"[8] verständlich. Auch unter den Nilprozessionen erscheint in Edfu die Personifikation genau wie in Dendera hinter der „Nährschlange" [9]. Diese Beispiele werden zur Erläuterung des Schlangennamens genügen.

Die bereits kurz angedeutete Verwendung der Schlangensteine als apatropäische Schutzgottheiten speziell des Eingangs findet ihre vollste Bestätigung durch eine allerdings erst der Spätzeit angehörige Darstellung solcher Steine in der Form auf dem

1) Vgl. auch Bl. 19 oben. — 2) Die Schlange auf dem Stein hat immer die Form . — 3) QUIBELL, Excavat. et Saqqara III pl. 54, wahrscheinlich ist noch die unterägyptische *ỉtr.t* dahinter zu ergänzen. — 4) PETRIE, Koptos pl. 9. v. BISSING, Denkmäler Taf. 34. Die Köpfe der Schlangen sind übrigens hier ebenso wie auf dem Schrein von Saf el-Henneh deutlich vorhanden. — 5) ENGELBACH-PETRIE, Riqqeh and Memphis VI pl. 55 fig. 11. — 6) Entsprechend sind also auf dem Palermostein R 1 Nr. 2 (SCHÄFER S. 32) die Reste zu ergänzen. — 7) DÜMICHEN, Zur Geographie des alten Ägyptens Taf. I als Bezeichnung der heiligen Schlange des betreffenden Gaues ; so auch DÜMICHEN Bauurkunde des Denderahtempels S. 8, wo unter den Namen der Schutzschlangen ( ) auch die neben der aufgeführt ist; ebenso Geogr. Inschr. II Taf. 39 Z. 12. Vgl. auch v. BERGMANN, Sarkophag des Panehemisis I S. 6, Anm. 3. — 8) MARIETTE, Dendérah I 65a (= KEES, Opfertanz Text nr. 25b) — 9) DÜMICHEN, Geogr. Inschr. IV Taf. 168.

Naos von Saft el-Henne[1] und zwar bezeichnet als [hieroglyphs] „die Türhüter des Hofes des Horus von *ḥt-nbś* (Saft el-Henne)".

Fast die gleiche Bezeichnung [hieroglyphs] „Türhüter des Palastes von *ḥt-nbś*" tragen zwei gleich daneben abgebildete sich über zwei Papyrusstengeln, um die sie sich schlingen, aufbäumende Schlangen. Hierzu stellt sich unmittelbar eine Darstellung aus der Krypte 2 in Dendera[2], wo zwei [hieroglyphs] abgebildet sind, das eine als [hieroglyphs], das andere als [hieroglyphs] benannt, beide als Schutzgottheiten des Tempels inschriftlich bezeichnet, wobei der Text zum ersteren direkt das Wort „Türhüter" gebraucht.

Vielleicht sind uns solche Schlangensteine als Türhüter noch in einem Tempel des Alten Reiches erhalten und zwar in den beiden großen unbeschriebenen Granitstelen, die beiderseits des Einganges in die sogenannte südliche Kapelle des Sonnenheiligtums des Ne-user-Rê standen[3] und bisher keine genügende Erklärung gefunden haben. BORCHARDT hatte zur Erwägung gestellt, sie als Vorstufen der späteren monolithen Granitobelisken aufzufassen, die von ihnen Material, Standort, Inschrift und das paarweise Vorkommen übernommen hätten. Das war entwicklungsgeschichtlich, wie v. BISSING bei Besprechung der Obeliskenpaare vor Gräbern gezeigt hat[4], unhaltbar, doch liegt darin ein sehr richtiges Gefühl, daß es sich an dieser Stelle nicht um gewöhnliche architektonische Bauglieder handeln kann, die etwa als Träger einer historischen Gedenkinschrift bestimmt waren[5], sondern die, wie die vor den späteren Tempeln aufgestellten Obelisken, Flaggenmasten oder heiligen Bäume eine besondere symbolische Bedeutung haben mußten[6].

Ich habe schon früher bei Besprechung des [hieroglyphs] in den Tempeln kurz bemerkt, daß diese sogenannte südliche Kapelle in Wahrheit ein [hieroglyphs] ist, also einerseits Tempelgarderobe für den König, dann hier auch noch Aufenthaltsraum für ihn während der Festpausen[7]. Deshalb wird der Raum in den Inschriften als [hieroglyphs] „Palast" bezeichnet. In den jüngeren Tempeln tritt für diesen Zweck der wirkliche für die Bedürfnisse des Königs an den großen langdauernden Festen eingerichtete Palast am Tempel wie er in Medine Habu am besten erhalten ist, ein. Für den Palast passen die Schlangensteine besonders gut, da sie zu den alten Reichsheiligtümern, die identisch sind mit den Palästen bzw. Residenzen, gehören.

Für die Herstellung der Schlangensteine aus Granit hätten wir sogar einen Beleg in dem bereits erwähnten Annalenfragment in Kairo aus der Zeit des Ḏedefrê, wo nach freundlicher Mitteilung SETHEs „ausarbeiten [hieroglyphs] von 14 Ellen und 2 Fin-

1) NAVILLE, Shrine of Saft el-Henneh pl. 5 Reihe 3 = BRUGSCH, Thesaurus 783. — 2) MARIETTE, Dendérah III 14a/b (= DÜMICHEN, Kalenderinschr. 56a/b). — 3) v. BISSING-BORCHARDT, Reheiligtum des Ne-user-Rê I S. 50 und Abb. 41, 42. — 4) Rec. de trav. 34, S. 21. — 5) Diese hat einen sehr viel passenderen Platz unten im Taltor gefunden, wo sie jedermann vor Augen kam; außerdem wäre sie sicher bis zur Einweihung auf den Stelen fertiggestellt worden und nicht unvollendet geblieben. — 6) Auch diese haben ja in hohem Maße wenigstens nach der jüngeren ägyptischen Theologie apotropäische Bedeutung vgl. für die Flaggenmasten DÜMICHEN, Baugeschichte des Denderahtempels S. 13. Im Tempelritual des N. R. werden die „Türhüter" beim Eintritt ins Heiligtum angerufen: „Oh ihr Türhüter dieses Tempels, die ihr alle, die dem König N. zu nahetreten wollen, abwehren sollt, laßt sie nicht hinter ihm in diesen Tempel ein" usw. MARIETTE, Abydos I 30b. Anrufungen der Türhüter spielen in der religiösen Literatur seit den ältesten Zeiten eine hervorragende Rolle. — 7) Rec. de trav. 36, p. 4. Die treffendste Bezeichnung wird daher „Sakristei" sein.

gern aus Granit in „ “ verzeichnet ist; dabei ist aber zu berücksichtigen, daß sich diese Notiz wegen der Größe der angegebenen Maße vielleicht auf das Material der gesamten Kapelle bezieht.

Bedenken gegen diese Deutung könnte die abweichende, gedrungenere und regelmäßigere Stelenform im Gegensatz zu dem Schlangenstein von Athribis und den Schriftzeichen und das Fehlen des Schlangenbildes verursachen. Dem zweiten Einwand könnte man mit dem Hinweis begegnen, daß die Steine unvollendet geblieben sind, denn Borchardt hat selbst betont, daß ihre Errichtung offenbar zu den letzten Arbeiten gehörte, die am Bau vorgenommen wurden, da sie erst nach Fertigstellung der Außendekoration der Wand aufgestellt sind. Für die Abweichung in der Form könnte man sich nur darauf berufen, daß auch bereits in alter Zeit eine gleichmäßige Stelenform ohne die untere Einziehung vorkommt[1], immerhin bleibt die Gedrungenheit der Stelen des Sonnentempels bedenklich und zwingt zu einigem Vorbehalt gegen die Erklärung. Auffällig mag endlich für unser Gefühl die schrankenartige Stellung der Steine sein, sie kann aber ihren Grund in der bedeutenden Größe der Blöcke haben, die eine Aufstellung mit der Breitseite nach vorn, die man eigentlich erwarten würde, wegen der Enge des verfügbaren Raumes verbot. So kommt es auch, daß die beiden Becken, die vor den Steinen in den Boden eingelassen sind und offensichtlich mit ihnen in Verbindung gebracht werden müssen, nun vor der Schmalseite stehen. Ob sie tatsächlich zur Vornahme der Reinigung des Königs gedient haben, wie Borchardt annahm, erscheint mir fraglich. Es wäre demgegenüber zu erwägen, ob man sie nicht auch zur Aufnahme von flüssigen Spenden für die „Torhüter“ des Palastes benutzt haben könnte, doch ist diese Frage hier nebensächlich.

In der Aufstellung der beiden Schlangensteine vor der Sakristei haben wir vielleicht eine Beeinflussung durch den heliopolitischen Kultus vor uns. Es ist mir nicht zweifelhaft, daß das direkte Vorbild dafür, das Heiligtum des Rê in Heliopolis, mit solchen Stelen geschmückt und gesichert war. Wir sehen deutlich, daß die heliopolitische Religion in der Zeit nach der Reichseinigung das Bestreben zeigt, alle altüberkommenen religiösen Embleme und heiligen Einrichtungen der geteilten Reiche in sich aufzunehmen und Heliopolis damit als die Stadt hinzustellen, wo auch in religiöser Beziehung die Vereinigung der im Grunde so oft widerstreitenden Religionskreise Ober- und Unterägyptens verwirklicht wurde. Fast alle wichtigen Handlungen aus den Mythen werden hierher versetzt. Nun wird in den Pyramidentexten gerade von den beiden *itrtj* meist in sehr allgemeinen Wendungen gesprochen, daß der verstorbene König („Osiris“) an ihre Spitze gestellt werden soll[2], wobei naturgemäß nach dem ganzen Vorstellungskreis dieser Texte der Himmel als Schauplatz des neuen Regimentes des Königs gilt[3], aber aus dem Zusammenhang und an einzelnen Stellen besonders eingefügten Bemerkungen wird doch recht deutlich, wie Rê und die heliopolitische Götterneunheit dabei als helfende Mittler in den Vordergrund gerückt werden[4].

Weiter ist das *śnw.t*-Haus tatsächlich in erster Linie als Kultort des Rê bezeugt und zwar durch den Palermostein aus der Zeit der 5. Dyn., wo der Rêkult zur Reichs-

1) So Grabdenkmal des Sahurê II Bl. 67. — 2) Pyr. 731c, 896c, 938a, 1159b, 1182c, 1345b, 2005a, 2172b; beide *itr.t* ihm untertan Pyr. 1297e, 1369, 2017. — 3) Pyr. 757b ausdrücklich vgl. auch 1345, 1862b, 2172 u. a.; ferner Wreszinski, Wiener Hofmus. Inschr. I 9 (M.R.) in einer Totenformel. — 4) Pyr. 1262b vgl. auch Pyr. 1064, 757b.

religion geworden war[1]: dabei hat das wahrscheinlich sein Gegenstück in dem dahinter genannten , dem „oberägyptischen *nṯrj*-Haus“ d. h. dem oberägyptischen Reichsheiligtum[2].

Demnach würde das *šnw.t*-Heiligtum nach Unterägypten gehören, was zu seiner Lokalisierung in Heliopolis vorzüglich paßt. Wahrscheinlich hat man auch bei der zeitlich frühesten Erwähnung auf dem Palermostein in der Jahresbezeichnung „Einführung des Königs in das *šnw.t*-Haus“ aus der Zeit des Königs *Ḫ'-sḫmwj* der 2. Dynastie bereits an einen Zusammenhang mit Heliopolis zu denken. In religiösen Texten des Mittleren Reiches begegnet es noch zuweilen in deutlicher Beziehung zu Heliopolis, wobei offensichtlich Auspielungen auf das gleichnamige Fest des 6. Monatstages nebenherlaufen.

Dies ist schon in dem religiösen Text nr. 77, 25 der Fall, wo es heißt[3]: „mir gehört , man macht mir Hekatomben (*'ꜣb.t*) am *dnj.t*-Feste in Heliopolis“, und es findet sich wieder im Tb. Kap. 115, das im übrigen einen ganz deutlichen Hinweis auf die Errichtung der apotropäischen Schlangensteine vor dem Palaste des Rê in Heliopolis enthält, indem Rê sich vor einem feindlichen Rivalen dadurch schützen will, daß er sagt „ich richte meine Brüder auf (*s'ḥ'*) gegen ihn“[4], ein Ausspruch, der zur Erklärung des bekannten -Festes dienen muß. Wir werden damit unmittelbar an die schon erwähnte Stelle des Tb. Kap. 18, Z. 14 erinnert, wo von „jener Nacht des Aufstellens (*s'ḥ'*) der [5] des Horus“ die Rede ist, wozu dann die Glosse sagt: „was das Aufstellen der *šnw.t* des Horus anbelangt: das war als Seth zu seinem Gefolge sagte: „stellt die dagegen auf“. Hiermit müssen natürlich die Schlangensteine selbst gemeint sein und nicht etwa, wie es nach dem Determinativ den Anschein hat, das Heiligtum, vor dem die Schlangensteine stehen[6]. Die Schlangensteine haben ihren Namen von ihrer paarweisen Verwendung erhalten, und er kann auch nach der Stelle Tb. 115 kaum anders gelautet haben als wirklich *šn-nw* „die Brüder bzw. Gefährten“ in der Bedeutung des Ordinalzahlwortes „der zweite“, die Sethe erschlossen hat[7].

ist davon nicht, wie man zuerst nach der alten Schreibweise anzunehmen geneigt wäre, eine Ableitung mit dem Affixe *-nt*, sondern es zeigen bereits, worauf mich auch Sethe hinweist, die seltenen, aber alten Varianten für , daß nur phonetisches Komplement ist[8].

Vom Mittleren Reich an überwiegt sogar die Schreibung ohne [9]. Danach scheint ein einfacher fem. Plural vorzuliegen, im Grunde also dieselbe Bezeichnung für die Steine selbst übertragen auf das Heiligtum[10].

1) Palermostein R 3 Nr. 1 (Sahurê); ebenso R 4 Nr. 3 in Beziehung zu Heliopolis. — 2) Sethe, Grabdenkmal des Sahê II S. 84, 94 u. a. Das weiterhin aufgeführte (der Dachtempel? vgl. als solcher in Edfu und Dendera Brugsch, Thesaurus 104/105) wird Dümichen, Geogr. Inschr. II Taf. 27, 1 vgl. I Taf. 96, 5 als Tempel bei El-Kab genannt. — 3) Lacau, Rec. de trav. 31, p. 163. — 4) Chassinat-Palanque, Fouilles d'Assiout p. 81. — 5) So Text Aa. — 6) So faßt es Grapow, Urk. V Übersetzung S. 47 „in dieser Nacht des Aufstellens der Heiligtümer(?) des Horus“, indem er sich an die weniger gute Variante hält. Cb, dem Sait. folgt, hat übrigens an dieser Stelle noch *šnw* „Brüder“ des Horus. Dies wird nach der ähnlichen Stelle Tb. Kap. 115 wirklich der bessere Text sein. — 7) Ä. Z. 47, S. 37. — 8) So wechselt im Grabe des Meri mit , vgl. S. 127. — 9) s. u. S. 128. — 10) Mask. und fem. Bildungen „die Brüder — die Schwestern“ wechseln in solchen Begriffen ständig; auch die von Sethe,

Dasselbe Wort findet sich zweifellos in einem im Alten Reich nicht seltenen hohen Hoftitel *śmśw śnw.t* „Ältester des Schlangensteinhauses"[1]. Er stellt sich durch seine Bildung schon äußerlich zu Titeln wie *śmśw ỉs.t* „Palastältester" oder dem annähernd bedeutungsgleichen *śmśw ḏb3.t*[2].

Diese wieder sind nicht zu trennen von Titeln, die recht häufig mit den Namen der alten Residenzstädte gebildet sind, wie dem Ehrentitel eines „Palastältesten von Heliopolis", eines „Ältesten von Pe" oder eines „Palastbewohners von Nechen"[3].

Sie haben alle nichts mit der Verwaltung zu tun, ihre Bedeutung als reine Hoftitel zeigt auch eine Stelle wie Pyr. 560 b, wo ein Gott mit den Titeln „Mundschenk des Horus, Hallenvorsteher des Rê, Palastältester[4] des Ptah" benannt wird.

Danach liegt es nahe, auch für eine Beziehung auf den Palast des Reichsgottes und damit auch des Königs, seines Erben anzunehmen. Diese Deutung bestätigt eine nähere Prüfung der Titelreihen, in denen dieser Titel vorkommt. Einmal läßt er sich auch bei Personen feststellen, die keinerlei Staatsämter bekleiden, aber vermöge ihrer Abstammung vom königlichen Hause ihren Rang am Hofe haben[5].

Ä. Z. 47, S. 36 Anm. 1 herangezogene Benennung der vier Flaggenmaste als „die Schwestern" wechselt mit einem mask. Plural „Brüder" Gardiner, Adm. 76; derselbe Wechsel auch in den beiden von Hoffmann, Theophore Personennamen S. 19 aufgeführten Namen des M. R. und . Die Flaggenmasten haben ihre Vorläufer in gewissen Masten, die bereits in den Pyramiden erwähnt werden z. B. Pyr. 1218c/d P. (Var. N ) „du setzt die Seite des P. gegen die *ỉw.t*, gegen die, welche vor ihren Schwestern ist". Es handelt sich also, wie die gleiche Determinierung mit dem von Streben gestützten Mast zeigt, um Gegenstände, wie solche Pyr. 1762b als bezeichnet werden. An die späteren Flaggenmaste der Tempel darf man dabei nicht denken, wohl aber namentlich bei dem *hpwtj* genannten Mast nach einer Stelle wie Pyr. 1762b „N. ist herabgestiegen auf dem Mast, N. ist aufgestiegen ...." (es folgt in 1763b der Aufstieg zum Himmel auf der Strickleiter) an jenen Kletterbaum, wie wir ihn später in Verbindung mit dem Kulte des Amon-Min finden (Gayet, Louxor pl. X; W. M. Müller, Egypt. Researches 1904 pl. 42 u. a.). Auf ebensolchen Masten erscheinen in altertümlichen Darstellungen häufig religiöse Symbole vor den Heiligtümern aufgestellt; vgl. Sethe, Nachr. Gött. Ges. 1921 S. 33 (Amenophis I.), Petrie, Palace of Apries pl. VI.

1) Nachweise bei Murray, Index of names and titles XLI; besonders in Deir el-Gebrâwi häufig. — 2) Murray a. a. O., zur Erklärung des letzten Titels Sethe, Sahurê II S. 85; Kees, Rec. de trav. 36, p. 15. Es ist wohl überall *śmśw* zu lesen, trotzdem die Publikationen meistens geben; in einzelnen genauen Wiedergaben, namentlich in Davies, Deir el-Gebrâwi glaube ich deutlich zu erkennen. Jedenfalls entspricht dort das Zeichen genau dem in . — 3) Murray a. a. O. der letzte Titel Borchardt, Grabdenkmal des Ne-user-Rê S. 120; W. M. Müller, Egyptol. Researches I pl. 105; Weil, Veziere S. 8 § 8. Auch die von Gardiner, Ä. Z. 42 S. 122 und 45 S. 126 behandelten Titel gehören in diesen Zusammenhang. — 4) Zur Übersetzung vgl. meine Bemerkungen Opfertanz S. 254, 76. — 5) L. D. II 12—14: Mariette, Mastabas D 3; beides kgl. Prinzen

In allen bisher bekannten Fällen scheint der Träger [Hieroglyphen] zu sein, häufig dabei noch [Hieroglyphen]. Außerdem hat bereits DAVIES auf die namentlich in den älteren Gräbern von Deir el-Gebrâwi häufige, aber auch in Memphis und Achmîm nachweisbare Folge des bisher unerklärten aber zweifellos priesterlichen Titels [Hieroglyphen] hingewiesen[1].

Damit halte ich die Bedeutung des Titels als die eines Hof- und Ehrentitels für erwiesen. Daß er, wie alle diese mit den alten Krönungsstädten, ihren Schutzgöttern und dem Dienste des lebenden Königs zusammenhängenden Titel, zugleich eine sakrale Bedeutung hatte — vielleicht waren gewisse priesterliche Funktionen an den Reichsheiligtümern damit verbunden — darauf weist seine häufige Stellung am Anfang einer Reihe priesterlicher Titel hin. Dazu stimmt auch gut, daß dem Namen des Meri in seinem Grabe[2] einmal [Hieroglyphen] beigefügt wird. Die Mehrzahl ist hierbei bemerkenswert, es sind wohl die Götter des Reichsheiligtums gemeint.

Daß der Titel unter den veränderten Verhältnissen des eigentlichen Mittleren Reiches — aus der Übergangszeit ist er noch in Achmîm bezeugt — verloren zu sein scheint, wie so viele andere gleicher Stufe, kann nicht auffallen. Wenigstens hat GAUTHIER in seinen Sammlungen nur ein einziges Beispiel dieser Zeit beigebracht, eine Stele aus Abydos, wo ein einfacher Mann die Titel [Hieroglyphen] führt[3]. Das kann natürlich nicht mehr der gleiche Ehrentitel sein, der früher nur Leuten aus königlichem Geblüt oder Inhabern der höchsten Staatsämter zukam, sondern muß eine Dienstbezeichnung des „Hausverwalters" sein. Der Name der alten Kultstätte des Rê oder auch schon des Min kann natürlich sehr wohl darin stecken. Hier könnte erst eine bessere Sammlung der Titel dieser Zeit weiterführen.

Religionsgeschichtlich von Wichtigkeit ist die Feststellung, ob das *šnw.t*-Heiligtum auch mit anderen Göttern in Verbindung gebracht wird, außer dem Rê. Man müßte dabei, wenigstens nach dem Stande der Religion zur Zeit des Alten Reiches, zunächst erwarten, daß dies nur solche Götter sein könnten, die ebenso wie Rê beanspruchen konnten, als Herren beider Reichsheiligtümer zu gelten.

1) DAVIES, Deir el-Gebrâwi I pl. 3, 8, 17. II pl. 13, 18. Ein Gaufürst von Achmîm: NEWBERRY, Annals of archaeol. and anthropol. IV Grab nr. 24; im Grab nr. 19 trägt ein Vezier [Hieroglyphen] den Titel [Hieroglyphen] allein (beide Gräber etwa 8.—10. Dyn.). Nach der Zusammenstellung von MURRAY a. a. O. pl. 46 käme der Titel [Hieroglyphen] nur L. D. II 42 c (Grab des Veziers [Hieroglyphen]) ohne den Titel *šmśw šnw.t* vor; dies scheint aber auch WEIL, Veziere S. 8 § 8 der Fall zu sein. Als unterägyptischer Priestertitel erscheint ersterer im Sonnenheiligtum des Ne-user-Rê. Dieser nach den Varianten ohne [Hieroglyphe] wohl nur *ꜣ Dwꜣ* zu lesende Titel, der sicher nicht mit Chons (so DAVIES), eher mit dem unterägyptischen Gott [Hieroglyphe] *Dwꜣ* der Pyramiden (480 d, 994 b, 1155 a) zusammenhängt, fehlt in Deir el-Gebrâwi erst in den jüngsten Gräbern hinter [Hieroglyphen] (II pl. 23 und 28 Grab 67 und 39). Es ist in diesen Titelreihen überhaupt ein allmähliches Schwinden der halbreligiösen Hoftitel, bereits im Grabe nr. 72 des Veziers Ḥem-Rê auffällig, zu beobachten. [Hieroglyphen] hält sich scheinbar als letztes Rudiment einer ganzen Titelgruppe noch am längsten. — 2) GAUTHIER, Bullet. de l'Inst. fr. IV 14 nach DARESSY, Mém. de l'Inst. égypt. III 541. Meri führt sonst den Titel [Hieroglyphen], wofür als Variante [Hieroglyphen] auftritt (Mitteilung von SETHE). — 3) GAUTHIER, a. a. O. nach der Stele Kairo 20423 (SCHÄFER-LANGE, Grab- und Denksteine II 17).

In der Tat scheiden hierfür auch die alten Königsgötter der oberägyptischen Landeshälfte, also Upuaut von Siut, Seth von Ombos, der Falkengott von Ḳus aus[1]. Dagegen ist Horus als Herr beider *ỉtr.t*[2] auch vom Standpunkt der Religion des Alten Reiches stets passend, da er als Inkorporation des lebenden Königs in dieser Beziehung ebensogut als Erbe des Rê gilt, wie der verstorbene König (Osiris)[3]. Daß er als unterägyptischer Königsgott vielleicht sogar ein älteres Anrecht auf die Schlangensteinkapelle hat, werden wir später sehen.

In alten Texten[4] scheint nun überhaupt nur ein einziger Gott ebenso wie Rê an die Spitze des *šnw.t*-Heiligtums und auch beider *ỉtr.t* gesetzt zu werden, und das ist Min; so Pyr. 256 a (W) „sie (die Götter) sehen dich, (als) Min nämlich an der Spitze der *ỉtrtj*“ entsprechend mit *šnw.t* Pyr. 1998 a (N) „du stehst . Min ist hier wie auch im N-Text Pyr. 256 a mit dem Bilde des Falkengottes mit der Doppelfeder geschrieben, die die meisten der oberägyptischen Falkengötter, so die von Hierakonpolis und Ḳus, tragen.

In Koptos führt unter der 12. Dynastie Min noch ganz wie in den Pyramidentexten den Titel „(an der Spitze) [5]. Dieser Name bleibt mit dem Min und seinen Kultstätten so eng verknüpft, daß er sich zum heiligen Namen seines Tempelbezirkes entwickelt. In Achmîm wird er sogar direkt als Ortsbezeichnung verwendet, und Min erscheint dort regelmäßig neben Min, Herrn von [6]. Dieser Gebrauch ist aber anscheinend erst seit der Zeit des Mittleren Reiches üblich geworden, denn ich kann ihn frühestens aus der Übergangszeit vom Mittleren zum Neuen Reich nachweisen[7]. Dagegen kennen ihn weder die Gräber in Achmîm noch die Sarcophage von dort aus der Übergangszeit zwischen Altem und Mittlerem Reich. Dort ist Min stets nur [8]. In Achmîm ist die Schreibung des Namens sehr bunt; die Determinierung mit ⊗ bildet namentlich in jüngeren Texten die

1) Seth erscheint, soweit ich sehen kann, entsprechend seiner Rolle als „Herr von Oberägypten“ nur als Herr des oberägyptischen Reichsheiligtums, Pyr. 370 b. — 2) z. B. Quibell, Excavat. at Saqqara II Texte rel. nr. I. — 3) Vgl. die oben S. 124, Anm. 2 angeführten Pyramidenstellen. — 4) Die Götter, die in der Zeit nach dem A. R. mit den *ỉtrtj* sekundär in Verbindung gebracht werden, lasse ich außer Betracht, da sich bei den meisten eine Erklärung von selbst ergibt. Natürlich erhält es sich speziell für Rê-Harachte (z. B. Amonsritual II 4) und Horus von Edfu, aber zugleich hat sich die Bedeutng von *ỉtr.t* durch die immer weitergreifende Übertragung auf andere Götter so sehr verallgemeinert, daß es oft nur noch als eine Bezeichnung für „Heiligtum“ steht vgl. L. D. III 43 d . Daß auch Geb, als dessen Erbe der König (bzw. Osiris oder Horus) so oft hingestellt wird, mit den *ỉtrtj* in Verbindung gebracht wird wie z. B. in der Liste der Götterkultstätten im großen Tempel von Abydos, Mariette, Abydos I 44 (= Dümichen, Geogr. Inschr. II 52, 9) , kann nicht auffallen. — 5) Petrie, Koptos pl. IX = v. Bissing, Denkmäler Taf. 34; so auch Koptos VI 6 (Tempel Antef V.) scheinbar rein ideographisch geschrieben. — 6) Nachweise bei Brugsch, Dict. géogr. 723, vollständiger aber mit vielen Unrichtigkeiten bei Gauthier, Bullet. de l'Inst. fr. IV S. 9f. mit Nachträgen X S. 97. — 7) Stele Louvre C 30 (etwa Dyn. 13/17) Pierret, Étud. égyptol. VIII S. 60, wo Min. heißt. Stele aus Esne Kairo 20705 (Schäfer-Lange, Grabsteine II, S. 332 spätes M.R./Anf. N.R.) . — 8) Newberry, The inscribed tombs of Ekhmîm. Annals of archaeol. and anthropol. IV S. 99f. Lacau, Sarcophages ant. au Nouvel Empire Nr. 28001—21 (etwa Dyn. 6/10).

Regel, doch lassen sich genügend Beispiele beibringen, die noch das ältere Determinativ verwenden[1], also seine Herkunft aus dem Namen eines speziellen heiligen Bezirkes verraten[2]. Dagegen wird die alte Schreibung mit kaum noch verwendet[3]. Daß man auch in später Zeit noch den Namen mit dem Wort „Brüder" in naheliegender Weise zusammenbrachte, ist aus ptolemäischer Zeit durch eine Stelle wie „die Affen in , die die beiden Brüder befriedigen" bezeugt[4]. In rein geographischen und historischen Texten wird = Achmîm nicht verwendet, vielmehr bleibt dieses religiösen Texten und Titeln als heiliger Name vorbehalten.

So erscheint er auf späten Grabsteinen regelmäßig in der Totenformel bei der Anrufung aller Götter und Göttinnen in Ipu und [5] und begegnet vor allem in einer häufigen achmimischen Titelfolge, die den Träger als Priester des Min und des Horus bezeichnen soll

(Kairo 23053) oder (Kairo 22209)[6].

Gauthier hat sich dahin ausgesprochen, daß hier ein Nachfahre des alten Titels vorliegt. Dies wird, trotzdem die Bildung des in Achmîm auch (Kairo 22077 u. a.) geschriebenen Titels, der, wie die vorangestellten Varianten beweisen, nun nicht mehr *śmśw*, sondern *wr śnw.(t)* gelesen wurde[7], nicht ganz übereinstimmt, richtig sein. Der Titel hat sich in alter Zeit gerade in Achmîm nachweislich lange erhalten[8] und muß in dieser einen Verbindung entweder die Zwischenzeit überdauert haben, oder er ist in der Spätzeit mit so vielem Altertümlichen wieder aufgenommen worden. Daß es hier ein rein priesterlicher Titel ist, beweist der ständig folgende Titel „Prophet des Horus von Achmîm"[9]. Eine singuläre Anordnung, die sicher nur die übliche Titulatur wiedergibt, wie Kairo 22045 zeigt immerhin, daß *wr-śnw.(t)* einen selbständigen Titel „Großer von *śnw.t*" bildet. Damit findet auch die noch reichere Titelreihe eines

1) Medine Habu (Minfest) dort auch die Variante ; Amonslitanei Ramses II. in Luxor Rec. de trav. 32, p. 64 nr. 43 ( erscheint dort als nr. 53; beide hinter Namen von Abydos); Piehl, Rec. de trav. I 135 vgl. auch S. 128, Anm. 7. — 2) Als Namen des Tempelbezirkes faßte ihn auch Dümichen, Zur Geographie des alten Ägyptens Taf. II. — 3) Kairo 20705, vgl. Anm. 1. — 4) L. D. IV 46, vgl. Junker, Onurislegende S. 149. — 5) Beispiele bei Gauthier, Bullet. de l'Inst. fr. X 97. — 6) mit seiner Variante ist nicht *ỉpw* zu lesen, wie es Gauthier tut, sondern aus verlesen oder verschrieben vgl. die Varianten des Titels Kairo 22025, 45, 53, 77, 87, 93, 95; 22141, 47, 74, bei Ahmed bey Kamal, Stèles ptol. et rom. (sämtl. aus Achmîm). — 7) ausgeschrieben auch Rec. de trav. 36 pl. III u. IV. — 8) s. o. S. 127, Anm. 1. — 9) Zuweilen auch abgekürzt in Kairo 22025 vgl. 22095; oder Kairo 22093, 22141 vgl. 22147 und Kairo 22057.

Hohenpriesters von Achmîm[1] in der Zusammensetzung mit anderen dort häufigen Lokaltiteln[2] [Hieroglyphen] und die seltenere Verknüpfung mit anderen achmimischen Priestertiteln wie in [Hieroglyphen][3] ihre ungezwungene Erklärung.

Wenn in diesen Titeln und auch sonst in der Mehrzahl der Fälle [Hieroglyphen] und [Hieroglyphen] nebeneinander genannt werden, so wird [Hieroglyphen] gelegentlich namentlich in den Grabformeln der Spätzeit auch einfach als Synonym zu *ipw* Achmîm verwendet[4]. Eine örtliche Trennung zwischen beiden anzunehmen, wie es Gauthier tut, erscheint mir nicht geboten, namentlich da der Name nicht altheimisch ist, sondern dem Minheiligtum als solchem anhaftet.

Bedürfte es dafür noch eines weiteren Beweises, so liegt er meines Erachtens darin, daß in den ptolemäischen mythologisch-geographischen Texten die Bezeichnung [Hieroglyphen] auch in Koptos auftritt und dort wiederum den heiligen Namen der Stätte des Mintempels bezeichnet, als dessen Herr Min ja schon in der 12. Dynastie „an der Spitze von [Hieroglyphen]" genannt wurde[5]. So heißt es in einem Texte über die verschiedenen Kultstätten des Osiris[6]:

[Hieroglyphen]

In einem ähnlichen Text steht dafür die Variante[7]

[Hieroglyphen]

„Bist du nicht in Koptos im Hause der Herzensfreude, indem *šnw.t* deinen Leib[8] schützt".

Beim Gau vom Achmîm wiederholt dann der gleiche Text

[Hieroglyphen]

„Bist du nicht in Achmîm, der Stätte[9] der Wahrheit[10], indem die Göttin *ʿpr-ỉś.t* dein Bild schützt, welches in *šnw.t* ist".

So kommt [Hieroglyphen] als heiliger Name von Koptos noch mehrfach im Zusammenhang mit dem Kulte des Osiris und der Isis vor[11]. Wenn er also auch für Koptos nicht die große Verbreitung wie in Achmîm gefunden hat, so muß er doch dort stets als Bezeichnung des Mintempels bekannt gewesen sein.

1) Rec. de trav. 36 pl. III vgl. pl. IV, Z. 6/7, wo auch der Titel [Hieroglyphen] wiederkehrt. — 2) Die ersten drei Titel gehören auch dem Kultkreis des Rê an; z. B. tragen sie die Propheten von Schu/Tefnut in This Piehl, Inscr. hiérogl. II, p. 57 taf. 61 D. — 3) Kairo 22087. — 4) So auch [Hieroglyphen] in der Überschrift des [Hieroglyphen] von Edfu als Gegenstück zu Memphis, Rec. de trav. 36 p. 6. — 5) S. o. S. 128. — 6) Dümichen, Geogr. Inschr. I 96 (aus Dendera). — 7) Dümichen, a. a. O. II 27, 2. — 8) Lies [Hieroglyphen]. — 9) Lies [Hieroglyphen]. — 10) Anspielung auf die Doppelfeder des Min. — 11) Dümichen, Geogr. Inschr. III 67 (Dendera); auch in dem ptol. Hymnus an Min von Koptos Sethe, Urk. II 64 Z. 10 heißt dieser [Hieroglyphen]: ferner in der großen Liste aus Edfu Brugsch, Dict. géogr. 1360 [Hieroglyphen].

Einen rein geographischen Namen würde man nun nicht so freigebig übertragen und verwenden. Etwas anderes ist es mit den verschiedenartigen heiligen Namen, die im Zusammenhang mit gleichen Kulten stets gern weitergegeben werden. Gerade Koptos hat sich z. B. im Zusammenhang mit seinem Isiskult den Namen nach dem unterägyptischen Iseum beigelegt[1]. Auch im Kultus von Memphis, wo Min als Gast verehrt wurde, führt Min den Titel „Herr des *šnw.t* Hauses", wie der von BRUGSCH nachgewiesene memphitische Titel der Spätzeit zeigt[2].

Die Beziehungen des Min zu Memphis sind sehr alt und immer besonders eng. Davon zeugt schon das hohe Ansehen des Min gerade zur Blütezeit des Alten Reiches am Ende der 4. und Anfang der 5. Dynastie, wo das Amt des in der Hand königlicher Prinzen oder deren Abkömmlinge vorkommt[3], und mit Min gebildete theophore Personennamen sehr beliebt sind[4].

In derselben Hinsicht ist auch das in den Grabformeln des Alten Reiches ständig aufgeführte Fest „Hervorgehen des Min" zu nennen[5].

Später zeigt z. B. die Tatsache, daß eine Opferdarstellung vor „Min-Rê, dem König der Götter", in die sonst ausschließlich den memphitischen Göttern speziell dem Kulte des Nefertem gewidmete Nebenkapelle im großen Tempel von Abydos aufgenommen ist, das Fortbestehen der nahen Verbindung mit den memphitischen Kulten; und zwar nennt sich der König in dieser Opferszene wohl nicht nur versehentlich , also Vorlesepriester des Nefertem[6], sondern Min wird scheinbar dem Nefertem angeglichen, wohl weil beide als spezielle Horusformen angesehen werden.

Ein ptolemäischer Text nennt sogar einmal, sicher auf Grund älterer Überlieferung, Min den „Ältesten des Wennefre, der die beiden Landeshälften in Memphis vereinigt"[7] also deutlich an Stelle des Horus. In dieser Richtung hat man wohl auch den Grund zu suchen, wie gerade Min dazu kommt, daß er schon zur Zeit der Pyramidentexte über beide *itr.t* gesetzt wird und seit dieser Zeit auch mit dem *šnw.t*-

---

1) SETHE, Ä. Z. 44, S. 17. — 2) BRUGSCH, Dict. géogr. 724; ebenso die ptol. Stele Rec. de trav. 30 p. 145, wo ein Vater eines memphitischen Priesters ist, und die Titulatur einer memphitischen Priesterin PIERRET, Étud. égyptol. VIII 83 nr. 33 . — 3) SETHE bei BORCHARDT, Grabdenkmal des Sahurê II 112. — 4) MURRAY, Index of names VI/VII; HOFFMANN, Theophore Personennamen passim. — 5) Ein Fest des Min ist auch auf einem Bruchstück des Festkalenders aus dem Sonnenheiligtum des Ne-user-Rê genannt. Die Bezeichnung mutet an, als ob ein Gestirnaufgang gemeint ist. Ist daher schon hier an den Mond, mit dem Min später ständig gleichgesetzt wird, zu denken? Für letzteres spricht unter den von BRUGSCH, Thesaurus 238 f. besprochenen Stellen neben der Aufführung des unter den Mondtagen a. a. O. S. 311 namentlich die Angabe, daß das in Medine Habu dargestellte Fest des Min im Monat Pachons stattgefunden habe. Andererseits wird das *pr.t* des Min auch in Texten erwähnt, die keinerlei Zusammenhang mit einer Himmelsgottheit erkennen lassen (Minhymnus auf der Stele Louvre C 30) oder in Grabformeln des M. R., wo sich der Tote neben der Teilnahme an den Festprozessionen anderer Götter wünscht, die Schönheit des Min *m pr.t-f* zu schauen (z. B. Kairo 20397 aus Abydos). — 6) MARIETTE, Abydos I 39a (Salle V). — 7) ROCHEMONTEIX, Edfou I 394.

Heiligtum verbunden erscheint. Ursprünglich kann die Rivalität zu dem Sonnengott von Heliopolis in diesem Punkte nicht sein; ebenso ist ohne weiteres klar, daß Min hierin nicht etwa das Urbild abgegeben hat, dem Horus und Rê dann gefolgt wären.

Aus der direkten Gleichsetzung des Min mit Rê darf man die Übertragung nicht ableiten. Diese ist zwar mindestens seit dem Neuen Reiche verbreitet[1] und wird in der Ptolemäerzeit bisweilen sehr stark betont[2], aber sie scheint doch erst auf einem Umwege erfolgt zu sein. Älter als seine Bezeichnung als Min-Rê ist die Gleichsetzung mit Horus und zwar in der Form als „König von Oberägypten, Horus, der starke“[3]; mit der Doppelfeder, wie der alte benachbarte Falkengott von Ḳus, erschien er ja auch schon in den Pyramidentexten. Die auch von JUNKER betonten[4] starken Beziehungen des Min zum oberägyptischen Königtum, die in den Krönungszeremonien bei seinem „Feste der Treppe“ und in dem Ritus des Entsendens der vier Vögel zur Verkündigung des Herrschaftsantritts entsprechend der Krönung des Horus und des Königs selbst besonders hervortreten, mögen in die älteste historische Zeit zurückgehen, als die königliche Residenz in nächster Nähe, vielleicht sogar im Gaue von Koptos (Ḳus?) selbst lag[5].

Damit wird die nahe Verbindung des Min mit der Reichsreligion, die sich einmal in der Rivalität zu der Stellung des Reichsgottes des Alten Reiches Rê wie in der Verbindung mit dem älteren Königsgott Horus, die dem Min Eingang in den Kultkreis der memphitischen Residenz verschafft, zeigt, leicht verständlich. Auch die Priesterschaft des Min wird auf jeden Fall versucht haben, ihrem Gotte eine gewisse Suprematie, die ihm einst politische Umstände gegeben hatten, durch theologische Fiktionen zu bewahren und ihren alten „Königsgott“ nicht hinter Rê zurückstehen zu lassen. Man kann daher sehr wohl verstehen, warum man so darauf bedacht war, gerade zu einer Zeit des Höhepunkts des Einflusses der heliopolitischen Religion um die 4./5. Dyn. diese zu kopieren. Aber wir können wohl noch bestimmter sagen, daß Min in seiner Stellung als Herr des Schlangensteinhauses und des Reichsheiligtumes (*itrtj*) kein Nachahmer des heliopolitischen Gottes Rê ist, sondern ihm in dieser Rolle gleichberechtigt als Abbild des älteren Königsgottes zur Seite tritt.

Wir haben noch einige Anzeichen dafür, daß der Ursprung der Schlangensteine älter ist als die Vereinigung der beiden Länder, daß also die heliopolitische Religion vielleicht auch das Haus mit den Schlangensteinen erst aus einem anderen Kultkreise übernommen hat.

Leider wissen wir nicht, wer der im Totentempel des Sahurê dargestellte Gott[6] war, vor dessen Kapelle ein solcher Schlangenstein (natürlich stets als Paar zu denken) steht. Daß er aber zur unterägyptischen *itr.t* in näherer Beziehung gestanden hat, lehrt die Beischrift und die Form seiner Kapelle. Vielleicht galt er als spezieller Schutzgott derselben.

---

1) Sethostempel von Abydos MARIETTE, Abydos I 39a; auch in den Darstellungen der Minkapelle des Tempels Ramses II. und der zugehörigen Weihinschrift (MARIETTE, Abydos II 20c). Die Gleichsetzung wird, wie die meisten ähnlichen, auf das Mittlere Reich zurückgehen. — 2) BRUGSCH, Religion S. 675; JUNKER, Onurislegende S. 36; GAUTHIER, Bullet. de l'Inst. fr. X 106; KEES, Rec. de trav. 36, p. 53 u. a. — 3) Schon im M. R. dann mit Horus, dem Sohne des Osiris vermischt vgl. Kairo 20516 (= MARIETTE, Abydos II 27) Dyn. 14, und den Minhymnus Louvre C 30 (etwa Dyn. 13/17); auch in dem kurzen Hymnus der Kair. Stele 20089 (SCHÄFER-LANGE, Grabsteine des M. R. I 108) ist Min lediglich der siegreiche Horus, Sohn und Rächer des Osiris. — 4) JUNKER, Onurislegende S. 36. — 5) Vgl. E. MEYER, Gesch. des Altertums I 2[3] § 209. — 6) Grabdenkmal des Sahurê II Bl. 19 oben.

Ferner stand unter der 5. Dyn. auf dem Palermostein das [Hieroglyphen] selbständig dem oberägyptischen Reichsheiligtum [Hieroglyphen] gegenüber, obwohl damals den Zeitverhältnissen entsprechend beide in erster Linie als Kultstätten des Rê galten[1]. Wenn also der Gebrauch der Schlangensteine bereits in die Zeiten des geteilten Reiches zurückgeht, so werden wir unbedingt dem unterägyptischen Reichsheiligtum den Vorrang zuerkennen müssen, für das auch die Verwendung der Schlange als Schutzgottheit besonders nahelag.

Auch die in Tb. Kap. 18 ausgesprochene Verbindung mit Horus, dem überdies sowohl der erhaltene Schlangenstein Amenophis III. aus Athribis wie die Türhüter des Naos von Saft el-Henne noch zugehören, spricht dafür. Das ist vielleicht doch mehr als bloßer Zufall, obwohl man natürlich mit Sethe[2] wird daran festhalten müssen, daß sich der Gebrauch solcher Schlangensteine als Türhüter bald über den Kreis der eigentlich dazu berechtigten Götter ausgedehnt haben wird, ebenso wie dies mit den allgemein gebräuchlichen Schutzsymbolen der heiligen Uräusschlange von Buto oder der geflügelten Sonnenscheibe von Edfu geschah, und wie wir es für die Schutzschlange [Hieroglyphen] nachweisen konnten.

Dabei ist aber festzustellen, daß die Vorstellung von der Schutzschlange in späterer Zeit an dem Orte, wo sie uns am stärksten betont erscheint, nämlich in Dendera sich wiederum mythologisch mit einer Horusform verbindet, nämlich der Person des Harsomtus. Dieser ist zweifellos ein alter Schutzgenius in Schlangengestalt, er wird denn in Dendera auch häufig genug mit dem Namen der Schutzschlange [Hieroglyphen] belegt[3] und um den Zusammenhang vollends klarzumachen, besitzen wir Bilder aus Dendera, die das Hervorgehen des Harsomtus in Gestalt der Schutzschlange aus der Lotusblüte nach dem Vorbild des Sonnengottes darstellen und zwar in einer Form, die unmittelbar als Illustration zum „Aufstellen der Schlangensteine" dienen kann[4]. Die nahe Beziehung zum Himmels- und Sonnengott ist hier also auch für die Entstehung der Schutzschlange gewahrt und hervorgehoben, voll entsprechend den alten Anschauungen von der Zugehörigkeit der Schutzsymbole der *śnw.t* zu Rê oder Horus.

Für die ältere Zeit kann auch in der Tatsache, daß auf einem Fragment des Sahurêtempels Blatt 67, wo beide *itrtj* genannt werden, nur ein Schlangenstein und zwar bei der unterägyptischen *itr.t* erscheint, sehr wohl ein bestimmter Hinweis auf die ursprüngliche Heimat gesehen werden. Hierbei steht der Schlangenstein, genau betrachtet, hinter der Kapelle. Diese zunächst recht auffallende Stellung kehrt einerseits in einzelnen Schreibungen der Pyramidentexte wieder[5], noch deutlicher dann auf einer zwar späten, aber inhaltlich deutlich auf sehr alte Elemente zurückgreifenden Darstellung beider Reichsheiligtümer im Kreise der Bilder aus dem Sedfeste Osorkons II. in Bubastis (Abb. 1)[6]. Beide Reichsheiligtümer, deren Bedeutung durch die Anwesenheit der Propheten der ober- und unterägyptischen *itr.t* sowie der Seelen von Nechen und Buto gesichert ist, stehen dem Krönungspavillon des Königs gegenüber. Jede *itr.t* besteht aus zwei getrennten Teilen, im vorderen befindet sich ihr Kyrios, hier aus besonderen Gründen Anubis (= dem unterägyptischen Upuaut) in der unterägyptischen Hälfte, im hinteren dagegen je ein Schlangenstein. Dieser ist hier also weniger als Türhüter, denn allgemein als Schutzgottheit der

1) s. o. S. 125. — 2) Grabdenkmal des Sahurê II 98. — 3) z. B. Lanzone, Dizionario di mitol. Taf. 238/241. Mariette, Dendérah II 47b, 48, 49 u. a. vgl. auch oben S. 123. — 4) Mariette, Dendérah II 48/49; III 44/45 (Krypte 4). vgl. Lanzone, Dizionario Taf. 240/241. — 5) s. o. S. 120. — 6) Naville, Festival hall of Osorkon II. pl. IV bis 12.

Reichsheiligtümer und demgemäß als selbständige Gottheit in eigener Kapelle aufgefaßt. Daß seine Kapelle hinter der des Kyrios steht, entspricht dem ägyptischen Gefühl und ist natürlich keineswegs in dieser Weise ins Räumliche zu übersetzen. Immerhin gibt es uns den Schlüssel zum Verständnis der Anordnung auf der viel älteren Darstellung aus dem Grabtempel des Sahurê. Beide betonen jedenfalls die Selbständigkeit der Schlangensteine mehr, wie die gleichaltrigen Darstellungen, die sie mehr als Schutzgottheit des Eingangs hinstellen.

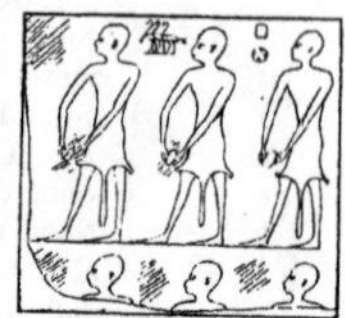

Wenn also auch als Ausgangspunkt dieser Symbole hiernach der unterägyptische Kultkreis gesichert zu sein scheint, so dürfen wir die Schlangensteine auch nicht ohne weiteres als ursprünglichen Bestandteil des unterägyptischen Reichsheiligtums, des von Buto hinstellen. Wenn auch die Pyramidentexte bereits *śnw.t* und Reichsheiligtum als annähernd

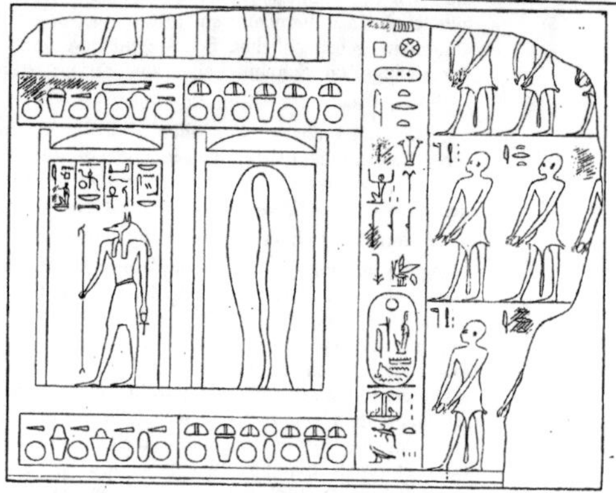

Abb. 1.

gleichbedeutend behandeln, so wird doch gelegentlich noch bis in das Neue Reich hinab das *śnw.t*-Heiligtum bei der Aufführung der beiden Reichsheiligtümer als dritter selbständiger Bestandteil beigefügt[1] oder tritt überhaupt selbständig auf, wie in der ältesten Erwähnung des Palermosteines aus der Zeit des *Ḫ'-sḫmwj*.

Den Ort, wo dieses Heiligtum einer Schutzschlange ursprünglich heimisch ist, können wir nach unseren heutigen Kenntnissen noch nicht bestimmen, namentlich da wir über den bevorzugten Inhaber einer solchen Schlangensteinkapelle Sahurê Bl. 19 nichts wissen. Wir müssen uns mit Feststellung der greifbaren Verhältnisse der Zeit des Alten Reiches begnügen und dürfen, allenfalls die Vermutung aussprechen, daß aus mancherlei Gründen der Königsgott Horus mit ihm noch früher

1) Auf dem Fragment aus dem Totentempel des Teti (vgl. S. 122) scheint mit *śnw.t* schon das Reichsheiligtum gemeint zu sein. Dort hat sich auch das Symbol des *imj-wtj* bereits dazu gesellt. Gleichsetzung mit dem Reichsheiligtum im A. R. auch S. 127.

in Verbindung gebracht worden ist, als Rê von Heliopolis. Min hat jedenfalls seine Beziehung zu dem *śnw.t*-Heiligtum über Horus und nicht über Rê erhalten.

Für die Stellung des Min zum Königtum war es sicherlich von Bedeutung, daß eine erneute Verknüpfung mit diesem und daher auch eine erneute Stärkung seiner Stellung als Königsgott in der Übergangszeit zwischen Altem und Mittlerem Reich erfolgt zu sein scheint, wo Koptos vielleicht wieder Sitz eines oberägyptischen Königtums war[1]. Seine Verbindung mit diesem überhaupt erst auf diese Zeit zurückzuführen, verbietet der Befund über seine Stellung im Alten Reich. Daß Min dann über kurz oder lang dem Einfluß der übermächtigen heliopolitischen Sonnenlehre erlag und zur Gleichsetzung Min-Rê gedrängt wurde, ist nicht auffallend; dazu lagen zuviel Berührungspunkte vor, in der Gleichsetzung mit dem Falkengott von Ḳus, der später zu einem Haroëris wird, dann auch durch die Beziehungen zum thebanischen Amon, der ebenfalls bald der Umwandlung in einen Sonnengott verfallen ist.

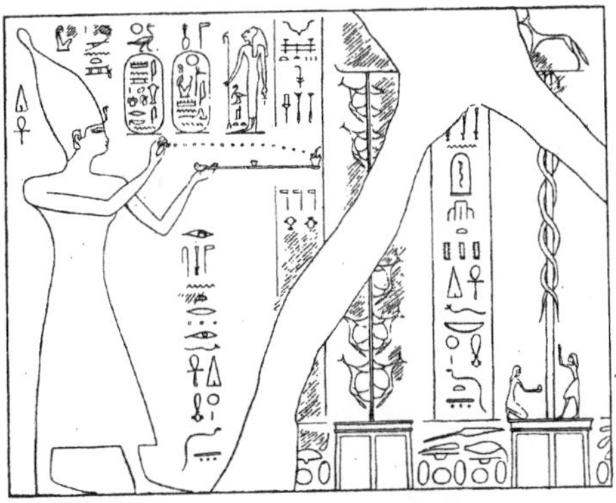

Noch ein besonderer Zusammenhang eines anderen alten Königsgottes mit den *śnw.t* muß am Schluß erwähnt werden. Er gehört allerdings erst einer ziemlich späten Zeit an und findet sich wiederum in den Götterdarstellungen der sogenannten Festhalle des Tempels Osorkons II. von Bubastis[2] (Abb. 2). Dort opfert der König den heiligen Emblemen von Heliopolis, an deren Spitze zwei Upuautzeichen gestellt sind. Das erste ist bezeichnet als „oberägyptischer Upuaut, Macht der beiden Länder", dann folgt

Abb. 2.

ein zweites gleichfalls mit einem stehenden Schakal, um dessen Schaft sich aber statt der Ausschmückung mit einer Reihe hinauflaufender Schakale[3] zwei Schlangen winden, deren Köpfe vielleicht in die vor dem Upuaut sich aufrichtenden Uräen ausliefen. Bezeichnet ist dieses Emblem als [hieroglyphs] .... [hieroglyphs] also wohl: [der unterägyptische Upuaut an der Spitze] der Schlangensteine, an der Spitze der „Mauern". Das letzte Beiwort scheint sich also auf Memphis zu beziehen[4], die Verbindung mit den Schlangensteinen läßt sich dagegen ungezwungen aus der Stellung der Symbole in der Reihe der heliopolitischen Kultobjekte erklären. Es enthält durch die Hinzufügung der sich um die Standarte schlingenden Schutzschlangen noch eine besonders sinnfällige Beziehung. Daß Upuaut hier an die Spitze der heliopolitischen Symbole gestellt ist, erklärt sich aus seiner besonderen Rolle als Hauptgott des Sed-

1) Sethe, Gött. gel. Anzeigen 1912, S. 718. — 2) Naville, Festival hall of Osorkon II. pl. IX 8. — 3) Dies sind wohl seine Begleitgötter, die [hieroglyphs] ... [hieroglyphs] der Beischrift. — 4) L. D. III 85c (Soleb) findet sich Osiris mit demselben Beiwort.

festes, dem die Darstellung in Bubastis angehört[1]. Übrigens wird auch Upuaut schon früh gelegentlich mit Heliopolis in Verbindung gebracht und erscheint ebenfalls im Mittleren Reich als Upuaut-Rê[2].

Bei ihm steht jedenfalls die sekundäre Übertragung aus dem heliopolitischen Rê-Kult außer Frage.

1) Ebenso Abb. 1 (als Anubis), zur Erklärung KEES, Opfertanz des ägypt. Königs S. 188 u. 252. — 2) KEES, a. a. O. S. 253; Upuaut-Rê vgl. Stelen Kairo 20089, 20394 (M. R.) sowie Brit. Mus. Stelae IV 25 nr. 281 (17. Dyn?).

# Miszellen.

Die angebliche älteste Darstellung der „Lebensbinde". — Herr JÉQUIER hat in den Proceedings der Bibl. arch. Soc. 1917, S. 87, auf der bei DE MORGAN Origines de l'Égypte I Taf. III abgebildeten Vase in der Hand des dort dargestellten Mannes eine Lebensbinde zu finden geglaubt, und damit das Symbol bis in die hocharchaische Zeit zurück verfolgen zu können gemeint. Hätte er statt der völlig unzuverlässigen und dilettantischen Publikation DE MORGANs den betreffenden Band des Kairiner Generalkatalogs eingesehen, so hätte er (Tongefäße Taf. IV, 2077 Text S. 20) erkannt, daß die angebliche Lebensbinde der Kopf eines gehörnten Tieres ist. Alle weiteren Erwägungen JÉQUIERs erledigen sich damit. Hingegen hätte er alles wesentliche seines ausführlichen und darum natürlich nützlichen Aufsatzes im Bulletin de l'Institut Français XI, 121 ff. (1914) in meinem Aufsatz über altägyptische Knotenamulette im Usenerbeiheft des Archivs für Religionsgeschichte (1905) gefunden, auch den Nachweis, daß die „Lebensbinde" schon in Texten der 1. Dynastie vorkommt.

Fr. W. VON BISSING.

Der Lautwert von ist nicht, wie nach meinem Beispiel (Verbum I § 410) jetzt allgemein angenommen wird, *iꜣḫ*, sondern nur *ꜣḫ*. Das geht nicht nur aus der Stelle Pyr. 480d (W. 590), aus der ich seinerzeit irrig jenen Wert erschloß, hervor, wenn man sie richtig abteilt: „vor den Geistern", sondern auch aus zahlreichen Varianten, die die Totentexte des MR für die verschiedenen Ableitungen des mit dem Zeichen geschriebenen Wortstammes bieten:

„er gebe dir Geist zu sein (bzw. Geistermacht) im Himmel, mächtig zu sein auf Erden, gerechtfertigt zu sein beim Gotte" LACAU, Sarc. antér. au Nouv. Emp. I 171. Vgl. ob. S. 11.

„denen der Allherr Geistermacht gegeben hat" Totb. 17 (= Urk. V 78, 16) nach Ann. du Serv. 6, pl. 7 ff. (die ob. S. 7 als N bezeichnete Hs).

„jene 7 Geister" Totb. 17 (= Urk. V 40, 3) nach derselben Hs.

„die Horizontbewohner" Totb. 17 (= Urk. V 27, 14. 16) nach der nämlichen Hs.

„Glanz" Totb. 17 (= Urk. V 55, 9) nach den Hss E (LEPS., Ält. Texte 18, 40) und F (ib. 33, 60/1).

K. SETHE.

*mšn.w* „Harpunierer" (Ä. Z. 54, 50). — Ein weiterer Beleg aus dem frühen MR ist L. D. II 149 g (= MONTET, Hammamat pl. 3, 1), wo jemand sich rühmt, im Dienste seines Herrn, eines Königs der 11. Dyn., gewirkt zu haben als „Vorsteher des Fußvolkes in den fremden Ländern,

Vorsteher des Haushaltes in Ägypten, Vorsteher der Harpunierer auf den Wasserläufen".

Bedeutend älter ist ein anderes Zeugnis. Unter den von BORCHARDT, Die Annalen S. 36 so scharfsinnig gedeuteten Bildern der Siegelabdrücke des Königs Usaphais der 1. Dyn. (Royal Tombs II 7, 5/6 = I 12, 7. 32, 38/9) sind zwei Szenen, die den König im Kampf mit einem Nilpferd zeigen. Das eine Mal ringt er mit dem Ungetüm, das andere Mal harpuniert er es. Während der König in dem erstgenannten Bilde mit seinem Namen [hieroglyph] bezeichnet ist, heißt er in dem anderen statt dessen [hieroglyph] „Harpunierer"; das wunderliche Zeichen hinter dem *ś* entspricht offenbar dem [hieroglyph] rätselhaften Harpuniergerät [hieroglyph], mit dem das Wort später (schon Text. relig. [hieroglyph] 20, 35) so oft geschrieben wird. K. SETHE.

Ein Mißbrauch des Qualitativs im Koptischen. — Das koptische Qualitativ, das auf das alte ägyptische Pseudopartizip zurückgeht, soll von Rechts wegen nur in Sätzen, die die Form des Präsens I oder II haben, stehen (STERN, Kopt. Gr. § 349). Es finden sich aber hin und wieder, und zwar schon in verhältnismäßig alten Texten, auch Beispiele, in denen es mit der ihm eigenen Bedeutung „in einem Zustande sein" auch bei anderen Tempusformen gebraucht ist an Stelle des Infinitivs, der dort offenbar wegen seiner Bedeutung doch nicht recht paßte. Ich habe mir im Laufe der letzten Jahre bei der Lektüre folgende Fälle dieses Mißbrauches notiert:

ⲛⲁⲓ ⲛ̄ⲧⲁⲩ-ⲟⲩⲏⳉ ⲛ̄ⲥⲱϥ „die welche ihm gefolgt waren", eig. „die welche hinter ihn gelegt waren", Mark. 15, 41 (αἳ ἠκολούθουν αὐτῷ).

ⲉⲧⲉⲧⲛⲁ-ⳉⲟⲟⲡ „ihr werdet sein" Soph. 3, 20 achm. (ed. WESSELY); boh. ⲉⲣⲉⲧⲉⲛ-ⲟⲓ.

ⲉⲧⲉⲧⲛ̄-ⲉ-ϫⲏⲕ ⲉⲃⲟⲗ „ihr werdet vollkommen sein" Pist. Soph. S. 275, 18.

ϥ-ⲛⲁ-ⲧⲁϫⲣⲏⲩ ⲉⲛ „er wird nicht sicher sein" Proverb. 28, 17 achm. (ἔσται οὐκ ἐν ἀσφαλείᾳ).

K. SETHE.

ⲙⲛ̄ⲧϥ̄-ⲥⲱⲧⲙ̄ „er kann nicht hören". — Für diesen Gebrauch des Ausdrucks, der wörtlich „er hat nicht Hören (d. h. die Möglichkeit zum Hören)" bedeutete, vgl. die folgenden Stellen der Pistis Sophia:

ⲡⲣⲱⲙⲉ ⲉⲧ-ⲙ̄ⲙⲁⲩ ⲙⲛ̄ⲧⲟⲩ-ⲥⲱⲧⲉ ⲛ̄-ⲧⲉϥ-ⲯⲩⲭⲏ „jenes Menschen Seele kann nicht gerettet werden" 270, 28.

ⲙⲛ̄ⲧⲉ-ⲗⲁⲁⲩ ⲙ̄-ⲙⲩⲥⲧⲏⲣⲓⲟⲛ ϫⲓ ⲛ̄-ⲧⲟⲟⲧϥ̄ ⲛ̄-ⲧⲉϥ-ⲙⲉⲧⲁⲛⲟⲓⲁ ⲟⲩⲧⲉ ⲙⲛ̄ⲧⲟⲩ-ⲥⲱⲧⲙ̄ ⲉⲣⲟϥ ⲉ-ⲧⲣⲉⲩ-ⲛⲁ ⲛⲁϥ „kein Mysterion kann ihm (jenem Menschen) seine Beichte abnehmen, noch kann er erlöst werden, damit man sich seiner erbarme" 271, 11/12.

ⲡⲣⲱ[ⲙⲉ] ⲉⲧ-ⲙ̄ⲙⲁⲩ ⲙ̄ⲙⲛ̄ⲧⲟⲩ-ⲧⲥⲧⲟ ⲛ̄-ⲧⲉϥ-ⲯⲩⲭⲏ ⲉ-ⲡⲕⲟⲥⲙⲟⲥ ⲉⲧ-ϩⲓ-ⲡϫⲓⲥⲉ „jenes Menschen Seele kann nicht zu der Welt, die in der Höhe ist, gebracht(?) werden" 267, 25.

ⲙⲛ̄ⲧⲉ-ⲗⲁⲁⲩ ⲙ̄-ⲙⲩⲥⲧⲏⲣⲓⲟⲛ ⲕⲱ ⲛⲁϥ ⲉⲃⲟⲗ ⲛ̄-ⲛⲉϥ-ⲛⲟⲃⲉ ⲟⲩⲇⲉ ⲙⲛ̄ⲧⲟⲩ-ϫⲓ ⲛ̄-ⲧⲉϥ-ⲙⲉⲧⲁⲛⲟⲓⲁ ⲛ̄-ⲧⲟⲟⲧϥ̄ ⲟⲩⲇⲉ ⲙⲛ̄ⲧⲟⲩ-ⲥⲱⲧⲙ̄ ⲉⲣⲟϥ ⲉ-ⲡⲧⲏⲣϥ̄ ϩⲓ-ⲧⲛ̄-ⲗⲁⲁⲩ ⲙ̄-ⲙⲩⲥⲧⲏⲣⲓⲟⲛ „kein Mysterion kann ihm seine Sünden vergeben und ihm kann nicht seine Beichte abgenommen werden noch kann er überhaupt erhört werden durch irgendein Mysterion" 269, 2/4.

K. SETHE.

ⳉϫⲉ. — In seinen Vorbemerkungen zu einer Grammatik der achmim. Mundart S. 178 führt RÖSCH diese Form neben den gewöhnlichen Formen ⲉⲓⳉⲡⲉ und ⳉⲡⲉ[1].

1) von ⲉⳉⲱⲡⲉ, dem Äquivalent des sah. ⲉϣⲱⲡⲉ, verschieden.

als achmimisches Äquivalent von ⲉϣϫⲉ sah.: ⲓⲥϫⲉ boh. „wenn“ an; ebenso jetzt SPIEGELBERG in seinem kopt. Handwörterbuch S. 32. Das Wort ist ein ἅπαξ λεγόμενον, das RÖSCH der Kairiner Papyrushandschrift entnommen hat, die C. SCHMIDT inzwischen in seinem Werke „Gespräche Jesu mit seinen Jüngern“ (Texte und Unters. XLIII) herausgegeben hat. Auch SCHMIDT faßt es ebenso auf und erklärt es als Wiedergabe eines καὶ ἐάν des verlorenen griechischen Originales. Tatsächlich paßt diese Bedeutung aber gar nicht in den Zusammenhang der Stelle (37, 15 des kopt. Textes), der für das Wort vielmehr eine Bedeutung wie „dennoch“, „trotzdem“ zu erfordern scheint. Die fünf klugen Jungfrauen, die gewacht haben, sind mit dem himmlischen Bräutigam zusammengewesen. ⲁⲟⲩ ϩϫⲉ ⲥⲉⲣⲉϣⲉ ⲉⲛ „und dennoch freuen sie sich nicht“ über die fünf törichten Jungfrauen, die die Ankunft des Bräutigams verschlafen haben. So gibt denn auch WAJNBERG (bei SCHMIDT S. 144) den betreffenden Satz nach der äthiopischen Übersetzung wieder. Rein vom lautlichen Gesichtspunkte betrachtet hätte das ϩϫⲉ ja wohl dem sah. ⲉϣϫⲉ entsprechen können, nimmermehr jedoch dem boh. ⲓⲥϫⲉ, das für dieses ⲉϣϫⲉ die Entstehung aus ⲉⲥ-ϫⲉ „wenn es (der Fall) ist, daß“ zu erweisen scheint, indem ⲓⲥ die vollbetonte Form zu dem aus [Hieroglyphen] hervorgegangenen ⲉⲥ- darstellt (s. SETHE-PARTSCH, Demot. Bürgschaftsurkunden S. 22). In dem ϫⲉ unseres ϩϫⲉ wird man wahrscheinlich dasselbe Element „daß“ zu erkennen haben, wie in ⲉϣϫⲉ: ⲓⲥϫⲉ; was das ϩ aber sein mag, bleibt vorläufig ebenso eine offene Frage wie bei dem irrtümlich dazugestellten ϩⲛⲉ „wenn“, das vielleicht dasselbe Element mit ⲡⲉ „ist das“ verbunden zeigt. K. SETHE.

Zu den Märtyrerakten des Apa Schnube (ϣⲛⲟⲩϥⲉ), die MUNIER, Ann. du Serv. 17, 144 f. mit manchen Fehlern herausgegeben hat, hat SOTTAS, Rev. égyptol. Nouv. ser. 1, 264 ff. wertvolle Bemerkungen veröffentlicht. In zwei Fällen, an denen auch er nicht zu voller Klarheit kommen konnte, glaube ich helfen zu können.

1) 5, 20 werden die Martern beschrieben, denen eine Jungfrau unterzogen wurde: ⲁⲩⲡⲱⲧϩ̄ ⲛ̄-ⲧⲉⲥⲉⲕⲓⲃⲉ ⲥⲛ̄ⲧⲉ ⲙⲛ̄-ϩⲏⲧⲥ̄ ⲁϥⲧⲣⲉⲩⲉⲓⲛⲉ ⲛ̄-ϩⲙ̄ⲡⲓⲡⲣⲉ ⲙⲛ̄-ⲟⲩϩⲙⲟⲩ ⲙⲛ̄-ⲟⲩϩⲙ̄ϫ ⲉϥϫⲏϥ ⲛ̄ⲥⲉⲧⲁϩⲟⲩ ⲙⲛ̄-ⲛⲉⲩⲉⲣⲏⲩ ⲛ̄ⲥⲉⲡⲁϩⲧⲟⲩ ⲉϩⲣⲁⲓ ⲉϫⲱⲟⲩ „man schlitzte ihre beiden Brüste und ihren Leib auf. Er (der Hegemon) ließ ⲡⲓⲡⲣⲉ und Salz und siedenden Essig holen, und man mischte sie zusammen und goß sie auf sie“. In dem unbekannten, mit dem Pluralartikel versehenen Worte ⲡⲓⲡⲣⲉ, das MUNIER mit „Urne“ übersetzte, hat SOTTAS mit Recht eine dem Salz und dem Essig entsprechende Ingredienz der beißenden Mischung, mit der die Wunden der Märtyrerin begossen wurden, erkannt, ohne doch seine Bedeutung näher bestimmen zu können. Es ist natürlich der Pfeffer, lat. *piper*, griech. πέπερι.

2) 6, 24. In den Worten ϣⲁⲛⲧⲟⲩⲡⲱϩ ⲉ-ⲕⲁⲙⲉⲉⲡⲟⲗⲓⲥ ⲉⲧⲉ-ⲡⲟⲩⲃⲁⲥⲧⲉ-ⲡⲉ „bis sie gelangten nach ......, welches Bubastis ist“ wollte SOTTAS den hier unübersetzt gelassenen, mit ⲡⲟⲗⲓⲥ endigenden Ausdruck zweifelnd in ⲟⲩⲕⲟⲩⲉⲓ ⲙ̄ⲡⲟⲗⲓⲥ „eine kleine Stadt“ emendieren, was schon durch das folgende ⲉⲧⲉ (wenigstens hinsichtlich des unbestimmten Artikels) ausgeschlossen ist. Es kann darin in Wahrheit nur einer jener mit πόλις gebildeten Städtedoppelnamen gesehen werden, die im römi- Reich allenthalben in der späteren Kaiserzeit, vielfach nur vorübergehend, an Stelle älterer einheimischer Ortsnamen üblich gewesen sind. In Ägypten treffen wir so an die Namen Adrianopolis (Antinoe), Maximianopolis (zwischen Koptos und Theben, Medamōt?), Diokletianopolis (Kus bei Koptos), Theodosiopolis (Tuḥo, heute Ṭaḥā el ʿamūdên) und endlich, nicht wie diese Beispiele mit einem Kaisernamen gebildet, Kainepolis „Neustadt“ bei Koptos (heute Ḳene). Ich möchte glauben, daß wir diesen letzgenannten Namen in dem seltsamen ⲕⲁⲙⲉⲉⲡⲟⲗⲓⲥ zu suchen haben, ohne daß

damit natürlich eine Identität des in dem Texte genannten Bubastis mit dem heutigen Kene behauptet werden soll.

K. SETHE.

ⲟⲃϩⲉ (sah.). — Dans sa Koptische Grammatik, 2^me édit. [1904], M. STEINDORFF termine le chapitre consacré au pluriel des noms masculins comme suit (p. 71): „Von sonstigen männlichen Pluralformen merke noch: . . . . . ⲟⲃϩⲉ Plur. ‚Zähne', äg. *ibḥw* (Singular nicht erhalten)". M. DYROFF (Ä. Z. 48 [1911], p. 29) explique de son côté: „Der Plural ⲟⲃϩⲉ wird ursprünglich auf der zweiten Silbe betont gewesen sein und in der ersten Silbe durch Analogie vom Singular her die hochstufige Stammform zu Unrecht bekommen zu haben." Enfin M. SETHE, reproduisant son opinion de Verbum, Indices [1902], p. 7 et 53, écrit dans son récent article Der Ursprung des Alphabets (Nachrichten der Königl. Gesellschaft der Wissenschaften zu Göttingen, 1916, p. 150): „*ibḥ* ‚Zahn' (kopt. plur. ⲟⲃϩⲉ)".

Personne n'a, que je sache, contredit à l'opinion énoncée par les savants prénommés sur le genre et le nombre de ⲟⲃϩⲉ[1].

ⲟⲃϩⲉ est en fait un nom féminin; sa forme précitée est sa forme du singulier (celle du pluriel est identique).

ⲟⲃϩⲉ se rencontre en effet avec l'article ⲟⲩ dans les passages suivants: ⲟⲩⲟⲃϩⲉ ⲉⲡⲙⲁ̀ ⲛ̄ⲟⲩⲟⲃϩⲉ, Exode, 21, 24 (MASPÉRO, Mém. Miss. franç., VI, p. 37), Sept. ὀδόντα ἀντὶ ὀδόντος; comp. Triadon, 407, 153, 3 (v. LEMM, Das Triadon, p. 62); ar. سنّا عوض سنّ; ⲟⲩⲟⲃϩⲉ ϩⲁⲟⲩⲟⲃϩⲉ, Lévitique, 24, 20 (MASPÉRO, op. cit., p. 81), Sept. ὀδόντα ἀντὶ ὀδόντος; comp. MATTHIEU, 5, 3 (HORNER, The Coptic Version of the New Testament, Sahidic, I, p. 40).

ⲟⲃϩⲉ se rencontre d'autre part avec l'article féminin dans le passage suivant: ⲉϣⲱⲡⲉ ⲇⲉ ⲉϥϣⲁⲛⲛⲟⲩϫⲉ ⲛ̄ⲧⲟⲃϩⲉ ⲙ̄ⲡⲉϥϩⲙ̄ϩⲁⲗ ⲏ[2] ⲧⲉϥϩⲙ̄ϩⲁⲗ ⲉϥⲉⲕⲁⲁⲩ ⲉⲃⲟⲗ ⲛ̄ⲣⲙ̄ϩⲉ ⲉⲡⲙⲁ ⲛ̄ⲧⲉⲩⲟⲃϩⲉ[3], Exode, 21, 27 (MASPÉRO, op. cit., p. 37), Sept. Ἐὰν δὲ τὸν ὀδόντα τοῦ οἰκέτου ἢ τὸν ὀδόντα τῆς θεραπαίνης αὐτοῦ ἐκκόψῃ, ἐλευθέρους ἐξαποστελεῖ αὐτοὺς ἀντὶ τοῦ ὀδόντος αὐτῶν.

ⲟⲃϩⲉ est donc un nom de la même catégorie que ⲛⲟϥⲣⲉ „avantage", ég. *nfr.t*, ⲣⲟⲙⲡⲉ „année", ég. *rnp.t*, ⲥⲟⲟⲩϩⲉ „œuf", ég. *swḥ.t*, etc. (cf. STEINDORFF, op. cit., § 105, 3 [p. 53]); et, comme plusieurs d'entre les noms de cette catégorie — comme d'ailleurs la plupart des noms coptes (cf. STEINDORFF, op. cit., § 136 [p. 68]) — il n'a pas de forme particulière pour le pluriel.

Il s'ensuit que ⲟⲃϩⲉ ne vient pas, directement du moins, de 𓇋𓃀𓎛[4]; il doit venir d'un ancêtre égyptien de la forme *ibḥ.t*[5]. Ce dernier peut avoir été un doublet populaire de *ibḥ*; en tout cas BRUGSCH (Wb., p. 4) donne la forme démotique *'bḥë*.

Il est tout à fait naturel qu'on ait rapporté ⲟⲃϩⲉ directement à 𓇋𓃀𓎛 (cf. déjà CHAMPOLLION, Grammaire égyptienne, p. 73 et pass.) et que, par suite, on l'ait considéré comme de genre masculin; la croyance à ⲟⲃϩⲉ forme plurielle est sans

1) On lit par contre déjà dans STERN, Kopt. Gr., p. 69: „Gewöhnlich ist sie [c. à. d. la forme: cons. + *ŏ* + cons. + cons. + *e*] weiblich, wie: . . . . . ⲟⲃϩⲉ f.? (Zahn)". — 2) Il faut peut-être rétablir ⲧⲟⲃϩⲉ-ⲛ̄-; cf. boh. ⲟⲛⲁϫϩⲓ ⲛⲧⲉ- (LAGARDE) et aussi ⲛ̀ⲃⲁⲗ ⲙ̄ⲡⲉϥϩⲙϩⲁⲗ ⲏ ⲛ̀ⲃⲁⲗ ⲛ̄ⲧⲉϥϩⲙ̄ϩⲁⲗ' Exode, 21, 26 (MASPÉRO, Mém. Miss. franç., VI, p. 37). — 3) Le texte a été collationné par GASELEE, Journal of Theol. Studies, XI, p. 248. — 4) L'achmimique ⲁⲃϩⲉ, Joël, 1, 6; Michée, 3, 5 (WESSELY), est naturellement dans la même situation par rapport à *ibḥ* que ⲟⲃϩⲉ. Par contre c'est peut-être de *ibḥ* que vient le moyen-égyptien ⲁⲃϩ, ⲁⲃⲁϩ (ASMUS, Über Fragmente im mittelägyptischen Dialekt, p. 43). — 5) Cf. 𓇋𓃀𓎛𓏏, Anast. IV, 13, 7 [Berliner Wörterbuch]; toutefois le 𓏏 final ne prouve pas grand'chose dans les papyrus de la 20^e dynastie.

doute issue de la difficulté d'expliquer le ⲉ final en partant de *ỉbḥ*[1]; elle a dû être affermie par le fait que les dictionnaires, celui de Peyron en particulier, ne citent que des exemples de ⲟⲃϩⲉ au pluriel[2]. EUGÈNE DÉVAUD.

Post-scriptum. La notice qui précède a été remise à la Rédaction de l'Ä. Z. dans le courant de l'été 1920. Depuis ont paru deux ouvrages, le Kurzer Abriß der Koptischen Sprache, de M. STEINDORFF, et le Koptisches Handwörterbuch, de M. SPIEGELBERG, où se trouvent enregistrés la plupart des faits enregistrés dans cette notice. On voudra peut-être trouver un motif valable à son maintien dans le fait qu'il n'y a pas, semble-t-il, concordance parfaite d'opinion entre M. SPIEGELBERG et le soussigné. E. D.

---

1) En partant de *ỉbḥw* on ne l'expliquait en fait pas mieux; en effet *ỉbḥ.w* aurait dû donner en copte *ⲟⲃϩ (**'òbḥᵉw*). — 2) A ne prendre que les écrits bibliques, il faut reconnaître que ⲟⲃϩⲉ y est dans la grande majorité des cas employé au pluriel; on l'y trouve en effet au pluriel, traduisant partout ὀδόντες Job, 16, 9; 41, 5; Psaumes, 57, 7; 111, 10; Cant. des cant., 4, 2; 6, 5; Amos, 4, 6; Michée, 3, 5; Matthieu, 8, 12; 13, 42. 50; 22, 13; 24, 51; 25, 30; Luc, 13, 28; Actes, 7, 54.

## Georg Möller

geboren 5. November 1876 in Carácas
gestorben 2. Oktober 1921 in Upsala

Fern der deutschen Heimat, im schwedischen Upsala, ist am 2. Oktober 1921 Georg Möller von uns geschieden, hingerafft von einem schweren Anfall der Malaria, die er sich als Soldat während des Weltkrieges in dem ungesunden Klima Kleinasiens zugezogen hatte. Mit ihm hat die deutsche Ägyptenforschung einen ihrer tüchtigsten, vielseitigsten, fleißigsten Jünger, die Ägyptische Zeitschrift einen ihrer treuesten Mitarbeiter und Helfer verloren.

Möller war im Jahre 1876 in Carácas (Venezuela) geboren als Sohn eines deutschen Kaufmanns. Als er noch nicht 6 Jahre alt war, siedelten seine Eltern nach Hamburg über, und so konnte er seine ganze Schulbildung in Deutschland empfangen, zuerst auf dem Realgymnasium, dann auf der Gelehrtenschule des Hamburger Johanneums. Während dieser Schulzeit hat er sich auch, wie so viele unserer Fachgenossen, von dem ägyptischen Altertum gefangen nehmen lassen; er lernte die ägyptische Schrift, las ägyptologische Bücher und studierte bei gelegentlichen Besuchen in Berlin eifrig die Schätze des ägyptischen Museums, so daß er schon eine stattliche Menge von Kenntnissen besaß, als er nach bestandener Reifeprüfung Ostern 1896 die Berliner Universität bezog mit der festen Absicht, neben klassischen und semitischen Studien unter Ermans bewährter Führung Ägyptologie zu treiben. Erman war es auch, der den gewandten Studenten schon in seinem ersten Semester bei der ägyptischen Abteilung der Königlichen Museen als Hilfsarbeiter aufnahm, und dem Berliner Museum hat Möller auch, nur mit Unterbrechung weniger Jahre, die ihn nach Ägypten führten, seine wissenschaftliche Hauptkraft bis zu seinem frühen Tode gewidmet. Im Mai 1900 erlangte er mit einer Arbeit über die in einem hieratischen Papyrus des Berliner Museums erhaltenen Pyramidentexte die Doktorwürde, nachdem er schon vorher (1897) mit einem kleinen Beitrag zu der von Sethe gefundenen Lesung des Namens des unterägyptischen Königs sich in der Zeitschrift wissenschaftlich vorgestellt hatte.

Als 1904 die Arbeiten des wissenschaftlichen Attachés beim Deutschen Generalkonsulat in Kairo, des späteren Deutschen Instituts für ägyptische Altertumskunde, die Hilfe eines Assistenten erforderten, konnte für diese Aufgabe kein besserer als Möller gefunden werden. Gewissenhaft gab er sich der oft nicht ersprießlichen Verwaltungsarbeit hin; vor allem aber wirkte er als Helfer Borchardts bei den großen Ausgrabungen der Deutschen Orientgesellschaft in Abusir mit und bewährte sich hier durch sein technisches Geschick und die Kunst, die Eingeborenen klug zu behandeln. Die dabei gesammelten Erfahrungen stellte er 1905/6 den Leipziger Grabungen bei der Cheops-Pyramide zur Verfügung und zeigte sie besonders bei den von ihm selbständig geleiteten Grabungen in dem vorgeschichtlichen Gräberfelde von Abusir el-mäläg und später in der thebanischen Totenstadt bei Dêr el-Medîne (1911). In die Zeit seiner amtlichen Tätigkeit in Ägypten fällt auch seine im Auftrage der Berliner Akademie der Wissenschaften im Sommer 1907 vorgenommene Aufnahme der Felsinschriften in den Alabasterbrüchen von Hatnub, durch die von ihm ein wertvolles Material für die ägyptische Geschichte und Paläographie gewonnen wurde. Im Herbst 1907 nach Berlin zurückgekehrt, erhielt Möller am Berliner Museum die Stelle eines Direktorialassistenten, die später in die eines Kustos umgewandelt wurde. Aber die Verwaltungstätigkeit befriedigte ihn nicht völlig; er hegte den Wunsch, sich auch als akademischer Lehrer zu betätigen und die am Museum gesammelten Kenntnisse der akademischen Jugend mitzuteilen und sich damit zugleich auch für seine Zukunft weitere Wege zu öffnen. So habilitierte er sich an der Berliner Universität als Privatdozent, und er hat hier besonders über demotische Schrift und Sprache und über verschiedene Gebiete der ägyptischen Altertumskunde (ägyptische Kunstgeschichte, Begräbniswesen u. a.) erfolgreiche Vorlesungen gehalten. In Führungen, wie sie schon Richard Lepsius gehalten und Adolf Erman fortgesetzt hatte, machte er seine Hörer mit den Schätzen der ihm wohl vertrauten Sammlungen des ägyptischen Museums bekannt. Großen Fleiß verwendete er auch auf seine Vorlesung über Herodots zweites Buch, die er bis ins einzelne ausarbeitete und in der er nicht nur sein vielseitiges ägyptologisches Wissen, sondern auch seine tüchtigen Kenntnisse in der klassischen Literatur zeigen konnte. Es ist zu hoffen, daß diese Vorlesung als Buch veröffentlicht weiteren Kreisen zugänglich werden wird. In Anerkennung seiner akademischen Erfolge erhielt Möller 1917 einen Lehrauftrag für demotische Schrift und Sprache und wurde 1921 zum ordentlichen Honorarprofessor ernannt.

Möller war einer der jüngsten und letzten in jenem Geschlecht von Ägyptologen, die ihre Studien auf breiter Grundlage angelegt hatten und auf den verschiedenen Gebieten der ägyptischen Sprach- und Altertumskunde festgewurzelt waren. In der Schule Ermans philologisch erzogen, vom väterlichen Hause her mit technischen Kenntnissen ausgerüstet, im Museum unter Schäfers Führung kunstgeschichtlich gebildet, hat er sich in allmählichem Aufstieg zu einer Höhe wissenschaftlicher Leistungen emporgearbeitet, auf der er neben den Besten des Faches stand. Seine Hauptarbeit galt der Erforschung der ägyptischen Schrift; die hieratische Schrift in ihrem Entwicklungsgange durch drei Jahrtausende zu verfolgen, ist ihm in seinem ersten größeren Werke, der Hieratischen Paläographie, geglückt; ihm hat er die „hieratischen Lesestücke“ zugesellt, die vornehmlich dem akademischen Unterricht dienen und den Studierenden die wichtigsten Texte zugänglich machen sollen. Dem nämlichen Gebiete gehört auch seine letzte, in der Zeitschrift veröffentlichte Arbeit an, in der es ihm durch die vergleichende Methode gelungen ist, für mehrere wichtige literarische Handschriften aus dem Neuen Reiche sichere Daten zu gewinnen und z. B. den berühmten Amonshymnus von Bulak in die Zeit vor Amenophis IV. zu setzen.

Vom Hieratischen ist Möller zum Demotischen gekommen und hat es in wenigen Jahren zu einer großen Meisterschaft im Lesen und Erklären demotischer Urkunden gebracht. Mit Griffith, Spiegelberg und Sethe zählte er zu den besten Kennern des Demotischen. Nicht geringeres Lob verdienen seine koptischen Veröffentlichungen; es sei nur an die in der Sammlung der koptischen Urkunden des Berliner Museums erschienenen Lesungen literarischer Texte und an die verschiedenen koptischen Aufsätze in der Zeitschrift erinnert.

Unter seinen archäologischen Arbeiten steht die Behandlung der Goldschmiedearbeiten in ägyptischem und ägyptisch-hellenistischem Stil, die er zu der Veröffentlichung der ägyptischen Goldschmiedearbeiten des Berliner Museums beigesteuert hat, in erster Reihe. Die Bearbeitung der von ihm zutage geförderten Funde aus dem Friedhofe von Abusir el-mäläg konnte er leider nicht mehr zu Ende bringen.

Mitten aus reichem Schaffen wurde Georg Möller abberufen. Dankbar sehen wir die reiche Ernte, die er in seinem kurzen Leben eingebracht hat; wir sehen aber auch, wieviel wir von seiner Schaffenskraft noch erwarten konnten, für wieviel er vorgearbeitet hat, was nun für lange Zeit noch ein unerfüllter Wunsch unserer Wissenschaft bleiben wird. Aber nicht nur den ausgezeichneten Gelehrten beklagen wir in Georg Möller, nicht nur den unermüdlichen Mitarbeiter der Zeitschrift, die die Mehrzahl seiner kleineren Untersuchungen veröffentlichen durfte; unvergeßlich bleibt allen, die ihm näher treten durften, der vornehme, stille, zuverlässige Mann, der treue Freund, der nie versagende Helfer, der stets sein Wissen jedem aufrichtigen Frager zur Verfügung stellte. Wir werden sein Andenken festhalten. So lange die Wissenschaft vom ägyptischen Altertum besteht, wird auch das Gedächtnis Georg Möllers dauern.

G. St.

# Die ägyptische Gottheit der »Gotteskraft«.

Von Wilhelm Spiegelberg.

Der abstrakte Begriff der »Kraft, Macht«, ausgedrückt durch das Wort *nḫt*, ist als Gottesbegriff seit langem durch demotische Texte bekannt und zuerst von Hess[1], später namentlich von Griffith[2] festgestellt worden.

Die wichtigsten Stellen finden sich in der Setne-Novelle (I Kh). Als Thoth von Rē das von Ne-nefer-ke-Ptah geraubte Zauberbuch zurückverlangt, willfahrt der Sonnengott seinem Verlangen (IV 7–8)[3] dadurch, daß *wt=w wᶜ nḫt n nṯr r ḫri n tꜣ p·t* »eine Gotteskraft aus dem Himmel hinabgesandt wurde«. Sie sollte dafür sorgen, daß der Räuber nicht unversehrt nach Memphis zurückkehrte. Vorher hatte dieser bereits das wunderbare Wirken des Buches erprobt. So sah er mit seiner Frau die Fische im Flusse (III 37) *ꜣw wn nḫt (n) nṯr wꜣḥ n mw ḥr-dꜣdꜣ=w* »indem eine Gotteskraft über ihnen flutete[4] (?)«.

Ähnlich heißt es IV 3 *ꜣw wn nḫt n nṯr wꜣḥ n mw (n) tꜣ=w ri·t ḥrj·t* »indem eine Gotteskraft über ihnen (wörtlich: an ihrer Oberseite) flutete« und später IV 9–10 »indem eine Gotteskraft über ihm flutete«[5], ib. 14–15 »indem eine Gotteskraft über mir flutete«. An den beiden letzten Stellen bringt die göttliche Kraft zwei im Nil ertrunkene Leute wieder an die Oberfläche. Sie steht also an allen Stellen in besonderer Beziehung zum Wasser, worauf ich am Schluß noch zurückkommen werde. In Mag. Pap. Verso 33, 5 ist *pꜣj* (?) *wᶜ n nḫt*

[1] Der demotische Roman von Stne S. 73. — [2] Stories of the High Priests S. 26 und 109, Rylands Papyri III S. 274 Anm. 11. — [3] Eine ganz ähnliche Stelle findet sich im Sonnenmythus 3, 4 (Glossar Nr. 206).

[4] *wꜣḥ n mw* »im Wasser liegen« (?) ist wohl eine feste Wendung, deren Bedeutung »fluten« Griffith a. a. O. richtig erkannt haben dürfte. Vgl. etwa ⲙⲟϩⲙⲙⲱⲟⲩ »überschwemmt sein« Vita Sinuthii (ed. Leipoldt) S. 18, 10. Sollte übrigens *wꜣḥ* hier eine Schreibung für *bᶜḥ* sein? Dabei wäre an den Wechsel von *wꜣḥ* und *wᶜḥ*, *bᶜḥ* in der Spätzeit zu erinnern. Vgl. Junker, Gramm. der Denderatexte § 17.

[5] Nachträglich über die Zeile gesetzt.

»meine eine göttliche Kraft« mit dem Determinativ der Person hinter dem des Gottesnamens in dunklem Zusammenhang erwähnt.

Daneben ist aber ein Plural *nꜣ nḫt·w* »die Kräfte« gebräuchlich. So nennt Mag. Pap. XI 14–15 *nꜣ nḫt·w* ( [hieroglyphs] [ [demotic] ]) *ꜥꜣ (a*[1]*)pḥt·t . . . nti ḥtp mw-ḫn Pr-Bst·t* »die großen (göttlichen) Kräfte . . . . , welche in Bubastis ruhen«, und ähnlich sind in dem demotischen Totenbuch des Pamont II 8 *nꜣ nḫt·w* ( [demotic] [hieroglyphs][2] ) *n Pr-Bst·t ꜣr pir n nꜣj·s knḥ·t* »die (göttlichen) Kräfte der Stadt Bubastis, die aus ihren Krypten hervorkommen« erwähnt, als Übersetzung des Namens des Totenrichters »Der Bubastische, der aus der Krypta (*štꜣj·t*) hervorkommt«. Auch im Sonnenmythus (IX 3. 5) scheinen [demotic] ( [hieroglyphs] ) *nꜣ nḫt·w* »die (göttlichen) Kräfte« in Beziehung zu der Göttin Bubastis zu stehen. Sonst glaube ich, die »göttlichen Kräfte« noch in Dümichen, Kalenderinschriften 59 [hieroglyphs] *ḥm ḥmtj m nḫt·w ntr* »zerschnitten ist der Feigling durch die Gotteskräfte«, zu erkennen.

Beide Formen, der Singular wie der Plural, sind nun auch aus Eigennamen bekannt. Die Singularform ist bisher nur in einem Namen belegt, der in drei Formen nachweisbar ist.

*a)* [demotic][3] [hieroglyphs]

*b)* [demotic][4] [hieroglyphs]

*c)* [demotic][5] [hieroglyphs]

Die korrekte Schreibung gibt, wenn mich nicht alles täuscht, die Gruppe *a*, die den Namen als »der (Diener) der Gotteskraft« erklärt, trotzdem die griechische Umschrift Πεχύτης (Pap. Grey C, Pap. Amherst) für *c*, d. h. die Form mit Artikel, zu sprechen scheint. Wahrscheinlich steht aber die Form des Artikels = ⲡⲉ wie auch sonst[6] für den Possessivartikel, und der äußerlich als Demonstrativum erscheinende erste Bestandteil von *b* wird auch nur die durch andere Beispiele

[1]) Der in dem Mag. Pap. als *a* zu lesende schräge Strich deutet wohl nur die Aussprache der vorhergehenden Gruppe *ꜥꜣ* an.

[2]) Das Determinativ [demotic] ist bekanntlich mehrdeutig. (Siehe Sonnenmythus S. 344 Nr. 18*.) Es entspricht meist [hieroglyph], aber auch [hieroglyph] nach Begriffen der Größe. So ist es hier nach *nḫt* »groß, stark sein« gewiß mit Griffith (Rylands Papyri III S. 446) als [hieroglyph] zu umschreiben.

[3]) Z. B. Pap. Grey C (Young, Hieroglyphs) = Πεχύτης ferner Pap. Berlin 3118/11. — [4]) Pap. Berlin 3113, 3. — Ostr. Straßburg 373. 584. 883. 1058. 1383. — [5]) Pap. Amherst 5 r. 50. Ostr. Brüssel D 1. — [6]) Siehe demotische Studien I S. 27 z. B. Πεμῖνις für Παμῖνις.

(s. Anm. 6) belegte Schreibung des Possessivartikels ⲡⲓ sein. Also die drei Namensformen Πεχύτης *Παχύτης *Πιχύτης bedeuten wohl alle »der der Gottesmacht« und zeigen den Gottesbegriff wie in den obigen Beispielen artikellos. Lautlich geht demnach Πεχύτης auf kopt. *ⲡⲁ(ⲉ,ⲓ)ⲛϣⲟⲧ zurück und ist so zu erklären, daß sich das *n* dem *ḫ* assimiliert hat. In *Pa(e)chchốt ist durch den Antritt der griechischen Endung das kurze betonte ố als ô in eine offene Silbe getreten und durch û (υ) wiedergegeben worden[1], d. h. aus *Pa(e)chchôtes ist Πεχύτης geworden.

Die Pluralform steckt in dem männlichen Namen *Pn-nꜣ-nḫt·w*, griech. Πανεχά(της) Pap. Berlin 3116 V 20 = Casati XI 6 Πανεχώτης (Pap. Oxyrrh. II Index) Πανεχωτις (Petrie Pap.). Beachtenswert ist die Schreibung Lepsius, Denkm. VI 45 Nr. 42 (Philae), falls ich richtig lese und ergänze, die ebenso wie der Sonnenmythus Pap. das Determinativ der Schlange zeigt. Das weibliche Gegenstück ist (Pap. Berlin 3116 III 13 = Casati V 1)[2], griech. Τανεχᾶτις. Ferner steckt der Plural in dem n. pr. *Ns-nꜣ-nḫt·w*, der sowohl demotisch [3] [4] wie hieroglyphisch aus einem Totenbuch des N. R.[5] zu belegen ist.

Die griechische Umschrift νεχατ- gibt zweifellos den Plural wieder und ist wohl aus *nenchat* > nechchắt entstanden mit derselben Angleichung des *n* an das folgende *ḫ*, die wir in Πεχύτης kennengelernt haben. Der Plural *ĕnchắt*[6] verhält sich zu dem Singular *enchốt* wie ⲉⲃⲁⲧⲉ zu ⲉⲃⲟⲧ »Monat«[7] und gehört zu jenen Pluralformen, die, wie Erman a. a. O. richtig gesehen hat, überwiegend von auf *t* endigenden Nomina gebildet werden. Vermutlich geht der Plural von *nḫt* auf *ĕnchắtjĕw* zurück.

Die griechischen Transkriptionen lehren auch, daß das der Gruppe *nḫt* vorgesetzte *ntr* nicht zu lesen, sondern wie in *Spd·t* »Sothis« und vielleicht auch einigen anderen Wörtern (s. Sonnenmythusglossar Nr. 451) als eine Art vorangesetztes Determinativ zu betrachten ist. Nur in der Setnaerzählung steht an allen Stellen mit Ausnahme von III 37, wo aber wohl lediglich ein Versehen vorliegt, deutlich der Ausdruck *nḫt n ntr* »Kraft des Gottes«.

Suchen wir nun kurz zu ermitteln, was sich über die religiöse Bedeutung des vorher erörterten Begriffes sagen läßt, so möchte ich *nḫt* »Kraft«, mag es nun als Singular oder als Plural erscheinen, für eine abstrakte Gottheit halten,

[1]) Sethe, Verbum I § 44, 2 und Ägypt. Zeitschr. 50 (1912) S. 83. — [2]) Ferner Pap. Berlin 3075 (Taf. 7) u. s. — [3]) Pap. dem. Straßburg 1, Rückseite. — [4]) Ostr. Straßburg 908. 929. 1838. — [5]) Ägypt. Zeitschr. 44 (1907) S. 44. — [6]) *enchắt* kann natürlich auch dialektal für *enchốt* stehen. — [7]) Siehe Erman, Pluralbildung § 52.

wie *ḥw* »authoritative uttering« oder *Sȝ* »Verstand«, *Mȝʿ-t* »Wahrheit«, über die Gardiner[1] vor kurzem zusammenfassend gehandelt hat. Tatsächlich findet sich ja [Hieroglyphen] *nḫt* unter den 14 Attributen (*kȝ·w*) des Rē, die göttlich verehrt wurden[2].

Dieser abstrakte Begriff »Kraft«, »Kräfte« mit dem in der Schrift ausgedrückten Zusatz »göttlich« wird durchaus als persönliche Gottheit empfunden. Das zeigt die hieroglyphische Wiedergabe des demotischen Namens *Pn-nȝ-nḫt·w* durch [Hieroglyphen][3], wo die mit dem Messer bewaffnete Dämonengestalt die »Gotteskraft« bezeichnet. So wird auch die in I Kh 4, 7–8 (s. oben) vom Himmel herabgesandte »Gotteskraft« ein Dämon sein, der die Rolle eines göttlichen *ἄγγελος*, eines Engels, spielt, und auch die in Verbindung mit der Bubastis genannten »Kräfte« werden göttliche Diener dieser Göttin sein. In den oben besprochenen anderen Stellen der Setnenovelle ist die »Gotteskraft« anscheinend ein Wassergeist, der wie ein göttliches Wesen wirkt[4]. Und in dieser Beziehung zum Wasser begegnet uns die »Gotteskraft« an der ältesten Stelle, auf die mich Frau von Halle hingewiesen hat. Das Märchen vom verwünschenen Prinzen[5] enthält eine leider stark verstümmelte Episode in der [Hieroglyphen] *wʿ n nḫt* (var. [Hieroglyphen]) als Wächter eines Krokodils erscheint, um später den Helden zu retten. Diesen *nḫtw* hat man bisher als »Riesen« aufgefaßt, ohne das Gottesdeterminativ[6] zu beachten und in Erwägung zu ziehen, daß ein Märchen bei dem plötzlich auftauchenden Riesen nähere Angaben über das Aussehen und die Größe enthalten müßte. Nach dem oben Gesagten wird man kaum Bedenken tragen, den *nḫt* des Pap. Harris 500 als »Gotteskraft« zu fassen, als einen Flußgott, der hier als Wächter des Krokodils und Schützer des Menschen auftritt. Damit können wir unsere Gottheit bis in die 19. Dynastie (also etwa in das 13. vorchristliche Jahrhundert) zurückverfolgen. In dieselbe Periode des neuen Reiches führt ja auch der oben erwähnte Personenname [Hieroglyphen].

Sonst ist dieser Gottesbegriff bisher fast nur[7] aus der demotischen Literatur bekannt, die ich in der Hauptsache oben vorgelegt zu haben glaube. Ob und inwieweit diese ägyptische »Gotteskraft« zu den gnostischen *δυνάμεις* in Beziehung steht, will ich lediglich im Anschluß an Griffith[8] als Frage wiederholen.

[1]) Proceed. Soc. Bibl. Arch. **XXXIX** (1916) S. 43 ff. S. 83 ff. — [2]) A. a. O. S. 84. 95. — [3]) Ägypt. Zeitschr. 50 (1912) S. 46. — [4]) Bei dem Satze »indem eine Gotteskraft über ihnen im Wasser lag (= flutete)« fühlt man sich an Gen. 1 2 erinnert: ורוח אלהים מרחפת על פני המים »und der Geist Gottes schwebte über den Wassern« (*καὶ πνεῦμα θεοῦ ἐπεφέρετο ἐπάνω τοῦ ὕδατος*). — [5]) Pap. Harris 500. 4./11. 13. 5./12. 13.

[6]) Maspero (Contes populaires[4] S. 202 Anm. 3) will es dadurch erklären, daß er den Riesen und das Krokodil als astronomische Konstellationen auffaßt. Aber abgesehen von dem unbefriedigenden Sinn spricht der Umstand dagegen, daß das Krokodil nie mit dem Gotteszeichen determiniert ist.

[7]) Siehe die oben erwähnte hieroglyphische Stelle Dümichen, Tempelinschr. Taf. 59.

[8]) Stories of the High Priests of Memphis S. 26 und dazu Reitzenstein, Poimandres S. 70.

# Das wahre Motiv des zugunsten der Prinzessin Nes-Chons erlassenen Dekretes des Gottes Amon.

Von Wilhelm Spiegelberg.

Es ist für die aus der Priesterschaft des thebanischen Amon hervorgegangene 21. Dynastie der Priesterkönige bezeichnend, daß derselbe damals allmächtige Gott, dem dieses Herrscherhaus seine irdische Herrlichkeit verdankte, ihm auch die Seligkeit des Jenseits verschaffen mußte. Das ist ja die Bedeutung der zuerst von Maspero[1] veröffentlichten und in der Hauptsache richtig erklärten Dekrete des »Götterkönigs Amon-Rê, des sehr großen Gottes des Uranfangs«. Sie sollten Mitglieder des Herrschergeschlechts »vergöttlichen« (*nṯrj*), d. h. ihnen im Jenseits das zweite Leben verschaffen, das ihrem Stande gebührte[2]. Selbst die Totenfiguren (*šꜣwꜣbtj*), die Diener des Verstorbenen im Jenseits, bedürfen eines solchen Dekrets des Amon, um für die Prinzessin Ens-Chons im Jenseits wirken zu können[3]. Der thebanische Gott ist hier also an die Stelle des Totengottes Osiris getreten.

Das große Vergöttlichungsdekret liegt für zwei Angehörige der Priesterdynastie vor, für Pi-notem[4] und für seine Frau Ens-Chons. Das letztere Dekret[5] existiert in zwei Abschriften auf Papyrus und auf einer Holztafel. Liest man diesen Erlaß durch, so ist es höchst auffällig, welche große Rolle darin der Witwer Pi-notem, der Mann der verstorbenen Ens-Chons spielt, für die das Dekret verfaßt ist. Ich lasse der Reihe nach, soweit sie mir verständlich sind, die betreffenden Stellen in einer mehr skizzierten Übersetzung folgen, in der die unsicheren Stellen durch kleinen Druck hervorgehoben sind. Da erklärt Amon:

I (Z. 56).

»Ich errette Pi-notem, meinen Diener, vor jedem Unheil ....«

II (Z. 59 ff.).

»Ich bezaubere[6] das Herz der Ens-Chons, daß sie nichts Schlechtes gegen Pi-notem, den Sohn der Es-em-chêbe, tut. Ich bezaubere ihr Herz und lasse nicht

---

[1]) Les momies royales de Deir el Bahari in den Mémoires de la Miss. arch. Française au Caire I S. 594 ff. Budge (Grenfield Papyrus S. XIII ff.) hat Masperos Übersetzung im wesentlichen übernommen. — [2]) Das bedeutet der Ausdruck Z. 79. 85 *pꜣj sḫr ꜣ-ḫpr m-dj-s⟨t⟩* »diese Lage, die bei ihr ist«. — [3]) Holztafel Rogers (Recueil II S. 13) und Brit. Museum 16672 (Budge, The Grenfield Papyrus, Tafel zu S. XVI). — [4]) Veröffentlicht von Daressy, Recueil XXXII (1910) S. 175 ff. — [5]) Veröffentlicht von Maspero a. a. O.

[6]) [hieroglyphs] (var. [hieroglyphs]) [hieroglyphs] N., wörtlich »ich umkreise (durchlaufe) das Herz der N.« Mir scheint, daß hier *pḫr* bereits die zuerst im Demotischen (I. Kh 3, 13. 41. 4, 1) belegte Bedeutung »bezaubern« hat, die noch im altkopt. πεєр- erhalten ist. Vergleiche Griffith:

zu, daß sie (selbst) seine Lebenszeit vermindert, und lasse nicht zu, daß sie (andere) seine Lebenszeit vermindern läßt.«

III (Z. 62 ff.).

»Ich bezaubere ihr Herz und lasse nicht zu, daß sie (selbst) ihm irgend etwas antut, was das Herz eines lebenden Menschen kränkt. Ich bezaubere ihr Herz und lasse nicht zu, daß sie (andere) ihm etwas antun läßt, was das Herz eines lebenden Menschen betrübt«.

IV (Z. 64 ff.).

»Ich lasse nicht zu, daß sie dem Pi-notem irgend etwas Schlechtes antut[1] in irgendeiner tödlichen Weise. Ich bezaubere ihr Herz, daß sie nicht irgendeine Sache (oder) irgendein Ding (oder) irgend etwas tut, das einem Menschen Unheil bringt. Und sie soll nicht zulassen, daß es ihm irgendein Gott antut oder irgendeine Göttin, die vergöttlicht ist, oder irgendein männlicher oder weiblicher Geist, der vergöttlicht ist. Und sie soll nicht zulassen, daß es ihm irgendwelche ...... antun, die Macht haben (*ɔr·t sḫr·w* = ⲉⲣϣⲓϣⲓ) oder irgendwelche Leute, auf deren Stimme man hört.«

V (Z. 68 ff.).

»Was (aber) alle (anderen) Angelegenheiten (?) betrifft, so bezaubere ich ihr Herz, für ihn Gutes zu wünschen[2], solange er auf Erden ist. Ich bewirke, daß sie ihm ein sehr langes Leben wünscht, solange er auf Erden ist, indem er lebt, gesund, kräftig und mächtig ist. Ich bewirke, daß sie ihm alles Gute wünscht an jedem Ort, wo man ihre Stimme hört. Ich lasse nicht zu, daß sie irgend etwas Schlechtes wünscht in irgendeiner Angelegenheit (?), die über einen Menschen Unheil bringt, die das Herz des Pi-notem, des Sohnes der Es-em-chebe, betrüben kann.«

VI (Z. 72 ff.).

»Ich lasse nicht zu, daß sie irgend etwas Schlimmes wünscht, was den Tod bringt, oder irgend etwas Schlimmes in irgendeiner Angelegenheit (?), die das Herz eines Menschen betrübt oder Unheil über einen Menschen bringt, dem das Herz des Pi-notem zugetan ist, so daß sein Herz um ihn bei irgendeinem Unglück, das ihn betrifft, betrübt ist.«

VII (Z. 79 ff.).

»Pi-notem[3] soll zufriedenen Herzens mit ihr sein bei jeder Wohltat eines sehr langen Lebens, solange er auf Erden ist, indem er stark und kraftgewaltig ist in dem, was ihn betrifft. Nicht soll seine Lebenszeit vermindert werden. Nicht soll irgendeine schlechte Sache oder irgendeine Angelegenheit (?), die über einen Menschen

---

Stories of the High Priests S. 92 Anm. *ɔw·f stm* steht hier im Sinne des davon abgeleiteten Präsens II in futurischer Bedeutung, für *ɔw·f x stm* sicher nicht perfektisch. Da würde dieser späte Vulgärtext das Tempus *stm·f* oder das Hilfszeitwort *ɔr* mit Infinitiv verwenden.

[1]) Wörtlich »ich bewirke, daß sie nicht irgendeine schlechte Sache (Wort) auf (?) P. wirft (?) (*ḫɔʿ*) in (?) irgendeiner Sache des Todes«. — [2]) *wḫ* »suchen« hier vielleicht schon in dem Sinne des koptischen Derivats ⲟⲩⲱϣ. — [3]) Der Name steht in dem Schlußsatz der sehr schwierigen Konstruktion.

Unheil bringt oder das Herz eines Menschen betrübt, bei Pi-notem sein. Nicht soll es bei seinen Frauen sein, bei seinen Kindern, bei seinen Brüdern, bei A-towe, bei Ens-te-neb-ašor, bei Masaherte, bei Djui-nofer, den Kindern der Ens-Chons, und nicht soll es bei ihren Brüdern sein.«

VIII (Z. 84 ff.).

»Ich veranlasse, daß das, was ihr in irgendeiner Weise nützlich ist, sie in jeder Weise belohnen soll, die für einen Menschen dieses ihres Ranges angemessen ist, und dafür soll dem Pi-notem jede Wohltat eines sehr langen Lebens auf das beste zuteil werden sowie seinen Frauen, seinen Kindern, seinen Brüdern und den Kindern der Ens-Chons und ihren Brüdern.«

IX (Z. 116 ff.).

»In jeder guten Sache, von der mir gesagt wird: Tue sie dem Pi-notem, diesem Sohne der Es-em-chebe, meinem Diener, seinen Frauen, seinen Kindern, seinen Brüdern und jedem Menschen, dem sein Herz zugetan ist, so daß sein Herz bei einem Unglück, das sie betrifft, betrübt ist — sende ich mein großes, erhabenes Fürstenwort an jeden Ort, an dem die guten Sachen geschehen mit Pi-notem, seinen Frauen, seinen Kindern, seinen Brüdern und jedem Menschen, dem sein Herz zugetan ist, wenn man sie (die guten Sachen) ihm tun lassen will.«

Alle diese weitschweifigen Reden des Gottes Amon, die sich auf den Mann der verstorbenen Ens-Chons beziehen, besagen in Kürze, daß die Prinzessin von dem Gotte gezwungen werden soll, für ihren überlebenden Gatten und die Seinigen nur Gutes und nichts Schlechtes zu tun. Das Dekret hat also den doppelten Zweck, der Toten ein glückliches Leben im Jenseits, ihrem Gemahl ein langes erfreuliches Leben im Diesseits zu verschaffen. Kein Zweifel, der Witwer steht hinter dem Erlaß, in dem er ebensosehr für sich wie für die heimgegangene Gattin gesorgt hat. Vielleicht kann uns ein anderes Dokument noch über die Motive aufklären, die den Pi-notem zu der Abfassung seines merkwürdigen Schriftstückes veranlaßt haben, der Brief, den ein Witwer an den Geist seiner verstorbenen Frau richtete, um sich vor ihren Nachstellungen zu schützen[1]. Pi-notem wird zu ähnlichen Befürchtungen Grund gehabt haben. Aber wenn der Verfasser des Briefes den Geist seiner rachsüchtigen Frau vor ein Göttergericht forderte, um durch dessen Urteil ihren Verfolgungen zu entgehen, so hat Pi-notem der Priesterschaft des Amon ein Dekret in die Feder diktiert, das die Verstorbene zwang, ihrem Manne auf Erden ein glückliches und langes Leben zu bereiten. So erklärt sich, daß in dem Erlaß, der die Zukunft der Ens-Chons im Jenseits verbürgen sollte, das diesseitige Glück ihres Mannes so auffällig betont ist, in dessen eigenem Dekret nur von seinem jenseitigen Schicksal die Rede ist.

[1]) Siehe Maspero, Études égypt. I S. 145 ff. und Erman, Religion S. 177. — Zu diesen Texten, welche die Furcht vor dem Geist des Toten verraten, gehört auch der von Griffith (PSBA. XIV [1892] S. 329) behandelte merkwürdige Text auf einer Tonschale aus dem Anfang der 18. Dynastie.

# Miszelle.

[Hieroglyphe] für »und«, »mit«. In den höchst merkwürdigen Inschriften der Statue des »Teos des Retters« (*Ḏd-ḥr-pꜣ-šd*) aus der Zeit des Philippos Arrhidaios, durch deren rasche Veröffentlichung in den Ann. du Serv. 18, 113ff. 19, 66ff. sich Daressy ein wirkliches Verdienst erworben hat, kehrt immerzu eine eigentümliche Schreibung für die Präposition »mit« »und«, vermutlich das altäg. *ḥnʿ*, wieder, die mir aus andern Texten der Ptolemäerzeit nicht bekannt ist und auch in Junkers Grammatik der Denderatexte nicht verzeichnet ist: [Hieroglyphe]. Auch Daressy scheint diese Bedeutung des Zeichens richtig erkannt oder gefühlt zu haben; wenigstens übersetzt er es an einer Reihe von Stellen durchaus richtig mit *et* (S. 136, 21. 144, 64. 145, 70. 150, 118. 153, 167), *ainsi que* (S. 115, 6, wo das [Hieroglyphe] nach den Parallelstellen S. 125, 100. 136, 21 sicherlich in [Hieroglyphe] zu emendieren ist), *avec* (S. 146, 96). Andererseits hat ihn diese Erkenntnis nicht davon abgehalten, dieselbe Schreibung an einer Reihe anderer Stellen zu verkennen und dort entweder gar nicht oder unrichtig zu übersetzen. Es sind die folgenden:

»wenn das *Nḥꜣ-ḥr*-Krokodil gegen Osiris kommt, während er im Wasser ist, und (gegen) den, der unter dem Messer ist (d. h. den Patienten, zu dessen Heilung der Spruch gebraucht werden soll), so wendet euch um« S. 127, 115 (von D. nicht übersetzt);

»es wurde eine große Mauer gebaut um den Tempel von *Jꜣ-t-mꜣ-t* (»neue Siedlung«)[1] und den Tempel der *wʿb-t* (Stätte, in der sich der heilige Falke befand) in vortrefflicher Arbeit« S. 145, 75 (D. *j'exécutai*);

»ich legte einen Garten an, bepflanzt mit Sykomoren (l. [Hieroglyphen] und ebenso Z. 80 statt [Hieroglyphen]), Perseabäumen und allen (andern) wohlriechenden Bäumen« S. 146, 85 (D. *plantés de tous les arbres fruitiers à odeur agréable*);

»ich ließ sie (die Falken) bestatten mit diesem Öl und schönen Zeugstoffen« S. 146, 96 (D. *je les fis embaumer avec ce sel, emmailloter magnifiquement*); ähnlich ib. 91, wo D. das Wort mit *dans* übersetzt (*dans de belles bandelettes*);

»für den, der in der Umgebung von [Hieroglyphen] und im Gaue (*n pꜣ tš*) von Athribis war« S. 150, 121 (von D. unübersetzt gelassen; er erkannte die Dittographie [Hieroglyphen] nicht als solche);

»der Türhüter des Harchentechtai führt sie (die Abgaben) ab in das Schatzhaus und den Kornspeicher des Falken, ungekürzt«[2]. S. 150, 122 (D. *que le gardien .... puisse les surveiller pour la double maison du trésor et les faire entrer dans le magasin*);

»dieses alles berechnete ich für das Schatzhaus des Falken mit meinen Kindern, kein anderer berechnete es« S. 150, 124 (D. *Pour les enfants, qu'aucune personne n'avait dénombrés*).

Kurt Sethe.

[1]) Das von Daressy △ gelesene Zeichen, das in diesem Namen bisweilen dem Worte *ỉꜣ-t* folgt, oft aber fehlt, kann nur das Landdeterminativ ▽ sein. — [2]) *wḏꜣ* von Daressy hier und an den Parallelstellen (S. 145, 67. 150, 119. 120) irrig für ein Beiwort des Falken genommen (*le faucon vivant*), der doch sonst nie so genannt wird.

## Die Sprüche für das Kennen der Seelen der heiligen Orte.

Die Rubra sind unterstrichen. ---- bedeutet, daß das was die Paralleltexte bieten, in der betreffenden Hs fehlt, bezw. daß die so verbundenen Stücke direkt aneinander anschließen.

### I.

S 1 … 2 … 3 …

### II.

S 1 ---------------------------- 2 … ----------------

M ---------------------------------------- …

K ---------------------------------------- … ---------

N ---------------------------------------- … NN. ---------

Ea … --- … NN.

Ga … ---- …

Lg … ---- …

Ec … ---- … NN.

Spg … ---- … ---- … NN.

---------- Leid. T. 1.

K 2a … 2b … 2c …

K 2d … NN. … 2e …

S 3 … 4 … 5 …

M …

K …

N …

Ea …

Ga …

Lg …

Ec …

Pr …

Spg … Rougé | … Hay | … Cadet. Leid. T. 1 | … Leid. T. 1. | … Rougé

In 5 Cadet wie Ec.

α) Was vor ḫnt steht, nach Möller Sigle für m3ꜥ-ḫrw. β) S1 … γ) S1 …
δ) N2 … ε) S2 … ζ) … N1; … ohne … N2. η) s. 2*, α.

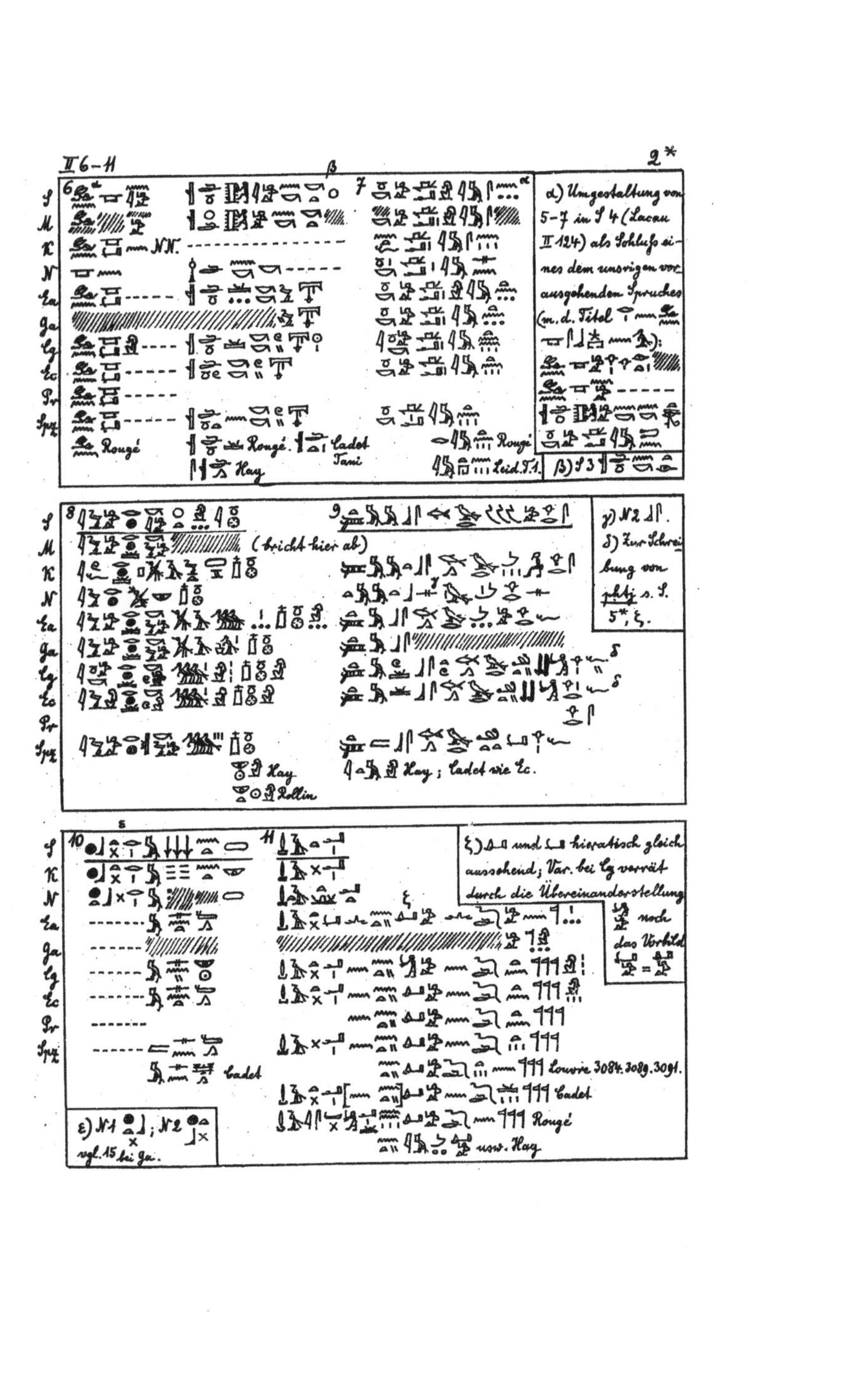

II 6–11
2*
α) Umgestaltung von 5–7 in S 4 (Lacau II 124) als Schluß eines dem unsrigen vorausgehenden Spruches (m. d. Titel …):
β) S 3
Rougé
Cadet
Tani
Hay
Leid. T. 1.
(bricht hier ab)
γ) N 2
δ) Zur Schreibung von pḥtj s. S. 5*, ξ.
Hay; Cadet wie Ec.
Rollin
ξ) und hieratisch gleich aussehend; Var. bei Eg verrät durch die Übereinanderstellung noch das Vorbild
Cadet
Louvre 3084. 3089. 3091.
Rougé
usw. Hay
ε) N 1 ; N 2
vgl. 15 bei Ga.

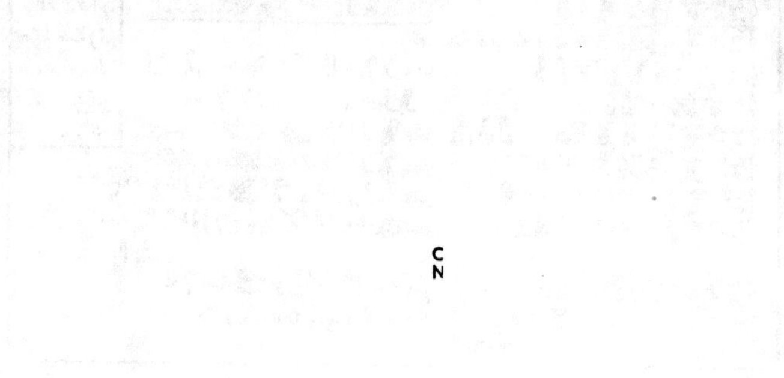

(11) … 12 …

S
K … NN. …
N
Ea
Ga
Lg
Lc
Pr
Lpz

… Leid. T1
… Tani
… Cadet
… Cadet
… Leid. T1

α) S1 …
β) so?; lies …

(12) … 13 …

S1
S2
S3 … hier Lücke?
K
N
Ea
Ga
Lg
Lc
Pr … h3w-f
Lpz

R: … Louvre 3089. 3151. Rougé … Rougé
… Leid. T1

γ) Zeilenwechsel. η) … so …

14 … 15 … 16 …

S
K
N
Ea
Ga
Lg
Lc
Pr … h3w-f
Lpz

… Cadet
… Rougé (Leid. T.1 s. bei 13).
… Rougé
Louvre 3084. 3089. Rougé

δ) wirklich so statt …? ε) N 2 … statt …; … bei N1 zerstört. ζ) … so …, ob …?

S1, S3, K, N, Ea, Ga, Eg, Ec, Pr, Spz

17 … 18 … 19 …

(s. u. 18 a–c).

iwᶜᶜ wnt

m3b3 („Speer")

Rougé

Rollin

Cadet: Homoioteleutonauslassung (17/19).

α) N2 …. β) … γ) S2 … δ) So N2; N1 hatte offenbar [													…].

K 18a … NN. 18b … 18c … (Ende)

S, N 20 … 21 … 22 … ϑ) vgl. III 18.

S, N, Ea, Ga, Eg, Ec, Pr, Spz 23 … 24 …

Cadet … Hay

Louvre 3091. … Rollin. … Rougé.

Louvre 3089. 3151.

ε) N2 …. ζ) Zeilenende; l. … ?

S, N, Ea, Ga, Eg, Ec, Pr, Spz 25 … 26 …

η) S1 …; S3 … Cadet. … st. … Rougé. … Cadet

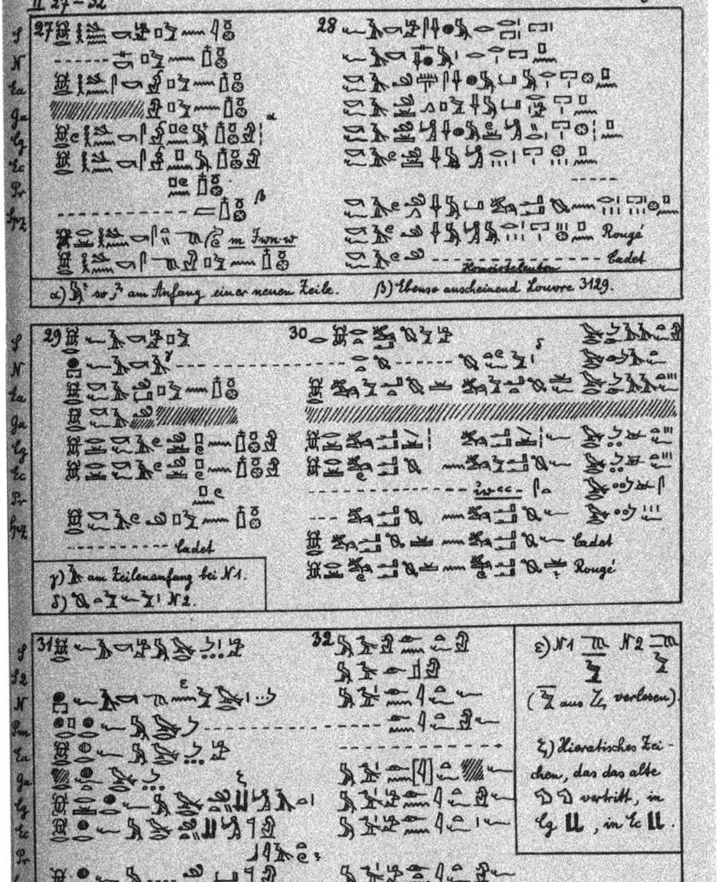

27

28

Rougé

Cadet

α) so am Anfang einer neuen Zeile.

β) Ebenso anscheinend Louvre 3129.

29

30

Cadet

Cadet

Rougé

γ) am Zeilenanfang bei N 1.

δ) N 2.

31

32

ε) N 1 N 2

( aus verlesen)

ζ) Hieratisches Zeichen, das das alte vertritt, in Lg, in Ec.

Cadet

Cadet

nṯr Rougé

auch in allen andern Hss des Louvre.

33 ... 34

S
N
Pm (zerstört ?)
Ea
Ja
Cg
Ec
Pr
Spz
Cadet
Iwnw Rougé
haben auch alle andern Hss des Louvre.

35

S
N
Ea
Ja
Cg
Ec
Pr
Spz
Rougé
Cadet

α) N 2 so; N 1 ...

β) N 2 ...

γ) Lacau, Sarc. ant. II 195.

δ) so N 2; N 1 zerstört.

III.

1 2 3 4
S
N

5 6
S
J1
N N.N.

7 8 9
S
J
N

10 11 12 13
S
N

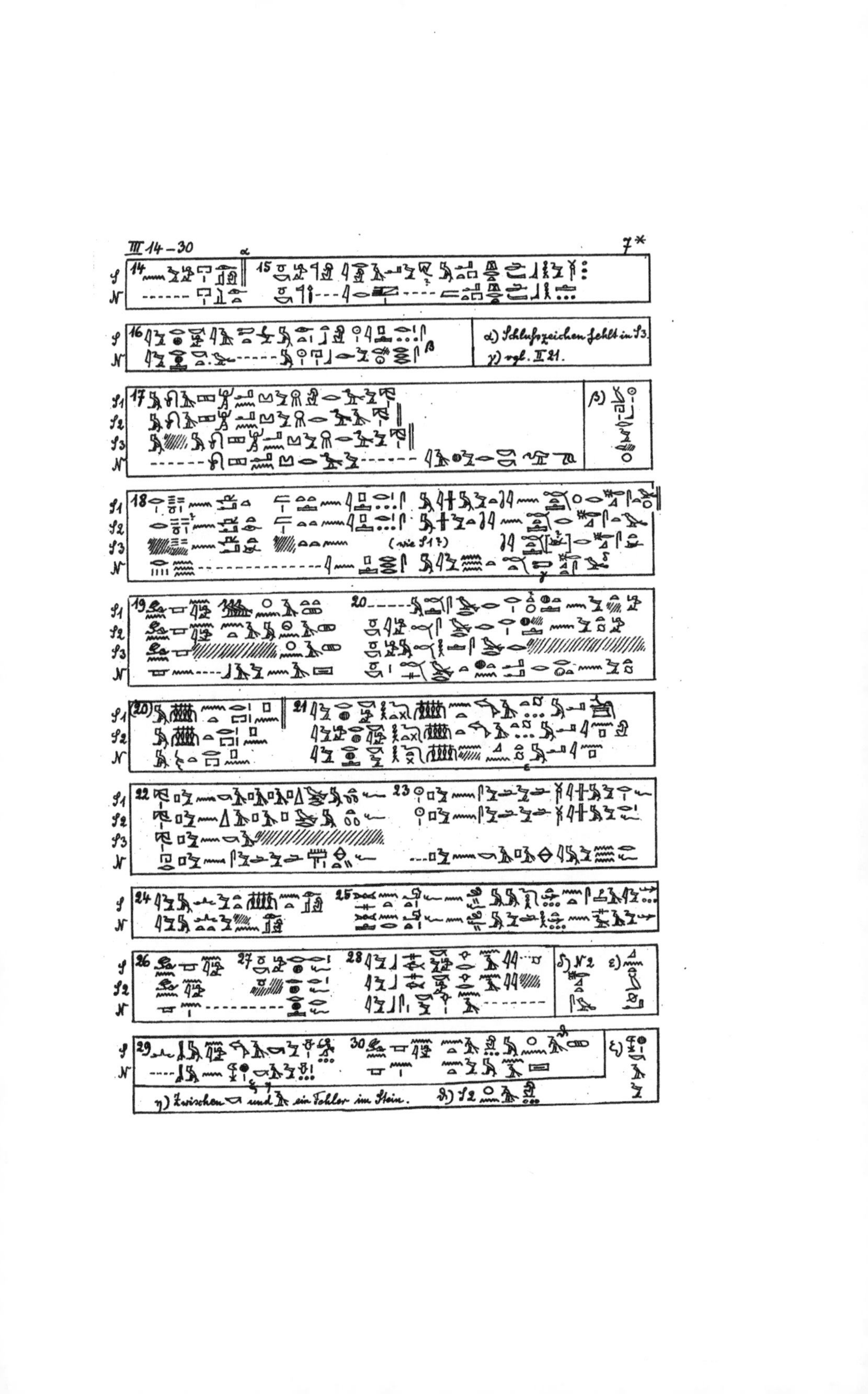

S 14 … 15 …
N …

S 16 …
N …

α) Schlußzeichen fehlt in S3.
γ) vgl. II 21.

S1 17 …
S2 …
S3 …
N …

β) …

S1 18 …
S2 …
S3 … (wie S1 7)
N …

S1 19 … 20 …
S2 …
S3 …
N …

S1 (20) … 21 …
S2 …
N …

S1 22 … 23 …
S2 …
S3 …
N …

S 24 … 25 …
N …

S 26 … 27 … 28 …
S2 …
N …

δ) N2 … ε) …

S 29 … 30 …
N …

ζ) …

η) Zwischen … und … ein Fehler im Stein. ϑ) S2 …

S1 31 [hieroglyphs]
S2 [hieroglyphs]
S3 [hieroglyphs]
N [hieroglyphs]

α) T1 ergänzt nach T2 (Lacau, Sarc. antér. I 177).

S 32 [hieroglyphs] 33 [hieroglyphs]
S2 [hieroglyphs]
T [hieroglyphs] α
N [hieroglyphs]

## IV.

S 1 [hieroglyphs] 2 [hieroglyphs]

S 3 [hieroglyphs] 4 [hieroglyphs] 5 [hieroglyphs]

S 6 [hieroglyphs]
Aa [hieroglyphs] N.N.
Hb [hieroglyphs] N.N.
Ae [hieroglyphs] N.N.
Ta [hieroglyphs]
Lg [hieroglyphs] N.N.
Lc [hieroglyphs] N.N.
Lpz [hieroglyphs] N.N.

S 7 [hieroglyphs] 8 [hieroglyphs] 9 [hieroglyphs]
S2 [hieroglyphs] S3 [hieroglyphs]
Aa [hieroglyphs]
Hb [hieroglyphs]
Ae [hieroglyphs]
Ta [hieroglyphs]
Lg [hieroglyphs]
Lc [hieroglyphs]
Lpz [hieroglyphs]
[hieroglyphs] Rougé [hieroglyphs] Rougé [hieroglyphs] Rougé
[hieroglyphs] Cadet [hieroglyphs] Cadet
[hieroglyphs]
Leid. T1

10–11: S, Aa, Hb, Ae, Ja, Lg, Ec, Spz — Rougé — Rougé

12–14: S, Aa, Hb, Ae, Ja, Pm, Lg, Ec, Spz — Cadet — Rougé — Cadet — Cadet Rougé

15–16: S, Aa, Hb, Ae, Ja, Pm, Lg, Ec, Spz — Cadet — Rougé — Rouge — a)

NB! Wo bei Pm weißer Raum, ist Übereinstimmung mit Aa anzunehmen.

17 — 18 — α) S1 — β) — Rougé.

S
Aa
Ib
Ae
Ja
Pm
Cg
Ec
Spz

19 — 20 — 21

S1
S2

22

S
Aa
Ib
Ae (hier bricht das Stück ab)
Ja
Pm
Cg
Ec
Spz
Rougé — Cadet

23 — 24 — γ) Cadet. — (sic) — Rougé.

S
Aa
Ib
Ja
Pm (keine Abweichung von Aa notiert bei Naville)
Cg — Homoioteleuton 24/28
Ec
Spz

25

S1
S2
S3
Aa
Ib
Ja
Pm

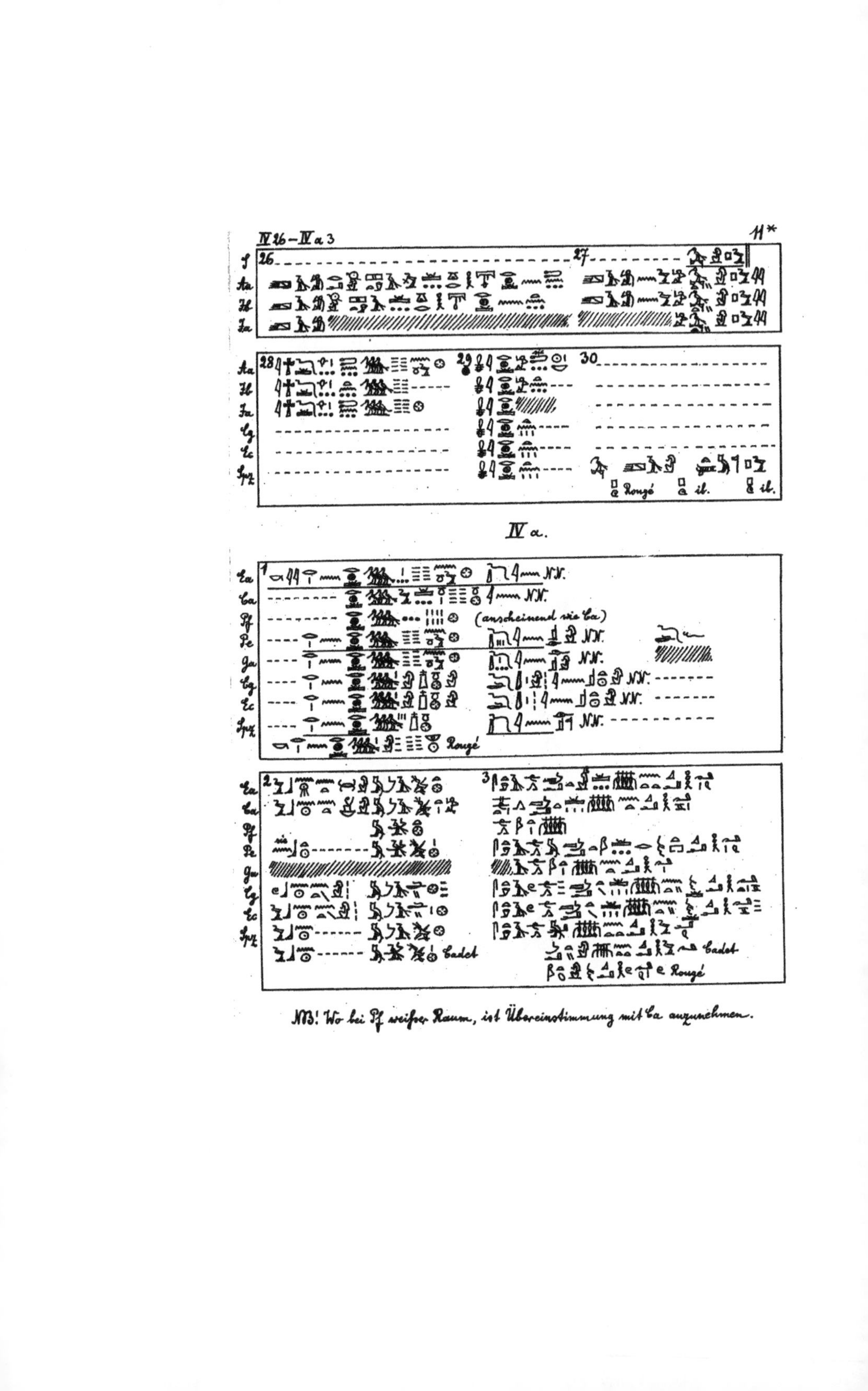

26 ... 27 ...

28 ... 29 ... 30 ...

Rougé ib. ib.

## IV a.

1 ... NN.

(anscheinend wie Ca)

... NN. ... NN. ... NN. ... NN. ... NN.

... Rougé

2 ... 3 ...

... Cadet ... Cadet

... Rougé

NB! Wo bei Pf weißer Raum, ist Übereinstimmung mit Ca anzunehmen.

La
Ca
Pf
Pe
Ga
Lg
Lc
Spz

4 … 5 … 6 …

Cadet

7 … 8 … 9 … 10 …

Rougé … Rougé … Cadet

α) so nach dem Raum.

11 … 12 …

Cadet

13 …

(Homoioteleuton 12/18)

Cadet wie Lc.

La, Ca, Pf, Pe, Ga

14

15

α) Raum reicht gerade für den Text von Ca.
β) ‡ nachträglich eingefügt.

La, Ca, Pf, Pe, Ga

16

In den jüngeren Hss von Dyn. 21 an fehlt 14–17 infolge des Homoioteleutons auf [hieroglyphs] in 13/17.

La, Ca, Pf, Pe, Ga, Lg, Ec, Spz

17

ladet wie Ec (s. ob. zu 13).

La, Ca, Pf, Pe, Ga, Lg, Ec, Spz

18

(keine Abweichung von Ca notiert bei Naville)

ladet wie Ec (s. ob. zu 13)

## Nachschrift hinter IV a (zu II–IV a 2).

La, Ca, Lg

19

20

# Umschrift des Papyrus Boulaq Nr. 18.

von Alexander Scharff.

Nach erfolgter Drucklegung meines Aufsatzes über den Papyrus Boulaq Nr. 18 (Seite 51 ff. dieses Bandes) bot sich mir durch das freundliche Entgegenkommen des Herausgebers und des Verlegers die Möglichkeit, den gesamten Text in Umschrift als Beilage zum 57. Bande der Zeitschrift zu veröffentlichen. Um eine möglichst endgültige Feststellung des Textes zu erreichen, durfte ich die vor dem Original angefertigte Abschrift Gardiners benutzen. Hieraus ergaben sich mancherlei Verbesserungen der Lesung, deren wesentlichere ich besonders durch G. gekennzeichnet habe. Ich danke auch hier nochmals Herrn Gardiner herzlichst für die liebenswürdige Bereitwilligkeit, mir seine Abschrift zur Benutzung zu überlassen. — Zum leichteren Citieren habe ich den Text (d. h. die allein wiedergegebene, grössere Handschrift) in 78 durchgezählte Abschnitte geteilt; leider war es nicht mehr möglich, im Aufsatz diese Abschnittziffern anzuwenden.

①

| | | | |
|---|---|---|---|
| ① Taf.[1] XIV, 1 | | 13 | 0 1 |
| 2 | 0 1 [2] | 14 | 0 1 |
| 3 | 0 1 | 15 | 0 1 |
| 4 | 0 1 | 16 | 0 1 |
| 5 | 0 1 | 17 | 0 1 |
| 6 | 0 1 | 18 | 0 1 |
| 7 | 0 1 | 19 | 0 1 |
| 8 | 0 1 | 20 | 0 1 |
| 9 [3] | 0 1 | 21 | 0 1 |
| 10 | 0 1 | 22 | 0 1 |
| 11 | 0 1 | 23 | 0 1 |
| 12 | 0 1 | 24 | |

[1] Mariette, Les Pap. de Boul. II. — [2] Die Zahlen sind rot durchstrichen. — [3] oder [hieroglyph] ?

XIV 2,1 – XV 2,21.

② XIV 2,1

| Line | | | | | |
|---|---|---|---|---|---|
| 2 | | | | | |
| 3 | 850 | 460 | [3]20 | (= 1630) |
| 4 | 70 | 36 | [2]4 | (= 130) |
| 5 | 1 | | | (= 1) |
| 6 | 52 | | | (= 52) |
| 7 | 2 | | | (= 2) |
| 8 | 100 | 50 | [50] | (= 200) |

③ XIV 2,9 … XV,8 … [1]

9 … [1]

10 …

11 …

12 …

auf XIV alles Weitere weggebrochen.

④ XV,1 … 2 … 3 [2] … 4 … 5 … 6 [3] … 7 …

⑤ XV 2,1 … 2 … 3 … 4 [3] … 5 … [4]

⑥ XV 2,6 … 7 … 8 … 9 … 10 … 11 … 12 … 13 …

⑦ XV 2,14 … 15 … 16 … 17 … 18 …

⑧ XV 2,19–21: eine fast völlig zerstörte Notiz, ähnlich der vorigen. (Reste von Zeilen wie XV 2,14,15,18.)

1) so G. — 2) G.: … — 3) G.: nachträglich eingesetzt. — 4) G.: ∩∩∩∩∩. —

(9) XV 3,1 … 2 … 3 … 4 … 5 …[1][2] … 6 …[3] 7 … 8 … 9 … (9)

(10) XV 4,1 … (10)

| Z. | | | | | | |
|---|---|---|---|---|---|---|
| 2 | | | | | | |
| 3 | ∘20 | ∘20 | ∘130 | 100 | (30) |
| 4 | ∘30 | ∘30 | ∘270 | 226 | (44) |
| 5 | ∘50 | | ∘500 | 310 | (190) |
| 6 | ∘20 | ∘10 | ∘100 | 80 | (20) |
| 7 | | | 1000 | 716 | (284) |
| 8 | ∘2 | | 100 | 95 | 5 |
| 9 | | | 10 | 10 | |
| 10 | | | 10 | 10 | |
| 11 | | | 10 | 10 | |
| 12 | | | 30 | | |
| 13 | | | ∘ 10 | 10 | |
| 14 | 1 | | 10 | 10 | |
| 15 [2] | 1 | | 10 | 10 | |
| 16 | sic | | 10 | 10 | |
| 17 | ∘1 | | 10 | 10 | |
| 18 | ∘20 | | 20 | 20 | |
| 19 | ∘20 | | ∘ 20 | 20 | |
| 20 | | | 10 | 10 | |
| 21 | | | 20 | 20 | |
| 22 | | | 5 | 5 | |

(11) XVI, 1 … 2 … (11)

Überschriften der Zahlenreihen von XVI,1–24: I …, II …, III …,

1) G.: △. — 2) so G. — 3) so G.; auf der Phot. nichts zu erkennen. —

XVI,3 – XVII,29.

(11)

Forts. d. Überschriften: IV [hieroglyphs], V [hieroglyphs], VI [hieroglyphs]

| | Text | I | II | III | IV | V | VI |
|---|---|---|---|---|---|---|---|
| 3 | [hieroglyphs] | | | | | | |
| 4 | [hieroglyphs] | | | | | | |
| 5 | [hieroglyphs] | | | | | | |
| 6 | [hieroglyphs] | | | | | | |
| 7 | [hieroglyphs] | | | | | | |
| 8 | [hieroglyphs] | | | | | | |
| 9 | [hieroglyphs] | | | | | | |
| 10 | [hieroglyphs] | | | | | | |
| 11 | [hieroglyphs] | | | | | | |
| 12 | [hieroglyphs] | | | | | | |
| 13 | [hieroglyphs] | | | | | | |
| 14 | [hieroglyphs] | | | | | | |
| 15 | [hieroglyphs] | | | | | | |
| 16 | [hieroglyphs] | | | | | | |
| 17 | [hieroglyphs] | | | | | | |
| 18 | [hieroglyphs] | | | | | | |
| 19 | [hieroglyphs] | | | | | | |
| 20 | [hieroglyphs] | | | | | | |
| 21 | [hieroglyphs] | | | | | | |
| 22 | [hieroglyphs] | | | | | | |
| 23 | [hieroglyphs] | | | | | | |
| 24 | [hieroglyphs] | | | | | | |

XVII,1–2 Überschriften: I [hieroglyphs], II [hieroglyphs], III [hieroglyphs], IV [hieroglyphs], V [hieroglyphs].

| | Text | I | II | III | IV | V |
|---|---|---|---|---|---|---|
| 3 | [hieroglyphs] | | | | | |
| 4 | [hieroglyphs] [1] | | | | | |
| 5 | [hieroglyphs] | | | | | |
| 6 | [hieroglyphs] | | | | | |
| 7 | [hieroglyphs] | | | | | |
| 8 | [hieroglyphs] | | | | | |
| 9 | [hieroglyphs] | | | | | |
| 10 | [hieroglyphs] | | | | | |
| 11 | [hieroglyphs] | | | | | |
| 12 | [hieroglyphs] | | | | | |
| 13 | [hieroglyphs] | | | | | |
| 14 | [hieroglyphs] | | | | | |
| 15 | [hieroglyphs] | | | | | |
| 16 | [hieroglyphs] | | | | | |
| 17 | [hieroglyphs] | | | | | |
| 18 | [hieroglyphs] | | | | | |
| 19 | [hieroglyphs] | | | | | |
| 20 | [hieroglyphs] | | | | | |
| 21 | [hieroglyphs] | | | | | |
| 22 | [hieroglyphs] | | | | | |
| 23 | [hieroglyphs] | | | | | |
| 24 | [hieroglyphs] | | | | | |
| 25 | [hieroglyphs] | | | | | |
| 26 | [hieroglyphs] | | | | | |
| 27 | [hieroglyphs] | | | | | |
| 28 | [hieroglyphs] | | | | | |
| 29 | [hieroglyphs] | | | | | |

[1] vgl. in m. Aufsatz Seite 64 Anm. 11.

(11)

XVII 2 Fortsetzung der Liste (11); 1–2 Überschriften wie vorher, III fällt fort, die Zahlen von V sind durchweg zerstört.

(12)

(12) Vgl. diese in manchem fehlerhafte (Z. 8 u. 9; die beiden letzten Kolumnen) Schlussabrechnung mit (41) und (45).

| Zeile | | | | | | | | |
|---|---|---|---|---|---|---|---|---|
| XVIII,1 | | | | | | | | |
| 2 | 1630 | | 130 | 1 | 52 | 200 | | |
| 3 | 210 | 487 | 12 | | | | | |
| 4 | | 716 | 125 | | 30 | | 20 | 10 |
| 5 | 100 | | | | | | | |
| 6 | 1940 | 1203 | 267 | 1 | 82 | 200 | 20? | |
| 7 | 575 | 150 | 52 | 1 | 52 | 100 | | |
| 8 | 600 | | 56? | | | 50 | | |
| 9 | 525 | | 38 | | | 50 | | |
| 10 | | 820 | 102 | | 30 | | 2[1] | 4 |
| 11 | | 30 | 3 | | | | | |
| 12 | 1700 | 1000 | 251 | 1 | 82 | 200 | 2[1] | 4 |
| 13 | 240 | 203 | 16 | | | | | |

[1] wohl zur Rubrik gehörig, die sonst (z. B. (25)) immer die Zahl 2 enthält.



Beilage zu Scharff, Rechnungsbuch. AeZ. Bd 57.

XVIII, 14 – XIX 2, 25.

(13) XVIII, 14 [Hieroglyphen][1] [Hieroglyphen] (13)

(14) XVIII, 15–23. Ein stark zerstörter Eintrag (von Rnf-m-ib angeordnete fk3?), ähnlich (6). – (14)

(15) XVIII 2, 19–21. Ein ebenfalls fast völlig zerstörter Eintrag: [Hieroglyphen] usw., vgl. (7). – (15)

(16) XVIII 3, 15 [Hieroglyphen] [zerstört] [Hieroglyphen] (16)

16 [Hieroglyphen] [zerstört]

17 [Hieroglyphen] [zerstört]

18 [Hieroglyphen]

19 [Hieroglyphen] [zerstört]

20 [Hieroglyphen][2] [zerstört] [Hieroglyphen] [zerstört]

21 [Hieroglyphen] [zerstört]

22 [Hieroglyphen] [zerstört]

23 [Hieroglyphen] [zerstört]

(17) XIX, 1 [zerstört] 2 [Hieroglyphen] (17)

[Hieroglyphen] 3 [Hieroglyphen] 4 [Hieroglyphen]

5 [zerstört] [Hieroglyphen] vgl. hierzu XIX 3, 12 in (18).

(18) XIX 2, 1 [zerstört] [Hieroglyphen] (18)

2 [Hieroglyphen] [zerstört] 3 [Hieroglyphen][3]

[Hieroglyphen] 4 [Hieroglyphen] [zerstört] 5 [Hieroglyphen]

Überschriften der Zahlenreihen von XIX 2, 6–25: I [Hieroglyphen], II [Hieroglyphen], III [Hieroglyphen]

| Zeile | Text | I | II | III |
|---|---|---|---|---|
| 6 | [Hieroglyphen][2] | [Hier.] ∘ 10 | 1 | 5 |
| 7 | [Hieroglyphen] | [Hier.] ∘ 10 | 1 | 5 |
| 8 | [Hieroglyphen] | [Hier.][3,4] ∘ 10 | 1 | 5 |
| 9 | [Hieroglyphen] | [Hier.] ∘ 10 | 1 | 5 |
| 10 | [Hieroglyphen] | [Hier.] ∘ 10 | 1 | 5 |
| 11 | [Hieroglyphen] | [Hier.] ∘ 10 | 1 | 5 |
| 12 | [Hieroglyphen] | [Hier.] ∘ 10 | 1 | 5 |
| 13 | [Hieroglyphen] | [Hier.] ∘ 10 | 1 | 5 |
| 14 | [Hieroglyphen] | [zerstört] ∘ 10 | 1 | [zerstört] |
| 15 | [Hieroglyphen] | [Hier.] ∘ 10 | 1 | [zerstört] |
| 16 | [Hieroglyphen][2] [zerstört] | [Hier.] ∘ 10 | 1 | [zerstört] |
| 17 | [Hieroglyphen] | [Hier.] ∘ 10 | 1 | [zerstört] |
| 18 | [Hieroglyphen] | [Hier.][3] ∘ 10 | 1 | [zerstört] |
| 19 | [Hieroglyphen] | [Hier.] [zerstört] | | 5 |
| 20 | [Hieroglyphen][3] | [Hier.] [zerstört] | | 5 |
| 21 | [Hieroglyphen][3] | [Hier.] [zerstört] | | 5 |
| 22 | [zerstört] | [zerstört] | | 5 |
| 23 | [zerstört][2] | [zerstört] | | 5 |
| 24 | [zerstört] | [zerstört] | | 5 |
| 25 | [zerstört] | [zerstört] | | |

1) so G.; ich hatte [Hieroglyphen] gelesen. – 2) so G. – 3) G.: [Hieroglyphen]. – 4) G.: [Hieroglyphen]. –

XIX 3, 1 – XX 2, 16.

(18)

XIX 3 Fortsetzung von Liste (18); 1-2 Überschriften: I, II, III, IV, V

| | I | II | | | I | II | III | IV | V |
|---|---|---|---|---|---|---|---|---|---|
| 3 | 10 | 1 | | 9 | 10 | 1 | | | |
| 4 | 10 | 1 | | 10 | | 1 | 1 | | |
| 5 | 10 | 1 | | 11 | | 10 | 2 | | |
| 6 | 10 | 1 | | 12 | 20 | 1 | 1 | | |
| 7 | 10 | 1 | | 13 | 90 | 9 | 2 | 10 | 2 |
| 8 nicht ausgefüllt | 10 | 1 | | 14 | 280 | | 2 | 105 | 2 |

zwischen den Zahlen von 12 steht noch:

(19) XIX 3, 15 … 16 …

17 … 18 …

19 … Alles Folgende bis 23 ist hoffnungslos zerstört; man erkennt nur noch 21 …

(20) XIX 4, 15 … 16 …

17 … 18 …

(21) XX, 1-12: Schlussabrechnung des 27. Tages; Zeile 1-8 und 11-12 regelmässig, vgl. (25)

9 … hierzu die Zahlen nach (18)

10 … " " " " (14), dort zerstört.

(22)[4] XX, 13 … 14 …

15 …

16 …

17 … [5] 18 …

19 …

20-22 enthalten nochmals die Namen der Belieferten und die Speisenzuteilung; fast völlig zerstört.

(23)[4] XX 2, 13 … 14 …

15 … [2]

1) G.: — 2) so G. — 3) G.: — 4) vgl. (66). — 5) wohl m ḥnw ḥnt, vgl. (29), 15. —

XX2,17 – XXII,20.

Fortsetzung von (23). XX2,17 [hieroglyphs] 18 [hieroglyphs] (23)

19 [hieroglyphs] 21 [hieroglyphs]

20 [hieroglyphs] 22 [hieroglyphs]

(24) XXI,1-6; vgl. (65), das genau denselben Text in besserer Erhaltung bietet. (24)

(25) XXI 2 und XXII obere Hälfte. (vgl. (12) u. (41)) – [hieroglyphs] (25)

| | | | | | | | |
|---|---|---|---|---|---|---|---|
| 1 [hieroglyphs] | | [hieroglyphs] | [hieroglyphs] | [hieroglyphs] | [hieroglyphs] | [hieroglyphs] | [hieroglyphs] |
| 2 [hieroglyphs] | o | 1680 | 135 | 2 | 1 | 52 | 200 |
| 3 [hieroglyphs] | o | 200 | | | | | |
| 4 [hieroglyphs] | o | 100 | 10 | | | | |
| 5 [hieroglyphs] | [hieroglyphs] | 1980 | 145 | 2 | 1 | 52 | 200 |
| 6 [hieroglyphs] | o | 625 | 45 | 2 | 1 | 52 | 100 |
| 7 [hieroglyphs] | o | 600 | 61 | | | | 50 |
| 8 [hieroglyphs] | o | 515 | 33 | | | | 50 |
| 9 [hieroglyphs] | o | 10 | 1 | | | | |
| 10 [hieroglyphs] | o | 30 | 6 | | | | |
| 11 [hieroglyphs] | [hieroglyphs] | 1780 | 145 | 2 | 1 | 52 | 200 |
| 12 [hieroglyphs] | o | 200 | [hieroglyphs] | [hieroglyphs] | [hieroglyphs] | [hieroglyphs] | [hieroglyphs] |

(26) XXI 2,13 [hieroglyphs] 14 [hieroglyphs] (26)

15 [hieroglyphs] 16 [hieroglyphs]

[hieroglyphs] 17 [hieroglyphs]

18 [hieroglyphs][1]

19 [hieroglyphs] 20 [hieroglyphs] 21 [hieroglyphs] 22 [hieroglyphs]

(27) XXII,13 [hieroglyphs] 14 [hieroglyphs] (27)

15 [hieroglyphs] 16 [hieroglyphs]

[hieroglyphs] 17 [hieroglyphs]

[hieroglyphs] 18 [hieroglyphs]

19 [hieroglyphs]

20 [hieroglyphs] sic [hieroglyphs]

1) so G. –

(28) XXIII, 1–10: Schlussabrechnung des 29. Tages; völlig regelmässig, aber ohne Berücksichtigung der Einträge (26) und (27); vgl. (25). (28)

(29) XXIII, 11 … 12 … (29)

13 … 14 …

15 … 16 …

17 … 18 … 19 …

20 … 21 …

senkrecht neben den Zahlen: …

(30) XXIII 2, 11 … 12 … (30)

13 … 14 …

15 …

16 …

17 …

18 …

(31) XXIV, 1–10 und XXV, rechte Hälfte: Schlussabrechnung des 30. Tages ohne Berücksichtigung der Einträge (29) und (30), vgl. (25). (31)

(32) XXIV, 11 … 12 … 13 … (32)

14 …

15 …

16 …

17 …

(33) XXIV, 18 … 19 … (33)

20 … 21 … 22 … 23 …

24 …   seitlich von 20–22 rote Zeichenspuren

(34) XXV 2, 1 … (34)

2 …

1) 10 G. — 2) ob … ?? — 3) G. nachträglich eingesetzt. — 4) rote Zeichenspuren. — 5) das Zeichen sieht wie … aus. — 6) Backverhältnis (*psw*); die Anzahlziffern zerstört. —

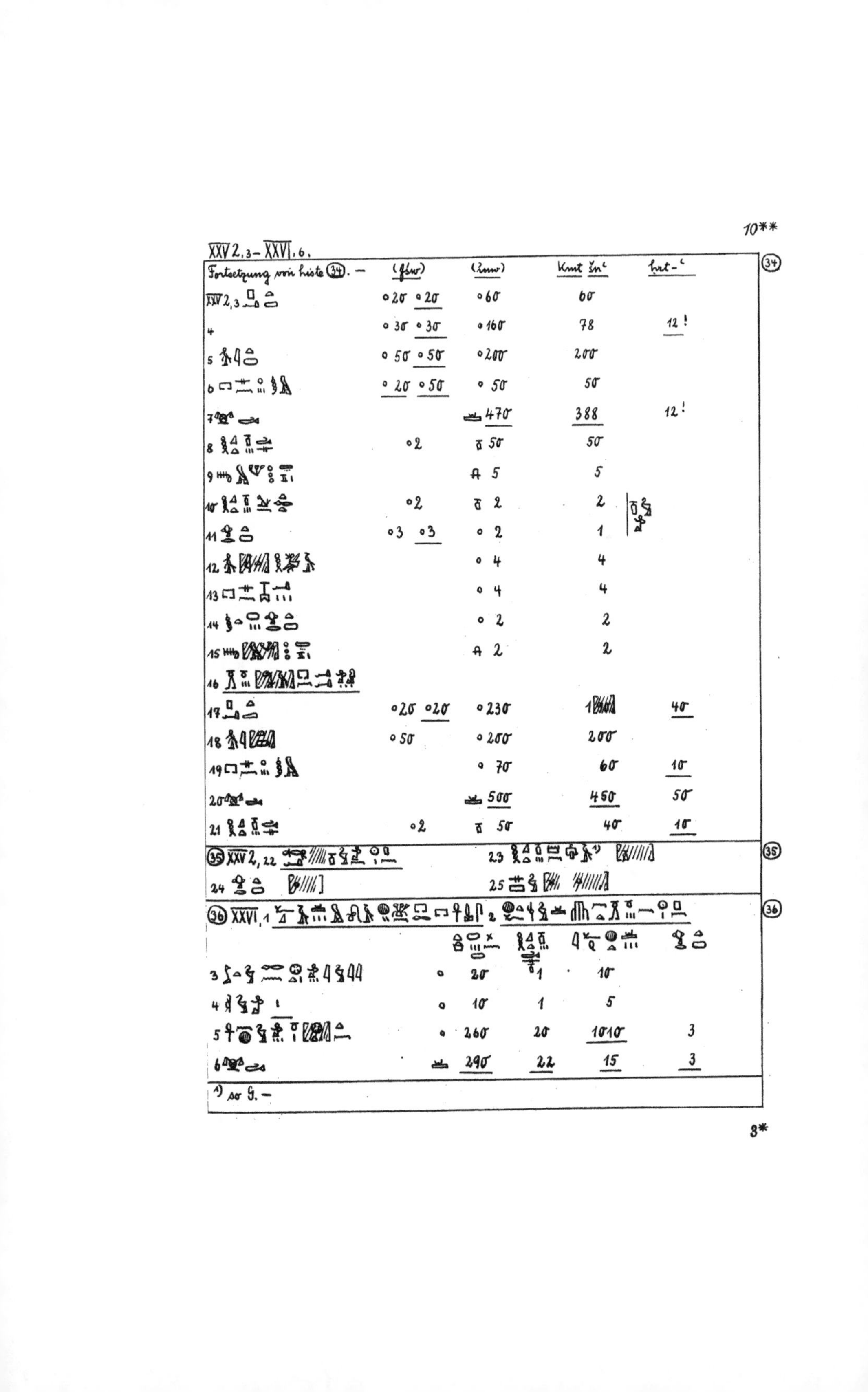

XXV 2,3 – XXVI,6.

(34)

| Fortsetzung von Liste (34). – | (ḫ3w) | | (ḥnw) | Kmt šnʿ | ḫrt-ʿ |
|---|---|---|---|---|---|
| XXV 2,3 | ∘ 20 | ∘ 20 | ∘ 60 | 60 | |
| 4 | ∘ 30 | ∘ 30 | ∘ 160 | 78 | 12 ! |
| 5 | ∘ 50 | ∘ 50 | ∘ 200 | 200 | |
| 6 | ∘ 20 | ∘ 50 | ∘ 50 | 50 | |
| 7 | | | 470 | 388 | 12 ! |
| 8 | ∘ 2 | | 50 | 50 | |
| 9 | | | 5 | 5 | |
| 10 | ∘ 2 | | 2 | 2 | |
| 11 | ∘ 3 | ∘ 3 | ∘ 2 | 1 | |
| 12 | | | ∘ 4 | 4 | |
| 13 | | | ∘ 4 | 4 | |
| 14 | | | ∘ 2 | 2 | |
| 15 | | | 2 | 2 | |
| 16 | | | | | |
| 17 | ∘ 20 | ∘ 20 | ∘ 230 | 1[illegible] | 40 |
| 18 | ∘ 50 | | ∘ 200 | 200 | |
| 19 | | | ∘ 70 | 60 | 10 |
| 20 | | | 500 | 450 | 50 |
| 21 | ∘ 2 | | 50 | 40 | 10 |

(35) XXV 2,22 … 23 …[1] … 24 … 25 …

(36)

XXVI,1 … 2 …

| | | | | |
|---|---|---|---|---|
| 3 | ∘ 20 | 1 | 10 | |
| 4 | ∘ 10 | 1 | 5 | |
| 5 | ∘ 260 | 20 | 1010 | 3 |
| 6 | 290 | 22 | 15 | 3 |

[1] so G. –

(37) XXVI, 7 [hieroglyphs]

8 [hieroglyphs] 9 [hieroglyphs]

[hieroglyphs] 10 [hieroglyphs]

(38) XXVI, 10 [hieroglyphs] 11 Überschriften der Zahlenreihen von XXVI, 12–22: I [hieroglyphs], II [hieroglyphs], III [hieroglyphs], IV [hieroglyphs], V [hieroglyphs]

| | I | II | III | IV | V |
|---|---|---|---|---|---|
| 12 [hieroglyphs] | 30 | 5 | 1 | [illegible] | 1 |
| 13 [hieroglyphs][1] | 10 | | | [illegible] | |
| 14 [hieroglyphs] | 30 | | | [illegible] | |
| 15 [hieroglyphs] | 10 | 1 | | 1 | |
| 16 [hieroglyphs] | 10 | 1 | | 1 | |
| 17 [hieroglyphs] | 10 | 1 | | [illegible] | |

| | | I | II | IV |
|---|---|---|---|---|
| 18 [hieroglyphs] | [illegible] | [illegible] | 1 | 1 |
| 19 [hieroglyphs] | [illegible] | [illegible] | [illegible] | 1 |
| 20 [hieroglyphs] | [illegible] | [illegible] | [illegible] | [illegible] |
| 21 [2] [illegible] | [illegible] | [illegible] | [illegible] | [illegible] |
| 22 [illegible] | [illegible] | [illegible] | [illegible] | [illegible] |

Fortsetzung der Liste: XXVII, 1 Überschriften I und II wie vorher, III [hieroglyphs]

| | I | II | III |
|---|---|---|---|
| 2 [hieroglyphs] | 10 | 2 | 1 |
| 3 [hieroglyphs] | 10 | 2 | 1 |
| 4 [hieroglyphs] | 20 | 1 | 1 |
| 5 [hieroglyphs] | 10 | 2 | 1 |
| 6 [hieroglyphs] | 10 | 1 | 1 |
| 7 [hieroglyphs] | 10 | 1 | 1 |
| 8 [hieroglyphs] | 10 | 1 | 1 |
| 9 [hieroglyphs] | 10 | 1 | 1 |

| | I | II | III |
|---|---|---|---|
| 10 [hieroglyphs] | 10 | 2 | 1 |
| 11 [hieroglyphs] | 10 | 2 | 1 |
| 12 [hieroglyphs] | 10 | 2 | 1 |
| 13 [hieroglyphs] | 10 | 2 | 1 |
| 14 [hieroglyphs] | 10 | 1 | 1 |
| 15 [hieroglyphs] | 10 | 1 | 1 |
| 16 [hieroglyphs] | 10 | 1 | 1 |
| 17 [hieroglyphs] | 310 | 35 | 5! |

(39) [3] XXVII, 18 [hieroglyphs]

| | | | | |
|---|---|---|---|---|
| 19 [hieroglyphs] | [hieroglyphs] | [hieroglyphs] | [hieroglyphs] | [hieroglyphs] |
| 20 [hieroglyphs] | 488 | 450 | | 938 |
| 21 [hieroglyphs] | 50 | 40 | | 90 |
| 22 [hieroglyphs] | | | 7 | 7 |

[1] vgl. in m. Aufsatz Seite 64 Anm. 11; S.: [hieroglyphs] ? — [2] Die Summierung erfordert hier noch zwei Zeilen; mögliche Namen in (11) XVII, 12 ff. — [3] Zusammenfassung von (34) und (35).

XXVII, 23 – XXVIII, 25.

(39) Fortsetzung von (39). Überschriften s. vorige Seite. I II III IV (39)

| | | I | | II | III | IV |
|---|---|---|---|---|---|---|
| XXVII, 23 | [hieroglyphs] | [hieroglyphs] | | | 6 | 6 |
| 24 | [hieroglyphs] | [hieroglyphs] | 7 | | | 7 |
| 25 | [illegible] | | | | | 8 ? |

(40) XXVII 2, 1 [hieroglyphs] 2 [hieroglyphs] 48 (40)

(41) [1] XXVII 2 und XXVIII obere Hälfte. (vgl. (12) u. (25)). – [hieroglyphs] (41)

| Z. | | | | | | | | | | |
|---|---|---|---|---|---|---|---|---|---|---|
| 3 | [hieroglyphs] | | | | | | | | | |
| 4 | [hieroglyphs] | 1680 | | 135 | 2 | 1 | 52 | | 200 |
| 5 | [hieroglyphs] | 200 | | 2 | | | | | |
| 6 | [hieroglyphs] (sic) | 100 | | 10 | | | | | |
| 7 | [hieroglyphs] 2) | | 938 | 90 | 7 | | | 7 | |
| 8 | [hieroglyphs] | 1980 | 938 | 237 | 9 | 1 | 52 | 7 | 200 |
| 9 | [hieroglyphs] | 625 | | 45+15 | 2 | 1 | 52 | | 100 |
| 10 | [hieroglyphs] | 630 | | 61 | | | | | 50 |
| 11 | [hieroglyphs] | 525 | | 38 | | | | | 50 |
| 12 [3] | [hieroglyphs] [4] | | 290 | 22 | | | | | |
| 13 | [hieroglyphs] (sic) | | 310 | 35 | 5 | | | 7 | |
| 14 | [hieroglyphs] | 1780 | 600 | 216 | 7 | 1 | 52 | 7 | 200 |
| 15 | [hieroglyphs] | 200 | 338 | 21 | 2 | [hieroglyph] | [hieroglyph] | [hieroglyph] | [hieroglyph] |

16 [hieroglyphs] 90 [hieroglyphs] 190 [hieroglyphs] 20 [hieroglyphs] 320 18

(42) XXVII 2, 17 [hieroglyphs] = 18 [hieroglyphs] 19 [hieroglyphs] 20 [hieroglyphs] (42)

21 [hieroglyphs] 100 22 [hieroglyphs] 2 23 [hieroglyphs] 1

(43) XXVIII, 16–25: Schlussabrechnung des 2. Tages; regelmässig, aber ohne Berücksichtigung von (42); vgl. (41). (43)

[1] Diese Schlussabrechnung (Z. 3–15) ist in m. Aufsatz auf Seite 58/59 abgedruckt. –

[2] hier steht noch: [hieroglyphs] – [3] Z. 12 u. 13 sind versehentlich hier vertauscht. –

[4] so G.; vgl. den andern Titel desselben Mannes in (36), worauf sich diese Zeile bezieht. –

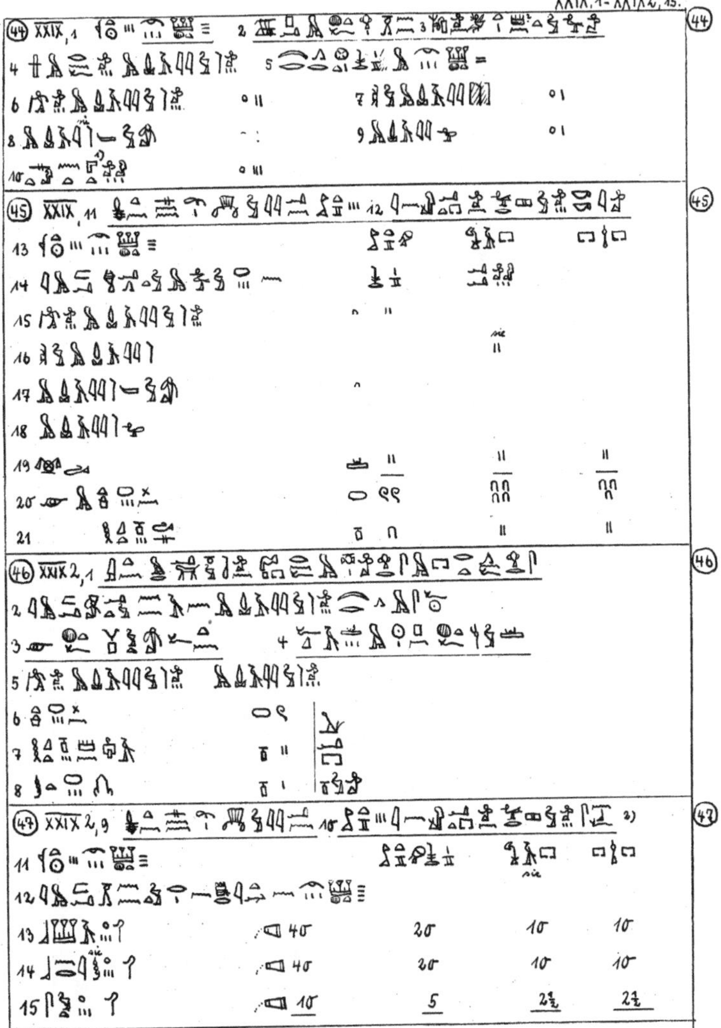

(44) XXIX,1

(45) XXIX,11

(46) XXIX 2,1

(47) XXIX 2,9

| | | | | |
|---|---|---|---|---|
| 13 | 40 | 20 | 10 | 10 |
| 14 | 40 | 20 | 10 | 10 |
| 15 | 10 | 5 | 2½ | 2½ |

1) so G. — 2) unter dem Namen noch rote Zeichenspuren. —

XXIX 2,16 – XXX 2,12.

**(47)**

Fortsetzung von (47), Überschriften:

| | | | | |
|---|---|---|---|---|
| XXIX 2,16 | 10 | 5 | 2½ | 2½ |
| 17 | 100 | | | |
| 18 | 5 | 2 | 2 | 1 |
| 19 | 1500 | 700 | 500 | 300 |

**(48)** XXX,1

| | | |
|---|---|---|
| 2 | 5 | 25 |
| 3 | 10 | 40 |
| 4 | 20 | 305 |
| 5 | 30 | 50 |
| 6 | 1 | 5 |
| 7 | 10 | 10 |
| 8 | 20 | 65 |
| 9 | | 500 |
| 10 | | 4 |
| 11 | | 4 |
| 12 | 2 2 | 2 |
| 13 | 2 2 | 2 |
| 14 | 10 | 8 |

1)

| | | |
|---|---|---|
| 15 | 10 | 4 |
| 16 | 10 | 4 |
| 17 | | 4 |
| 18 | | 4 |
| 19 | | 2 |
| 20 | | 2 |
| 21 | | 2 |
| 22 | | 2 |
| 23 [2)] | | 10 |
| 24 | | 6 |
| 25 | | 10 |

**(49)** XXX 2,1 ........ 3)

2 ........

3 ........

4 ........

5 ........

6 ........

7 ........

8 ........

9 ........ 3)

10 ........

11 ........

12 ........

1) Die Reihe, in jeder Zeile durch ∘ bezeichnet, ist nicht mit Zahlen ausgefüllt. –

2) so S. – 3) Hier bricht die Vorderseite des Papyrus ab; zur Ergänzung vgl. (41). –

(50) XXX2,13 ............ 1)

14 ............

15 ............

16 ............

17 ............

18 ............

19 ............

20 ............

(51) XXXI,1 ....2) ..........

2 ..........

| | | | | | | | |
|---|---|---|---|---|---|---|---|
| 3 | .....◦ 2000 | 200 | 50 | 50 | 80 | 20 | 60 |
| 4 | .....◦ 1000 | 100 | | | | | |
| 5 | ..... 3000 | 300 | 50 | 50 | 80 | 20 | 60 |

im Folgenden stehen Zahlen nur noch in Spalte I und II: 6 ◦ 710, 29, 22 (in Sp. III),

7 ◦ 150, 3 – 8 ◦ 740 – 9 ◦ 290 – 10 ◦ 90 – 11 ◦ 30 – 12 ◦ 200 – 13 ◦ 30 –

14 ◦ 100, 8 – 15 ◦ 50, 6 – 16 ........ ◦ 5 (in Sp. II) –

17 ◦ 30, 2 – 18 ◦ 120 (in Sp. II) – 19 2410!4), 173 – 20

(52)-(54) Drei völlig unlesbare Einträge in roter Schrift auf XXXI und XXXII; in der zweiten Zeile der Königsname: (...3)...?...)

(55) XXXII,1

| | | | | | | |
|---|---|---|---|---|---|---|
| 2 | ◦ | | | | | 1 |
| 3 | ◦ 1 | 6 | 4 | | | |
| 4 | ◦ | | | | | 1 |
| 5 | ◦ | 2 | | | | |
| 6 | | | | | | 1 |
| 7 | ◦ | | 3 | 2 | | |

1) Hier bricht die Vorderseite des Papyrus ab. Vgl. denselben Eintrag in m. Aufsatz Seite 62. –

2) Beginn der Rückseite nach grosser Lücke. – 3) so G. – 4) Die Addition ergibt 2420. –

XXXII, 8 – XXXIII, 19.

Fortsetzung von (55). Überschriften: [hieroglyphs] (55)

| Zeile | Text | | | | | | |
|---|---|---|---|---|---|---|---|
| XXXII, 8 | [hieroglyphs] | o | | | 5 | | |
| 9 | [hieroglyphs] | o | | 3 | | | |
| 10 | [hieroglyphs] | o | | | | | 1 |
| 11 | [hieroglyphs] | o | | | 5 | | |
| 12 | [hieroglyphs] | o | | | | | 1 |
| 13 | [hieroglyphs] | o | | | | | 1 |
| 14 | [hieroglyphs] | o | | | | | 1 |
| 15 | [hieroglyphs] | o | | | | | 1 |
| 16 | [hieroglyphs] | o | | | | | 1 [hieroglyphs] 1 |
| 17 | [hieroglyphs] | o | 2 | | | | [hieroglyphs] 1) |
| 18 | [hieroglyphs] | [hieroglyph] 1 | 10 | 10 | 12 | | 9 [hieroglyphs] 1) |

(56) XXXIII, 1 [hieroglyphs] 2 [hieroglyphs] 3 [hieroglyphs] (56)

4 [hieroglyphs] 2) → 1
5 [hieroglyphs] 1
6 [hieroglyphs] 1
7 [hieroglyphs] IIII
8 [hieroglyphs] III

9 [hieroglyphs] 1
10 [hieroglyphs] 1
11 [hieroglyphs] III
12 [hieroglyphs] 5) 1

(57) XXXIII, 13 [hieroglyphs] (57)

14 [hieroglyphs] 3) [hieroglyphs]
15 [hieroglyphs] o 1 1 1
16 6) [hieroglyphs] 7) o II
17 [hieroglyphs] o 1
18 [hieroglyphs] 8) o 1
19 [hieroglyphs] [hieroglyph] nicht ausgefüllt

1) S.: nachträglich eingesetzt. – 2) S.: [hieroglyph], vgl. (4). – 3) so S. – 4) S.: [hieroglyph], vgl. (9). –
5) sicher nicht [hieroglyph]. – 6) links ausserhalb der Zeile ein nachträglich eingesetztes [hieroglyph]. –
7) S.: [hieroglyph] – 8) nicht rmṯ pr-mnʿ.t. –

XXXIV, 1 – XXXVI, 9.

(58) XXXIV, 1

2 ∘
3 ∘
4 ∘
5 ∘
6 ∘
7 ∘
8 ∘
9 leer
10
11 ∘ [1)]

(58)

(59) XXXV, 1 … 2 …

(59)

| | | |
|---|---|---|
| 3 | ∘ 10 | ∘ 15 |
| 4 | ∘ 10 | ∘ 5 |
| 5 | ∘ 20 | ∘ 120 |
| 6 | ∘ 20 | ∘ 15 |
| 7 | ∘ 30 | ∘ 120 |
| 8 | ∘ 30 | ∘ 25 |
| 9 | ∘ 50 | ∘ 100 |
| 10 | ∘ 10 | ∘ 15 |
| 11 | ∘ 20 | ∘ 20 |
| 12 | ∘ 30 | ∘ 70 |
| 13 | | 500 |
| 14 | 3 ½ | 25 |
| 15 | 2 ½ | 25 |
| 16 | ½ | 10 |
| 17 | ∘ 1½ | 20 |
| 18 | ∘ 1½ | 20 |

| | | | |
|---|---|---|---|
| 19 | | 100 | |
| 20 | | | |
| 21 | | | |
| XXXVI, 1 | | | ∘ 10 |
| 2 | 2 | ∘ 2 | 10 |
| 3 | 1½ | ∘ 2 | 10 |
| 4 | | ∘ 2 | 10 |
| 5 | | 3 3 | ∘ 10 |
| 6 | | ∘ 20 | ∘ 20 |
| 7 | | ∘ 20 | ∘ 20 |
| 8 | | | 10 |
| 9 | | | 10 |

[1)] Die Zahlen sind nicht ausgefüllt. – [2)] so 9. – [3)] nicht šntr. –

(60) XXXVII, 1 [illegible] 2 [illegible]

Überschriften der Zahlenreihen: I [illegible], II [illegible], III [illegible] (60)

| | | I | II | III | | | I | II | III |
|---|---|---|---|---|---|---|---|---|---|
| 3 | [illegible] | ∘ 10 | 1 | 1 | 13 | [illegible] | ∘ 10 | 1 | |
| 4 | [illegible] | ∘ 10 10 | 1 | 1 | 14 | [illegible] | ∘ 10 | 1 | |
| 5 | [illegible] | ∘ 10 | 1 | | 15 | [illegible] | ∘ 10 | 1 | |
| 6 | [illegible] | ∘ 10 | 1 | | 16 | [illegible] | ∘ 10 | 1 | |
| 7 | [illegible] | ∘ 10 | 1 | | 17 | [illegible] | ∘ 5 | 1 | |
| 8 | [illegible] | ∘ 10 | 1 | | 18 | [illegible] | ∘ 10 | 1 | |
| 9 | [illegible] | ∘ 10 | 1 | | 19 | [illegible] | ∘ 10 | 1 | |
| 10 | [illegible] | ∘ 10 | 1 | | 20 | [illegible] | ∘ 10 | 1 | |
| 11 | [illegible] | ∘ 10 | 1 | | 21 | [illegible] | ∘ 10 | [illegible] | |
| 12 | [illegible] | ∘ 10 | 1 | | 22 | [illegible] | ∘ 5 | [illegible] | |

XXXVIII Überschriften: I [illegible], II [illegible]

| | | I | II | | | I | II |
|---|---|---|---|---|---|---|---|
| 1 | [illegible] | ∘ 5 | 1 | 12 | [illegible] | ∘ 5 | 1 |
| 2 | [illegible] | ∘ 10 | 1 | 13 | [illegible] | ∘ 5 | 1 |
| 3 | [illegible] | ∘ 5 | 1 | 14 | [illegible] [1] | ∘ 5 | 1 |
| 4 | [illegible] | ∘ 5 | 1 | 15 | [illegible] | ∘ 5 | 1 |
| 5 | [illegible] | ∘ 5 | 1 | 16 | [illegible] [2] | ∘ 5 | 1 |
| 6 | [illegible] | ∘ 5 | 1 | 17 | [illegible] | ∘ 5 | 1 |
| 7 | [illegible] | ∘ 5 | 1 | 18 | [illegible] | ∘ 5 | 1 |
| 8 | [illegible] | ∘ 5 | 1 | 19 | [illegible] | ∘ 5 | 1 |
| 9 | [illegible] | ∘ 5 | 1 | 20 | [illegible] | ∘ 5 | 1 |
| 10 | [illegible] | ∘ 5 | 1 | 21 | [illegible] | ∘ 5 | 1 |
| 11 | [illegible] | ∘ 5 | 1 | 22 | [illegible] | ∘ 5 | 1 |

XXXIX Überschriften: I [illegible], I [illegible] [3], III [illegible]

| | | I | III | | | I | III |
|---|---|---|---|---|---|---|---|
| 1 | [illegible] | ∘ 5 | 1 | 2 | [illegible] | ∘ 5 | 1 |

[1] hier steht noch in senkrechter Zeile: [illegible]. — [2] so ?. — [3] wohl ḥḳ.t dỉ; die Zahlen dieser Spalte sind durchweg zerstört. —

(60)

Fortsetzung von Liste (60). –

| Zeile | Text | | I | III |
|---|---|---|---|---|
| XXXIX, 3 | [hieroglyphs] | ∘ | 5 | 1 |
| 4 | [hieroglyphs][1] | ∘ | 5 | 1 |
| 5 | [hieroglyphs][2] [lacuna] | ∘ | 5 | 1 |
| 6 | [hieroglyphs] | ∘ | 5 | 1 |
| 7 | [hieroglyphs] | ∘ | 5 | 1 |
| 8 | [hieroglyphs] | ∘ | 5 | 1 |
| 9 | [hieroglyphs] | ∘ | 5 | 1 |
| 10 | [hieroglyphs] | ∘ | 5 | 1 |
| 11 | [hieroglyphs] | ∘ | 5 | 1 |
| 12 | [hieroglyphs] | ∘ | 5 | 1 |
| 13 | [hieroglyphs][1] | ∘ | 5 | 1 |
| 14 | [hieroglyphs][1] | ∘ | 5 | 1 |
| 15 | [hieroglyphs] | ∘ | 5 | 1 |
| 16 | [hieroglyphs] | ∘ | 15 | 3 |
| 17 | [hieroglyphs] | ∘ | 5 | 1 |
| 18 | [hieroglyphs] | ∘ | 10 | |
| 19 | [hieroglyphs] | ∘ | 10 | |
| 20 | [hieroglyphs] [lacuna] | ∘ | [lacuna] | [lacuna] |
| 21 | [hieroglyphs] | [hieroglyphs] | [lacuna] | [lacuna] |

(61) XL und XLI

| Zeile | Text | | [hieroglyphs] | [hieroglyphs] | [hieroglyphs] | [hieroglyphs] | [hieroglyphs] | [hieroglyphs] | [hieroglyphs] | [hieroglyphs] |
|---|---|---|---|---|---|---|---|---|---|---|
| 1 | [hieroglyphs] [lacuna] | ∘ | 10 | 1 | | | | 1 | | |
| 2 | [hieroglyphs][2,3] | ∘ | | 5 | 1 | | | | 2 | |
| 3 | [hieroglyphs] [lacuna] [hieroglyphs] | ∘ | 50 | 1 | ½ | | | | | |
| 4 | [hieroglyphs] [lacuna] | ∘ | | 2 | [lacuna] | [lacuna] | | | | |
| 5 | [hieroglyphs][3] [lacuna] [hieroglyphs] | ∘ | 20 | | [lacuna] | [lacuna] | | | 1 | |
| 6 | [hieroglyphs] [lacuna] | ∘ | 30 | 3 | ½ | [lacuna] | | | 3 | |
| 7 | [hieroglyphs][2][2] [lacuna][2] [hieroglyphs] | ∘ | 10 | 4 | 1 | [lacuna] | | | 1 | |
| 8 | [hieroglyphs] [lacuna] | ∘ | | | 5 | [lacuna] | | | | |
| 9 | [hieroglyphs][2][3] [lacuna] | ∘ | | 48 | | [lacuna] | | | | 9 |
| 10 | [hieroglyphs][2] | ∘ | | 19 | | [lacuna] | | | | |
| 11 | [hieroglyphs] | [hieroglyphs] | 120 | 83 | 13[2,3] | [lacuna] | | 1 | 7 | 9 |
| 12 | [hieroglyphs] [lacuna] | [hieroglyphs] | 590 | 88 | 31 | [lacuna] | 2[4] | 1 | 8 | 9 |

(62) XL, 13 [hieroglyphs] [hieroglyphs] ∘ 100

14 [hieroglyphs] ∘ [lacuna]

15 [hieroglyphs] ∘ 80[2] [lacuna]

1) so G. – 2) sicher nicht [hieroglyphs] trotz Vergleich mit (27), 15. – 3) auch 23 ist möglich. –
4) vgl. (60) XXXVII, 3-4; die Gesamtsumme ((60)+(61)) stimmt sonst keineswegs. –

(62) Fortsetzung von (62). – XL, 16 … 40

17 … 100

18 …

(63) XLI, 13 …

14 … 15 …

16 … 17 …

18 …

(64) XLI 2, 1–10. Schlussabrechnung vom 17. Tage ohne Berücksichtigung der Einträge (59)–(63); die Zahlen und Überschriften der Zahlenreihen fehlen, vgl. (58).

(65)[2] XLII 2, 1 …

2 … 3 … 4 …

5 … 1

6 … 1

7 … 1 … 1

(66)[3] XLII 2, 8 …

9 …

10 … 10 30

11 … 1 5

12 … 5 10

13 … 2 … 2 …

(67)[4] XLII 3, 1 … 2 …

3 … 90

(68) XLIII, 1 … 2 …

3 … 4 …

5 … 20 20

6 … 1 1

[1] so G. – [2] gleich (24); (65)–(67) gehören zu den Einträgen der Vorderseite. – [3] Zusammenfassung von (22) und (23). – [4] gehört zu (26)–(28). – [5] ob … ? (ḥrt-ʿ fällt dann weg.) – [6] oder …?

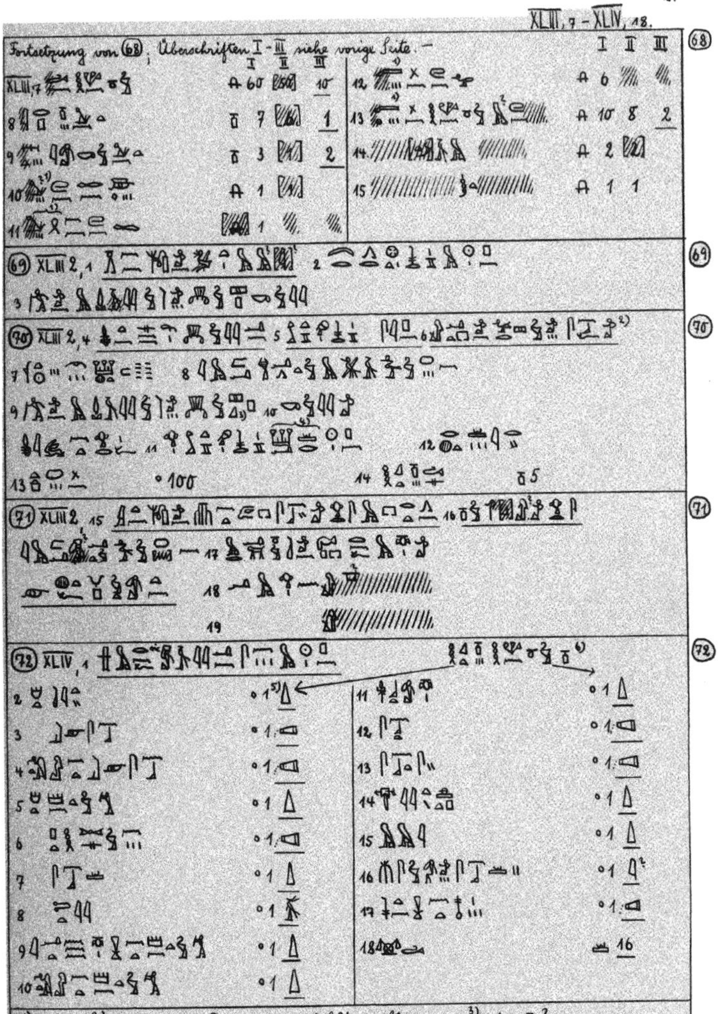

(68)

Fortsetzung von (68); Überschriften I–III siehe vorige Seite. –

| | I | II | III |
|---|---|---|---|
| XLIII, 7 | 60 | | 10 |
| 8 | 7 | | 1 |
| 9 | 3 | | 2 |
| 10 [1] | 1 | | |
| 11 [1] | | 1 | |
| 12 [1] | 6 | | |
| 13 [4] [2] | 10 | 8 | 2 |
| 14 | 2 | | |
| 15 | 1 | 1 | |

(69) XLIII 2, 1 … 2 … 3 …

(70) XLIII 2, 4 … 5 … 6 … [2] 7 … 8 … 9 … 10 … 11 … 12 … 13 … 100 14 … 5

(71) XLIII 2, 15 … 16 … 17 … 18 … 19 …

(72) XLIV, 1 … [6]

| | | | |
|---|---|---|---|
| 2 | 1 [5] | 11 | 1 |
| 3 | 1 | 12 | 1 |
| 4 | 1 | 13 | 1 |
| 5 | 1 | 14 | 1 |
| 6 | 1 | 15 | 1 |
| 7 | 1 | 16 | 1 [?] |
| 8 | 1 | 17 | 1 |
| 9 | 1 | 18 | 16 |
| 10 | 1 | | |

[1]) so G. – [2]) so G.; in der Publikation fehlt der Name. – [3]) oder □ ? –
[4]) G. vielleicht so. – [5]) alle Zahlen sind rot durchstrichen. – [6]) Überschrift. –

XLIV 2,1 – XLV 2,4.

(73) XLIV 2,1 [hieroglyphs]

| | | | | | |
|---|---|---|---|---|---|
| 2 [hieroglyphs] | ∘10 | ∘10 | ∘20 | | |
| 3 | ∘20 | ∘20 | ∘135 | | |
| 4 | ∘30 | ∘30 | ∘145 | | |
| 5 [hieroglyphs] | 50 | | ∘100 | | |
| 6 [hieroglyphs] | | ∘10 | ∘10 | | |
| 7 | | ∘20 | ∘20 | | |
| 8 | | ∘30 | ∘70 | | |
| 9 [hieroglyphs] | | | [hieroglyphs] 1) | | |
| 10 [hieroglyphs] 3 | ∘1½ | | 15 | | |
| 11 | ∘1½ | | 10 | | |
| 12 [hieroglyphs] 1½ | | | 35 | | |
| 13 [hieroglyphs] 1½ | | | 30 | | |
| 14 [hieroglyphs] 1½ | | | 20 | | |
| 15 [hieroglyphs] | | | [hieroglyphs] 1) | | |
| 16 [hieroglyphs] | | | [hieroglyphs] 1 | | |
| 17 [hieroglyphs] | | | ∘1 | | |
| 18 [hieroglyphs] | | | 10 | | |
| 19 [hieroglyphs] | | | ∘10 | | |
| 20 [hieroglyphs] | | | ∘20 | | |
| 21 [hieroglyphs] | | | ∘20 | | |
| 22 [hieroglyphs] | | | [hieroglyphs] | | |
| 23 [hieroglyphs] | | | [hieroglyphs] | | |

(74) XLV,1 [hieroglyphs]

Überschriften der Zahlenreihen: I [hieroglyphs], II [hieroglyphs] —

| Zeile | I | II |
|---|---|---|
| 2 [hieroglyphs] | ∘5 | 1 |
| 3 [hieroglyphs] | ∘5 | 1 |
| 4∘ [hieroglyphs] | ∘5 5 | 11 |
| 5 [hieroglyphs] | 5 | 1 |
| 6∘ [hieroglyphs] | 5 | 1 |
| 7∘ [hieroglyphs] | ∘5 | 1 |
| 8∘ [hieroglyphs] | 5 | 1 |
| 9∘ [hieroglyphs] | ∘5 | 1 |
| 10 [hieroglyphs] | [hieroglyphs] | 1 |
| 11∘ [hieroglyphs] | [hieroglyphs] | 1 |
| 12∘ [hieroglyphs] | [hieroglyphs] | 1 |
| 13∘ [hieroglyphs] | [hieroglyphs] | 1 |
| 14∘ [hieroglyphs] | [hieroglyphs] | [hieroglyphs] |
| 15∘ [hieroglyphs] | [hieroglyphs] | [hieroglyphs] |
| 16∘ [hieroglyphs] | [hieroglyphs] | 1 |
| 17 [hieroglyphs] | [hieroglyphs] | 1 |
| 18 [hieroglyphs] | [hieroglyphs] | 1 |
| 19 [hieroglyphs] | [hieroglyphs] | 1 |
| 20 [hieroglyphs] | [hieroglyphs] | 1 |
| 21 [hieroglyphs] | [hieroglyphs] | 1 |
| 22 [hieroglyphs] | [hieroglyphs] | 1 |
| 23 [hieroglyphs] | [hieroglyphs] | 1 |

XLV 2,1 Überschriften: I [hieroglyphs], II [hieroglyphs], III [hieroglyphs] 3) —

| Zeile | I | II | III |
|---|---|---|---|
| 2 [hieroglyphs] | ∘5 | | |
| 3 [hieroglyphs] | ∘5 | | |
| 4 [hieroglyphs] | ∘5 | | 1 4) |

1) Die Addition ist nicht ausgeführt. — 2) nicht [illegible] s. [hieroglyphs] — 3) III auf Taf. XLVI rechts. — 4) Die Zeilenzugehörigkeit dieser u. der folg. Einer ist nicht sicher.

Fortsetzung von Liste (74). —

| | | I | II | III |
|---|---|---|---|---|
| XLV 2,5 | ° [hieroglyphs] | 5 | | 1 |
| 6 | ° [hieroglyphs] | 5 | | 1 |
| 7 | ° [hieroglyphs][1] | 5 | 5 | 1 |
| 8 | ° [hieroglyphs] | 5 | | |
| 9 | ° [hieroglyphs] | 5 | 5 | /// |
| 10 | ° [hieroglyphs] | 5 | 5 | /// |
| 11 | [hieroglyphs] | 1 | 1 | /// |
| 12 | [hieroglyphs] | 1 | 1 | /// |
| 13 | [hieroglyphs] | 1 | 1 | /// |

(74)

| | | I | II | III |
|---|---|---|---|---|
| 14 | [hieroglyphs] | 1 | 1 | /// |
| 15 | [hieroglyphs][2] | 1 | 1 | /// |
| 16 | /// [hieroglyphs] | 1 | 1 | /// |
| 17 | [hieroglyphs] | 1 | 1 | /// |
| 18 | [hieroglyphs] | 1 | 1 | /// |
| 19 | [hieroglyphs] /////// [hieroglyphs] | 1 | 1 | /// |
| 20 | /////// | 1 | 1 | /// |
| 21 | /////// [hieroglyphs] | 1 | /// | /// |
| 22 | /////////////// | /// /// | 1 | /// |

XLVI,1 Überschriften: I [hieroglyphs], II [hieroglyphs], III [hieroglyphs]

| | | I | II | III |
|---|---|---|---|---|
| 2 | [hieroglyphs] | 1 | 1 | 1 |
| 3 | [hieroglyphs] | 1 | 1 | 1 |
| 4 | [hieroglyphs] | 1 | 1 | 1 |
| 5 | [hieroglyphs] | 1 | 1 | 1 |
| 6 | [hieroglyphs] | 1 | 1 | 1 |
| 7 | [hieroglyphs] | 1 | 1 | 1 |
| 8 | [hieroglyphs] | 1 | 1 | 1 |
| 9 | [hieroglyphs][2] | 1 | 1 | 1 |
| 10 | [hieroglyphs] | 1 | 1 | 1 |
| 11 | ////////// [hieroglyphs] | 1 | 1 | 1 |

| | | I | II | III |
|---|---|---|---|---|
| 12 | ////////// [hieroglyphs] | 1 | 1 | 1 |
| 13 | ////////// [hieroglyphs] | 1 | | 1 |
| 14 | völlig zerstört | | | 1 |
| 15 | völlig zerstört | | | 1 |
| 16 | völlig zerstört | 1 | 1 | 1 |
| 17 | völlig zerstört | 1 | | 1 |
| 18 | völlig zerstört | 1 | | 1 |
| 19 | völlig zerstört | /// 1 | 1 | 1 |
| 20 | [hieroglyphs] /// | /// 18 | 18 | 18 |
| 21 | [hieroglyphs] [3] | ////////// | | |

(75) Fragment auf Taf. XLVII (Vorderseite) und XLVIII (Rückseite) ungefähr Mitte oben. (75)

| XLVII | |
|---|---|
| 1 | ////// [hieroglyphs] |
| 2 | /// [hieroglyphs] [hieroglyphs] |
| 3 | /// /// |
| 4 | /// [hieroglyphs][3] |
| 5 | ////////// [hieroglyphs] /// |
| 6 | ////////// [hieroglyphs] /// |
| 7 | ////////////// [hieroglyphs] /// |

| XLVIII | |
|---|---|
| 1 | /// [hieroglyphs] ////// |
| 2 | /// [hieroglyphs] /// |
| 3 | /// [hieroglyphs] /// |
| 4 | /// [hieroglyphs] ////////// |
| 5 | /// [hieroglyphs] ////////// |
| 6 | /// ////////// |

[1] 10 G. — [2] vgl. den Prinzennamen in (38) XXVI,13. — [3] Hier endet der zusammenhängende Teil der „grösseren Handschrift". Die folgenden Fragmente (75)–(78) gehören derselben Hand an, während alles übrige auf Taf. XLVII – LV die „kleinere Handschrift" bildet. —

## Fragmente von IL, L und LIV.

### (76) Fragment auf Taf. IL (Vorders.) und L (Rücks.); grosses Fragment rechts, bzw. links, oben. (76)

IL, 1
2
3
4
5
6
7

L, 1
2
3
4
5
6
7 [3)]
8 20

### (77) Grosses Fragment auf Taf. LIV [3)]; nach der Publikation nur einseitig beschrieben. (77)

| LIV | | | | | |
|---|---|---|---|---|---|
| 1 | | | | | |
| 2 | | | | | |
| 3 | 30 | 3 | 1 | 1 | 1 |
| 4 | 30 | 2 | 10 | 1 [4)] | 1 |
| 5 | 20 | 2 | 10 | | |
| 6 | 20 | 1 | 5 | | |
| 7 | 30 | 2 | 10 | | |
| 8 | 30 | 2 | 10 | [4)] | [4)] |
| 9 | | | 5 | | |
| 10 | | | 10 | | |
| 11 | ? | | 10 | | |
| 12 | ? | | 5 [5)] | | |

### (78) Zwei kleine Fragmente auf Taf. LIV links unten (A und B) (78)

A, 1
2 ?
3 ?

B, 1 ? ?
2
3

1) G.: — 2) G.: Spuren von ; in der Publikation nichts. — 3) G. hat ein unveröffentlichtes Fragment abgeschrieben, das n. s. Ansicht die Fortsetzung der hier rechts beginn. Schlussabr. bildet und als Datum den 25. des 2. $3ḫ.t$-Monats enthält; es käme danach an den Anfang des Pap. — 4) so G. — 5) ebenso nach 5 Zeilen

# Die Sprüche für das Kennen der Seelen der heiligen Orte.
## (Totb. Kap. 107—109. 111—116.)

Göttinger Totenbuchstudien von 1919.

Herausgegeben von Kurt Sethe.

**Zweites Stück.**

---

## V. Totb. Kap. 112[1].

Die beiden Sprüche, welche zusammen die zweite Gruppe in der Sammlung bilden (V. VI), hängen inhaltlich miteinander zusammen, indem sie beide in ihrem letzten Teile die Verteilung der vier „Horuskinder", der sogen. Kanopenschutzgeister, auf die beiden alten vorgeschichtlichen Hauptstädte von Ober- und Unterägypten zum Gegenstande haben; der Schlußteil von VI ist aber nicht eigentlich eine Ergänzung, sondern eine Variante von V. Der Gegenstand des Spruches V ist in dem Titel V 4 wohl absichtlich mit den gleichen Ausdrücken bezeichnet, die in VI ständig gebraucht werden (*rḫ sštȝ* „Kennen des Geheimnisses" VI 2. 18. 40. 46). Beide Sprüche sind durch eine gemeinsame Nachschrift miteinander verbunden, die, obwohl hinter VI stehend, doch mehr Beziehung zu V als zu VI hat.

Spruch V liegt uns im NR wieder in zwei Rezensionen vor, die sich indes nirgends so stark voneinander scheiden, daß etwa eine Unterscheidung zweier Textformen, wie IV und IV a, in Frage kommen könnte. Beide Rezensionen gehen vielmehr auf eine gemeinsame Urredaktion des NR zurück, wie sich das in der Übereinstimmung gegenüber dem MR Text auch vielfach gerade da, wo sie untereinander divergieren (17. 18. 28. 29. 32—34. 36. 39 a. 40), zeigt. Die altertümlichere Version ist im allgemeinen unzweifelhaft die, welche nur in den der a-Klasse angehörenden Hss der 18. Dyn. (Aa. Jb. Ja. Ae) vorliegt, wenn sie auch nicht frei von sekundären Zutaten ist, die der gemeinsamen Urredaktion des NR noch gefehlt haben dürften (3. 39 a. 43 a. 45. 52). Die ihrer Form nach jüngere Version, die den Hss der b-Klasse (Ea. Tb) eigentümlich ist (deren eine aus der Zeit Amenophis' III. stammt), liegt im allgemeinen dem Text der späteren Zeiten zugrunde, doch kommt es gelegentlich auch vor, daß dieser mit der anderen Version Beziehungen aufzuweisen scheint (33. 45. 51—53), wie sich gerade auch in der jüngsten Periode, der Spz, auffällige Übereinstimmungen mit dem MR Text beobachten lassen, namentlich in der Hs des Pap. Cadet (8. 14. 43 a. 45). Die Entstehung des NR Textes aus dem alten MR Text läßt sich am besten verstehen, wenn sie durch die Vermittlung einer schlecht erhaltenen Hs erfolgt wäre.

Der Text des Spruches ist ganz augenscheinlich aus verschiedenen Bestandteilen zusammengesetzt, die ursprünglich nicht zueinander gehörten:

1. Die Frage, weshalb Buto dem Horus gegeben worden ist, mit der Antwort, daß dies als Entschädigung für die Verletzung seines Auges geschehen sei (6—14). Dabei war ursprünglich natürlich nur an die eine allgemein bekannte Verletzung gedacht,

---

1) Behandelt von Goodwin, ÄZ. 9, 144. Lefébure, Les yeux d'Horus.

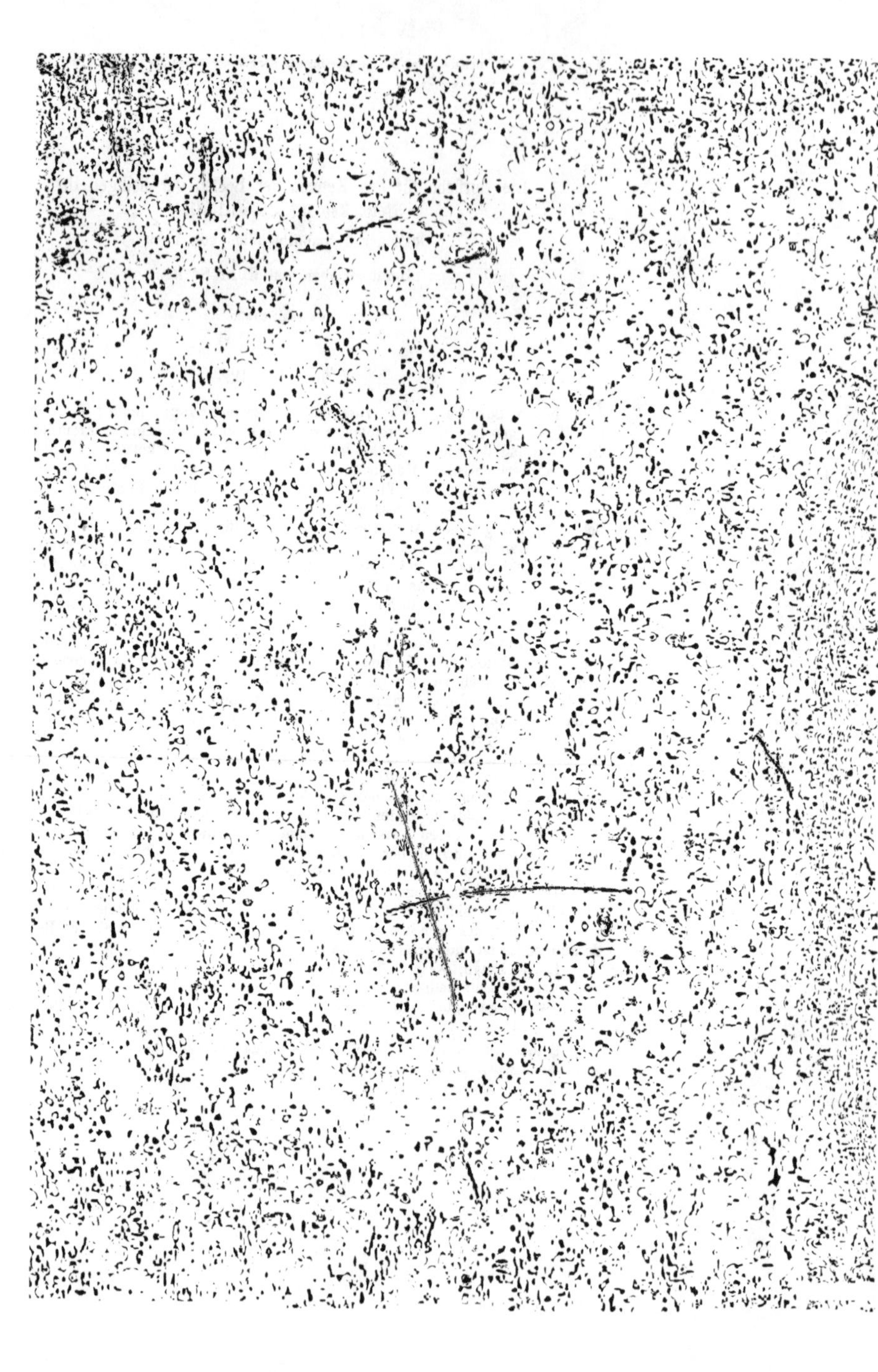

CPSIA information can be obtained
at www.ICGtesting.com
Printed in the USA
BVHW04*1135180918
527827BV00005B/83/P

9 780484 366854